LA INTERNACIONALIZACIÓN
DE LA GUERRA CIVIL ESPAÑOLA

· La España Plural ·

FERNANDO SCHWARTZ

LA INTERNACIONALIZACIÓN DE LA GUERRA CIVIL ESPAÑOLA

JULIO DE 1936 - MARZO DE 1937

Epílogo de
EDWARD MALEFAKIS

PLANETA

Colección: La España Plural

© Fernando Schwartz, 1971 y 1972
© Editorial Planeta, S. A., 1999. Córcega, 273-279, 08008 Barcelona (España)

Diseño de la colección: Josep Bagà
Ilustración de la sobrecubierta: «Aidez l'Espagne», de Joan Miró, 1937
(© Successió Miró, 1998)
Ilustración del interior: fotos AGE, Archivo Editorial Planeta,
Associated Press Photo, EFE, Europa Press, Keystone y Zardoya

Primera edición: febrero de 1999
Depósito Legal: B. 1.894-1999. ISBN 84-08-02907-X
Composición: Víctor Igual, S. L.
Impresión: Liberduplex, S. L.
Encuadernación: Eurobinder, S. A.
Printed in Spain - Impreso en España

Índice

A mi padre

¿Qué os proponéis? ¿Queréis construir la ciudad
   santa? Yo lo haré.
Estoy de acuerdo. ¿O será acaso el pacto suici-
   da, la romántica Muerte?
Muy bien, acepto, porque
Soy lo que escojáis, lo que decidáis. Sí, yo soy
   España.

W. H. AUDEN, *Spain, 1937*
(fragmento del poema)

... Nosotros acabábamos de hacer una guerra civil en contra de muchas de las cosas que habían
pretendido, y conseguido, los *maquis* europeos
de Francia, Italia, Rumania, Checoslovaquia.
Nosotros habíamos montado, en realidad, una
resistencia contra las resistencias europeas.

JOSÉ MARÍA PEMÁN
Mis almuerzos con gente importante

Prefacio

En 1971, cuando escribía el prólogo a la primera edición de este ensayo, afirmaba yo con cierta ingenuidad: «Éste no es un libro original. En 1970 difícilmente puede serlo un estudio sobre cualquier aspecto de la trágica guerra civil española.»

Es inevitable repetir estas dos frases treinta años después porque, en efecto, ahora sí que las motivaciones del conflicto de 1936-1939, «sus implicaciones políticas y sociales, sus campañas militares, sus repercusiones internacionales y sus consecuencias han sido desmenuzadas y analizadas por miles de historiadores»...

En 1970 me estaba curando en salud por motivos políticos. Ahora lo hago por razones historiográficas. Entonces pretendía compaginar mi pertenencia al establishment con mis opiniones antifranquistas. En realidad tenía un solo deseo: que para el régimen pasara desapercibido que me había puesto a contar la historia verdadera. No quería que se dieran cuenta de que uno de los de dentro contaba una realidad distinta de la que ellos habían edificado. ¿Compromiso político o compromiso científico? Me parece que, en 1970, mi libro tenía más de lo primero que de lo segundo.

Ahora, en 1999, mi incertidumbre nace sobre todo de la probabilidad de que mis investigaciones hayan sido superadas por las decenas de estudiosos que se han aplicado a la tarea después de mí. Sin duda es así. Quienes han revisado el texto, sin embargo (entre ellos Edward Malefakis, que me honra con un epílogo), opinan que las tesis contenidas en él siguen vigentes y conservan la suficiente frescura como para merecer la reedición de un ensayo escrito hace treinta años para estudiar un acontecimiento ocurrido hace sesenta.

En 1970 intentar describir desde el interior del país la historia de la guerra civil española («de España», me regañó un conspicuo historiador del régimen, aún no sé muy bien por qué razón) y hacerlo desde un án-

gulo objetivo no dejaba de tener sus riesgos. Me parece que equivalía a adentrarse en un campo sembrado de minas: nunca se sabía cuál iba a ser la reacción del censor ni en qué momento se iba a producir. Así era la irracionalidad de los controles políticos del régimen de Franco. De todos modos las reivindicaciones intelectuales que cuestionaban los fundamentos del sistema político entonces vigente sólo desde las páginas más bien modestas de una investigación histórica no producían grandes sacudidas telúricas en el régimen. El único riesgo que corría un libro así era no resultar publicado.

En 1970, con La internacionalización de la guerra civil española, *pretendía ser veraz. Y no estaba dispuesto a ceder a la hipotética necesidad de un compromiso con el poder con tal de publicarla. De modo que, concluido el manuscrito, se lo envié a Ricardo de la Cierva para que me dijera si resultaba publicable tal cual estaba. Llevaba en contacto con él desde hacía algún tiempo y me había ayudado en algunos momentos de la investigación. Pero, más importante aún, De la Cierva era en el Ministerio de Información y Turismo, desempeñado a la sazón por Manuel Fraga, el director encargado de velar por la pureza doctrinal de la historia no oficial, aunque su título administrativo fuera el de jefe del Servicio de Estudios de Historia Contemporánea de España.*

El texto me fue aprobado sin concesiones ni siquiera mínimas a la galería. De la Cierva no estaba de acuerdo con él, pero era hombre civilizado, el más de los de entonces, y concedió el imprimátur. *Y es que la marea empezaba a cambiar. A cinco años de la muerte del general (que nadie podía predecir, claro, pero que sí se adivinaba en la decrepitud del ambiente provinciano), la visión pueblerina y patriotera de nuestra historia empezaba a ser insostenible, incluso* intelectualmente *insostenible. Llegaba al franquismo una nueva generación cuyos componentes habían sido educados en modos más amables de los que eran propios de sus antecesores. Su autoritarismo había recibido una mano de barniz pretendidamente europeísta que les permitía polemizar pacíficamente con los teóricos enemigos de allende los Pirineos. Su cinismo era mayor que el de la generación precedente pero más civilizado: estos nuevos miembros de la estructura de poder hacían gala de un* despotismo ilustrado *(revivir las virtudes del* XVIII *estaba de moda, era muy afrancesado) que les permitía conocer la verdadera historia, incluso aceptar muchos de sus parámetros, para luego ocultársela al pueblo español, que no estaba preparado para digerirla.*

En este ambiente de liberalismo despótico, Ricardo de la Cierva aprobó mi libro. Lo hizo aceptando incluso mis pequeños capones y mis guiños a la estulticia del censor, como este recordatorio a la idiotez oficial: «Es una verdadera lástima que el libro del profesor Thomas[1] (que ha sido traducido al español y editado por Ruedo Ibérico de París) no se venda en España.» ¡Ruedo Ibérico, la casa editora proscrita, nada menos! Libro prohibido, nada menos, de imposible adquisición, lo que no impedía que todos los jefes del franquismo lo tuvieran encima de la mesa y estuvieran siempre dispuestos a discutir sobre él.

Desde el principio de mi vida profesional, concluida la carrera universitaria y superada la oposición a la Escuela Diplomática, quise escribir sobre la guerra civil. Así lo hice ya en la tesina final de los cursos de diplomacia. Luego me apliqué durante seis años a convertirla en el libro que hoy se reedita sin más cambios que algunas correcciones sintácticas. En estos treinta años he aprendido a escribir con moderado esmero.

La internacionalización de la guerra civil española *fue en cierto modo mi camino de Damasco. En el transcurso de su preparación cobré conciencia de modo progresivo de la insufrible grisalla del franquismo. Habíamos sido muchachos de la burguesía acomodada, hijos de funcionarios del régimen, y sólo se había tambaleado nuestro mundo a principios de 1956, en el momento de las grandes manifestaciones estudiantiles de la Universidad de Madrid. Luego, mi hermano mayor pagó su osadía del 56 siendo expulsado de la carrera diplomática y mi voluntad de opositar al ingreso en ella fue en gran medida una reivindicación de sus sufrimientos. Lo mismo puede decirse de la investigación que acabó llevándome a escribir el libro.*

Empecé como todos leyendo el gran tratado de Hugh Thomas. Inmediatamente a continuación, también como a todos, me sedujo El laberinto español *de Gerald Brenan. Y comprendí cuán despiadadamente destructiva podía resultar la objetividad y, en la dirección contraria, cómo de irritante, el triunfalismo idiota y excluyente del vencedor. Me pareció insufrible tener que aceptar como premisa de nuestra vida civil la santidad de la lucha fratricida y de sus consecuencias. Tal vez escribiendo un libro podría rechazar ambas.*

---

1. Me refería a Hugh Thomas, autor del famoso *The Spanish Civil War*, una obra que en tiempos del franquismo sólo podía adquirirse en España siendo buen amigo de libreros discretos, como los de la librería Miessner de Madrid.

Pero ¿sobre qué iba yo a escribir? ¿Una historia de la guerra civil española? Teniendo en cuenta el nivel del apasionamiento que aún suscitaban sus batallas, sus víctimas y sus resultados, era imposible pensar en publicar en España un relato verdadero. Las autoridades no lo habrían permitido: había una sola verdad oficialmente reconocida y, lo que era peor aún, no admitía ser puesta en entredicho. El término mismo de cruzada *acuñado por los vencedores explicaba con claridad cuánto era el empecinamiento moral en el que se movían.*

Había un único modo de contornear este muro de denegaciones: hablar de la guerra civil utilizando su reflejo en el espejo del mundo, hacer trampa para explicar una historia verdadera disfrazándola como si se tratara simplemente de describir la visión que de ella habían tenido los extranjeros desde fuera de nuestras fronteras.

Y eso sí era fácil.

La guerra civil española, había dicho K. W. Watkins, «fue el espejo en el que se miraron los hombres y que les devolvió no un reflejo de la realidad sino la imagen de los miedos y las esperanzas de una generación».[2] Justo lo que necesitaba como pretexto.

Cuando releo estas líneas y revivo aquellos sentimientos nunca deja de parecerme asombroso el cambio ocurrido en la sociedad española en apenas tres décadas: que yo tuviera entonces que recurrir a argucias para escribir de lo que me apeteciera se hace punto menos que incomprensible para cualquier persona que haya crecido en libertad. Pero era así.

Las tesinas que debíamos presentar al término de los cursos en la Escuela Diplomática tenían que versar sobre cuestiones internacionales a ser posible relacionadas con la política exterior española. No resultaba fácil encajar la guerra civil en estas categorías. De hecho, el embajador Emilio de Navasqüés, director de la escuela, cuando le propuse que mi trabajo versara sobre la guerra de 1936-1939, me preguntó, primero, si estaba seguro de querer meterme en aquel berenjenal *lleno de trampas para incautos y, segundo, si era yo capaz de convencerlo de que el tema por mí elegido tenía algo que ver con las cuestiones internacionales que más preocupaban a España y a la conducción de su política exterior. Era persona con sentido del humor y me dijo todo aquello con un irónico brillo cómplice en la mirada que en nada contribuyó a apaciguar mi ánimo:*

2. K. W. Watkins, *Britain divided - The effect of the Spanish Civil War on British Political Opinion*, Londres, 1963.

me estaba recordando que el único que pagaría las consecuencias de la inoportunidad (de la incorrección política, *se diría ahora) sería yo. No había duda de que opinaba que el riesgo no valía la pena.*

Se daba, sin embargo, la circunstancia de que la Oficina de Información Diplomática del Ministerio de Asuntos Exteriores español, la OID (que por ironías del destino acabé dirigiendo tres lustros más tarde), había publicado en 1952 un panfleto titulado Brigadas Internacionales, la ayuda extranjera a los rojos españoles. *Me pareció el camino abierto por el que introducir el tema de las consecuencias internacionales de la guerra y, para un alevín de diplomático incauto, el enganche más natural al asunto. ¿Cómo no iba a ser lógico tratar de la guerra civil española, argüí, si el hecho mismo de haber tenido lugar y de haberse cerrado del modo en que se había cerrado constituía el elemento principal de la situación del régimen de Franco en el mundo, de sus dificultades y de sus alianzas? Mi argumento fue aceptado.*

Añadiré de paso que el título del panfleto me pareció tan ofensivo que me hizo decidir que en el libro —tesina entonces— jamás aparecería la palabra rojos *aplicada por mí al gobierno de la República o a su organización militar, cualquiera que fuera ésta.*

Fueron seis años divertidos durante los que, estando destinado en el extranjero, pude comprar cuanto libro llegó a caer en mis manos. En el transcurso de la investigación fui ampliando mis estudios en círculos concéntricos cada vez mayores, hasta convertirme en un buen especialista de la historia de la Europa de entreguerras. Tanto me entretenía, tanto me entretuve, que nunca hubiera acabado de analizar, sopesar, aventurar, de no haber mediado el consejo de Víctor Pérez Díaz: «Publica de una vez; hay que publicar las cosas sin perfeccionarlas hasta el infinito, porque nada está nunca acabado; si por nosotros fuera, nunca publicaríamos.»

En 1968, estando yo destinado en la embajada de España en Costa Rica, el Public Record Office de Gran Bretaña, transcurrido un período de treinta años de secreto oficial, decidió abrir los archivos del gobierno de Londres y los del Comité de No Intervención, a partir del 1 de enero de 1969. Aquí debo consignar de forma pública mi agradecimiento a Ricardo de la Cierva porque consiguió que su ministro, Manuel Fraga, convenciera al mío, Fernando María Castiella, de enviarme destinado a Londres para así poder estudiar y recoger aquellos documentos (y no sólo por eso, claro: pasé los cinco estupendos años siguientes viviendo en lo que era la capital del mundo). Le devolví el favor regalando años más tarde al archivo de su Servicio de Estudios una colección microfilmada completa de los documentos de la No Intervención.[3]

Pero a medida que avanzaba en la redacción de mi libro, aun cuando cuidaba de mantener la neutralidad, me parecía que las conclusiones del texto, puestas negro sobre blanco sin más comentario, se iban haciendo más y más devastadoras para el régimen de los vencedores. Tanto, que llegó un momento en que me parecía imposible que nadie quisiera o pudiera editarlo en España (pese a que llevaba adelantadas las negociaciones a tal fin con Ariel Editores). Decidí proponérselo a los editores de Ruedo Ibérico en París. Me prestaron otro señalado favor: en su amabilísima carta de contestación me dijeron que Ruedo Ibérico no estaba interesado en editar un libro que pudiera ver la luz en España. Una cosa así contradecía la filosofía de la editorial: un texto aprobado por los censores españoles era impublicable de raíz por una casa tan hostil al régimen. Además, añadían, mi vida de funcionario sería en el futuro menos difícil si me abstenía del dudoso privilegio de ver publicado un libro por Ruedo Ibérico.

Ariel y su director, Alejandro Argullós, fueron muy pacientes conmigo y, aun sabiendo de mis conversaciones con los editores de París, aceptaron publicar mi libro.

El siguiente escollo fue el diseño de la portada. Hubiera querido que figurase la reproducción de un retrato de Iván Maiski por Oskar Kokoschka. Maiski fue embajador soviético en Londres y uno de los animadores del Comité de No Intervención. Lo que me gustaba no era Maiski, claro, sino su bellísimo retrato lleno de color, tortura y cinismo. Por suerte, los administradores del patrimonio del pintor (fallecido años antes) pedían una suma astronómica de dinero por ceder la obra y Argullós se negó a pagarla.

Y justo en aquel momento mi hermano Pedro me dijo que había oído de un acrílico pintado en 1937 por Joan Miró que podría resultar idóneo.

---

3. Quisiera consignar que, durante la investigación, visité en Ginebra a don Pablo de Azcárate, ex secretario general adjunto de la Sociedad de Naciones y ex embajador de la República en Londres durante la guerra civil. No sólo fue de extrema cordialidad conmigo, sino que me dejó una fotocopia de sus memorias y me permitió usarlas y citarlas sin límite alguno. Con los años, quise acotarlas y comentarlas para que fueran publicadas, pero no fue posible. Entre 1988 y 1994 compartí en el diario *El País* las tareas de redacción de editoriales sobre política exterior con su hijo, Manuel Azcárate, recientemente fallecido y persona que había heredado las virtudes de sencillez, liberalismo, solidez científica e inteligencia de su padre. Fue un privilegio trabajar junto a él.

Estaba en el Museo de Arte Moderno de Nueva York; representaba a un trabajador con el puño en alto y llevaba la leyenda de Aidez l'Espagne *(ayudad a España),* 1 fr. *Todo ello combinando los colores de la bandera republicana española. La obra había sido editada en Francia como sello para la ayuda voluntaria a los republicanos durante la guerra civil. Conseguimos una fotografía del cuadro y comprendimos que, en efecto, cumplía con todos los requisitos necesarios para ser la portada de mi libro. Con más de los requisitos necesarios, porque acabó pareciéndome con mucho lo más valioso de la obra. Andando el tiempo conseguí del museo neoyorquino un negativo (no fue difícil, sólo tuve que pagar una cifra astronómica por él) que ahora ha sido utilizado por Planeta para la reedición y del que hice una copia que cuelga en la pared de mi estudio.*

Pedro habló con Alberto Corazón y le propuso diseñar una portada con la pintura de Miró. No era muy complicado: bastaba con poner el sello en medio de la sobrecubierta. Su fuerza cromática haría el resto. Corazón cumplió el encargo con su pericia habitual. Debo decir que, cuando me llegó el primer ejemplar, me asusté. Era de un efecto brutal.

Algo así debió de parecerle que ocurriría al propio Joan Miró, porque Alejandro Argullós tuvo que aplacar su inquietud asegurándole que no pasaría nada con la publicación del libro. Miró no quería líos, como era natural, y si la portada iba a darle quebraderos de cabeza con las autoridades españolas, prefería que nos abstuviéramos de utilizarla. Habla mucho en su favor que aceptara sin más las garantías verbales que le dio Argullós.

El reglamento de la Carrera Diplomática exigía durante el franquismo que todo escrito realizado por un diplomático fuera sometido para su nihil obstat *a la autoridad correspondiente en el Ministerio de Asuntos Exteriores. Eran tiempos absurdos: también debía el ministro autorizar el matrimonio de los funcionarios, especialmente si pretendían casarse con extranjera (digo bien* extranjera: *no había diplomáticas).*

Sometí, como preceptivo, el manuscrito a la secretaría general técnica del departamento. Me fue aprobado con dos salvedades en sendos pasajes «ofensivos» que debía corregir. Ambas se referían al régimen fascista italiano: si en un momento lo tildaba de «sistema de opereta», en otro llamaba a Benito Mussolini «pavo real», amante de los uniformes y de las poses. Resultó sencillo porque me limité a quitar los adjetivos. Aún hoy me intriga saber quién sería el funcionario encargado de leer mi texto y de hacerle las observaciones de pureza ideológica. Por el resultado de su actividad censora no me parece que fuera un gran entusiasta de los na-

cional-socialismos, pero seguro que había disfrutado de un largo y agradable destino en Roma.

En junio de 1971 me llegó a Londres, en donde vivía, el primer ejemplar de La internacionalización de la guerra civil española. *Recuerdo haberme paseado en metro con él abierto por las páginas centrales para mostrar al mundo entero (o al menos al que se movía por debajo de la superficie londinense) mi primer hijo literario. En aquellas páginas había un mapa de España con el resumen de toda la guerra civil en varios colores: campañas, batallas, áreas de dominio de rebeldes y republicanos, actividad de las Brigadas Internacionales, movimientos del gobierno. En lo que a mí hacía, su único mérito era haber sido concebido y dibujado por mí.*

En agosto y en septiembre de aquel año de 1971 aparecieron las críticas al libro.

La primera, en ABC, *el 26 de agosto, firmada por José María Ruiz Gallardón, me llamaba, aún ignoro por qué, «joven profesor español» y afirmaba que el libro era «un profundo estudio» sobre el conflicto, «un libro que hay que leer»... «serio, profundo, meditado y demostrativo de cómo debe operar, técnicamente hablando, un historiador». Cuando llegué a ese pasaje de la crítica, que ocupaba más de una página del periódico, excuso decir que tocaba el cielo con las manos. Señalaba Ruiz Gallardón que había muchos aspectos —los de interpretación política, naturalmente— con los que no estaba de acuerdo, pero añadía:*

> *Sorprende [...] no sólo la cantidad y calidad de las fuentes utilizadas [...] sino cómo están tratadas. Fernando Schwartz ha querido y conseguido, en gran parte, agotar un tema de honda trascendencia y de conocimiento indispensable para el recto encaje histórico de lo que fue nuestra contienda: de un lado, su significación dentro de la problemática internacional de los años treinta; de otro, cómo esa misma problemática se tradujo, en la práctica, en un cierto condicionamiento del resultado mismo de la guerra.*

Traigo a colación tan larga cita no sólo por vanidad (que también), sino porque me parece que Ruiz Gallardón había comprendido con gran exactitud lo que yo pretendía con el libro.

Lo mismo puede decirse del crítico del diario Informaciones *cuando el 16 de septiembre de 1971 afirmaba que se trataba de un libro «impres-*

cindible [...] *para comprender la evolución de nuestra historia y la dialéctica de la política internacional de los últimos años».*

Iba yo muy satisfecho por la vida cuando cuatro días más tarde Juan Aparicio publicaba en el diario Alcázar *una crítica titulada «La Etiqueta» y escrita en el tono pesadamente irónico que utilizaban los intelectuales del régimen para reprender a los antagonistas. El artículo me ratificó en mi convencimiento de haber acertado, por más que la diatriba de Aparicio me pareciera algo tibia para lo que esperaba recibir.*

> *Las guerras civiles, o así con el epíteto de fratricidas e intestinamente cainitas, son las más internacionalizadas, las más dependientes de los poderes extrínsecos y alógenos. Son guerras donde se infiltran, parachutan y combaten, bajo camuflaje o a pecho descubierto, las tropas forasteras y cuyos hermeneutas, escoliastas e historiadores participan, también, de esa parcialísima extranjería, pues hasta el autor de* La internacionalización *de la guerra civil española, don Fernando Schwartz, con puesto diplomático en nuestra embajada en Londres, conserva, como es natural, su apellido tudesco.*

Y así hasta una página entera en la que me reprochaba Aparicio ignorar a los «soldados y colaboradores juveniles» de Franco, «cuya voluntad y pensamiento, creencia y ambición no constan en la bibliografía tan copiosa de onomástica anglosajona del libro». Y también me reprochaba que en mi opinión, «y parece que lo lamenta, la guerra no se ganó en seguida por el Gobierno de Madrid». Nada para lo que podría haber sido su crítica a «este libro concienzudo, pero sin llegar al nivel aséptico».

Sin embargo, lo que realmente colmó todas mis aspiraciones fue la crítica aparecida en marzo de 1973 en la revista Ibérica, por la libertad, *la publicación del exilio dirigida por Victoria Kent. En ella, Ignacio Iglesias constataba no sin cierta sorpresa, «para desvanecer toda posible suspicacia a causa de la profesión del señor Schwartz, que en su estudio impera una gran objetividad». Y terminaba el artículo afirmando que*

> *hoy día, los hechos cantan, presentados precisamente por autores que no se hallan en el exilio y que no participaron a causa de la edad en aquella terrible contienda. Tal es el caso del [...] autor de [este] libro que permitirá a las jóvenes generaciones españolas conocer la verdad de unos hechos que cambiaron el rumbo de España, trastornaron la vida de sus padres y por ende también la de ellos mismos.*

La internacionalización de la guerra civil española *vuelve a ver la luz hoy. Como he indicado más arriba, nada ha sido cambiado, salvo pequeñas correcciones sintácticas. Releyendo tanto el texto como las críticas, se comprende, siendo la historia como es, cuánto han cambiado las cosas en España. Ésa es nuestra fortuna.*

Y para que quede constancia de todo con escrupuloso respeto a la verdad concluiré recordando que, con los derechos percibidos por las ventas de las dos ediciones que se hicieron del libro hace treinta años, me compré una alfombra persa de oración.

FERNANDO SCHWARTZ

Prólogo

Éste no es un libro original. En 1970 difícilmente puede serlo un estudio sobre cualquier aspecto de la trágica guerra civil española, cuando sus motivaciones, sus implicaciones políticas y sociales, sus campañas militares, sus repercusiones internacionales y sus consecuencias han sido desmenuzadas y analizadas por miles de historiadores con un interés y un apasionamiento solamente superados por los que provocó la Revolución francesa.

Precisamente sobre los aspectos internacionales de la guerra existen varios libros que ya se han convertido en clásicos en la materia. Las obras de Cattell, Harper, Watkins, Traina, Broué y Témime, Guttmann, Payne y, naturalmente, Thomas deben ser leídas con el respeto que exigen la seriedad de sus investigaciones y la imparcialidad de sus conclusiones.

Sin embargo, no existe, que yo sepa, un estudio de conjunto sobre este particular aspecto del conflicto. Salvo Hugh Thomas, que ha tratado con acierto de toda la guerra civil, los demás autores han escrito monografías sobre tal o cual enfoque de la panorámica internacional en torno a la guerra. Aunque mi libro no cubre más que un período breve de nuestra guerra civil —apenas siete meses—, mi intención al escribirlo era presentar un abanico de todas las repercusiones internacionales de ese momento. No es más que un intento, por supuesto no definitivo, de apuntar al tremendo impacto de nuestra tragedia sobre la conciencia europea. Para ello era preciso ahondar, aunque fuera brevemente, en los particulares estados de ánimo político de cada país. Es posible que dentro de unos años algún historiador más experimentado se lance a escribir toda la historia de las repercusiones internacionales de la guerra. Dudo de que se pueda hacer o de que sea interesante el intento si no forma parte de una historia completa de la Europa del siglo XX. Porque, y esto es lo más importante, la guerra civil de España no es comprensible, casi ni siquiera concebible, fuera del marco europeo en que se produce.

Naturalmente, he tenido que apoyarme constantemente en las monografías de otros autores para tratar de los aspectos menos inéditos de la guerra, que son la mayoría. Cattell y Broué y Témime para la intervención soviética; Renouvin para partes de la francesa; Harper para la alemana; Traina y Puzzo para la americana; Watkins y Guttmann para las facetas intelectuales de las repercusiones; Padelford y Van der Esch para cuestiones jurídicas. Donde he podido, me he apoyado en las memorias de algunos de los protagonistas. Todas las referencias se encuentran en la bibliografía.

Creo haber sido el primero en utilizar las fuentes británicas (abiertas al público el primero de enero de 1969) y las portuguesas; en ese sentido, me parece que el libro contiene algunos puntos de vista originales sobre dos de los principales actores de esta tragedia.

He limitado mi estudio a unos meses —los iniciales— de la guerra porque creo que después de marzo de 1937 hay pocas novedades interesantes en Europa respecto de la contienda española. Durante los meses finales de 1936 se plantea toda la intervención extranjera en el conflicto, al igual que la política de no intervención, y las bases así sentadas no van ya a cambiar en sustancia hasta abril de 1939.

Debo añadir algo que me parece muy importante: aunque, claro, como todos los españoles tengo mis opiniones sobre la guerra, he evitado escrupulosamente manifestarlas por considerar que no es ésa la tarea de un historiador. Me parecía esencial ser del todo imparcial: siempre que he podido he dejado que hablaran los documentos y he sacado las conclusiones inevitables que se deducen de ellos. He intentado, a riesgo de hacer las citas demasiado largas, no alterar en lo más mínimo su contenido e intención. Y es que, como con tanto acierto indica el profesor Taylor en su libro *The Origins of the Second World War*, se escribe historia

para entender lo que sucedió y por qué sucedió. A menudo, a los historiadores no les gusta lo sucedido o desearían que hubiera ocurrido de otra manera. Nada pueden hacer para cambiarlo. Deben expresar la verdad como la ven sin preocuparse de si confirma o niega los prejuicios existentes.

Durante la redacción de este libro he recibido ayuda de las siguientes personas: Manuel Fernández Iglesias, Mario Zaragoza, Mariano Berdejo, José María Jerez, Pedro Schwartz, Ricardo de la Cierva, jefe del Servicio de Estudios de Historia Contemporánea de España del Ministerio de Información y Turismo, José María Gironella, Santiago de Churruca, conde de Campo Rey, y Víctor Pérez Díaz. A todos ellos, mi gratitud por su consejo y ayuda; a su pesar aún hay muchos errores: sólo a mí son imputables. Estoy en deuda con los directores del Public Record Office de Londres, que me dieron constantes facilidades para mi investigación, con la compañía Microgen Limited, también de Londres, que generosamente me prestó un aparato lector de microfilm, y con el Corpus Christi College de Oxford que me autorizó a examinar y citar los papeles de Francis Hemming.

F. S.

Londres, marzo de 1971.

PRÓLOGO A LA SEGUNDA EDICIÓN

Al agotarse la primera edición, decidí revisar completamente el libro aprovechando para ello nueva bibliografía, alguna documentación aparecida recientemente y muchas cartas y notas aclaratorias enviadas por lectores, a quienes agradezco sinceramente su interés. La sustancia de la obra no ha cambiado, pero he reescrito varios capítulos, ampliando muchos de mis análisis de política exterior de varias de las potencias involucradas en la guerra civil española. También he añadido un índice onomástico.

F. S.

Londres, julio de 1972.

I. El estallido de la guerra civil española en Europa

La guerra, un factor ideológico

En las setenta y dos horas que siguieron al anuncio del alzamiento del 17 de julio de 1936 se llevaron a cabo las tres acciones diplomáticas de más trascendencia de toda la guerra civil española: las tres solicitudes de ayuda dirigidas, una, por el Gobierno de la República a Francia, y las dos restantes, por los nacionales a Alemania e Italia. A través de ellas se desencadenó todo el mecanismo de la intervención extranjera en España. La ayuda extranjera a los dos bandos en lucha constituyó la espina dorsal de su fortaleza.

Hasta entonces no había habido actividad diplomática seria para preparar la guerra. Al Gobierno de la República le sorprendió tanto el alzamiento que su primera acción exterior, el telegrama de su primer ministro al jefe del Gobierno francés solicitando ayuda, se produjo casi dos días después del primer anuncio de la rebelión. Los reiterados rumores de que parte del ejército español preparaba un levantamiento desde después de las elecciones que en febrero de 1936 habían dado el poder al Frente Popular habían sido rechazados por el Gobierno como carentes de fundamento. Por su parte, los nacionales no estaban preparados para una guerra abierta ni tampoco para una situación que se prolongara más allá de un golpe de Estado de veinticuatro horas de duración. El solo hecho de que carecieran de una organización racional y unitaria hasta días después del levantamiento lo demuestra cumplidamente. Los nacionales esperaban un éxito inmediato del golpe de Estado y, sólo al ver que sus esperanzas no se cumplían, iniciaron la busca de apoyo en el exterior.

Apenas unos días más tarde, empezaban a llegar a territorio español las ayudas de las diferentes potencias europeas.

Al estallar su guerra civil, España entró de lleno, aunque no por la puerta más pacífica, en la historia política europea del siglo xx.

Es importante detenerse a considerar lo que ello significa. El concepto que se tenga de la guerra civil depende del modo en que se enjuicie esta irrupción violenta de España en el mundo político europeo. Cuatro son, en sustancia, los enfoques desde los que se ha considerado la conflagración española:

1. Para unos fue una cruzada cuasi-religiosa contra el comunismo, verdadero antecedente de la guerra fría que desde hace más de veinte años opone a Oriente y Occidente. Según esta opinión, la internacionalización de la guerra civil apenas significó que, en un conflicto local, exclusivo y que nada tuvo que ver con los acontecimientos del resto del mundo, intervinieron a título particular y de amistad unos cuantos Gobiernos, unos para apoyar la implantación del marxismo en España, otros para ayudar a los que se habían levantado en armas contra esta posibilidad. La llamada *política de no intervención* que acordaron los Gobiernos de Europa respecto de España fue una farsa irritante que no impidió el descarado apoyo de muchos a la República española. Alemania e Italia se vieron forzadas a ayudar a los nacionales en vista de que otros países hacían caso omiso de sus compromisos internacionales.

2. Para otros fue una lucha contra el fascismo en un campo de batalla que no resultaba peligroso para la paz mundial si se conseguía que la guerra civil no desbordara las fronteras españolas. Según esta idea, el conflicto español tuvo honda repercusión en Europa porque fue, de hecho, el directo antecedente de la segunda guerra mundial y no decidió sólo la suerte de un pueblo; los mismos hombres que ayudaron a nacionales y republicanos se encontraron de nuevo frente a frente a partir de septiembre de 1939. Los Gobiernos que ayudaron a unos y otros contendientes, voluntaria o involuntariamente, interviniendo o absteniéndose, eran entre sí los mismos antagonistas desde hacía por lo menos dos años y lo seguirían siendo hasta 1945. La no intervención fue una farsa irritante porque desposeyó a la Repú-

blica española de su legítimo derecho a comprar armas en el extranjero para hacer frente a una rebelión interna y porque, por añadidura, fue constantemente violada por unos y otros, si bien es cierto que los aliados de la República lo hicieron para contrarrestar el apoyo de Hitler y Mussolini a los rebeldes.

3. Para otros no pasó de ser otro de los desdichados acontecimientos de los años treinta que, con los Tratados de Versalles (que, aun habiendo sido firmados años antes, pusieron de manifiesto lo peligroso de sus cláusulas en la década de 1930-1939), la conquista de Abisinia, la remilitarización del Rin, el *Anschluss*, la Conferencia de Munich, trajeron la segunda guerra mundial. La no intervención fue una farsa irritante, resultante de la ansiedad británica de apaciguar a los dictadores europeos para salvaguardar así la paz de Europa y no resolvió nada. La guerra civil prosiguió su curso a pesar de la no intervención y la guerra mundial estalló, también a su pesar, de modo casi inesperado el primero de septiembre de 1939.

4. Por fin, para otros fue puramente un golpe de Estado provocado por una situación interna de inestabilidad política y social. Al fracasar la rebelión, se convirtió en una guerra civil que asoló a España durante casi tres años. Todo lo que pasó en España fue típico de España, de su momento histórico y de su coyuntura social. El interés que despertó la guerra en el mundo fue más bien sentimental y los Gobiernos europeos la consideraron con desagrado, intentando aislar sus efectos y confinarlos a la península Ibérica.

La tesis que se defiende en este libro es que la guerra civil de España estalló como conflicto puramente interno, con motivaciones exclusivamente españolas y que sus resultados afectaron preferentemente a los españoles. Inmediatamente, sin embargo, la guerra civil evolucionó para convertirse en un incidente característicamente europeo de los años treinta y sumarse a la serie de acontecimientos que, como otros tantos malos augurios, jalonaron la década. Por un lado, Alemania e Italia tiñeron de fascismo un conflicto inicialmente interno, sacándolo bruscamente a la luz de la amenazadora situación europea. Por otro lado, la asistencia prestada a ambos contendientes permitió a éstos convertirse en beligerantes y mantenerse en esa coyuntura bélica durante casi tres años. Es cierto que las motivaciones, las luchas (fueran batallas o revoluciones) y las consecuencias de la guerra fueron mayormente españolas. Pero el peligro de la situación puso de relieve las tensiones continentales, y algunos países, sobre todo Gran Bretaña, intentaron aislar el conflicto para evitar que degenerara en una guerra mundial. La política de no intervención, con ser una farsa de neutralidad, evitó que la guerra civil fuera la causa directa de la conflagración total y retrasó el estallido de ésta hasta septiembre de 1939.

Los hombres y las naciones de 1936 ante la guerra de España

Cuando estalló la guerra civil en España, la situación europea era muy confusa. En julio de 1936, la paz parecía seriamente amenazada por varios acontecimientos que habían contribuido a desequilibrar un sistema que los gobernantes creían funcionalmente bueno desde 1920. La guerra civil venía a añadir un elemento aún más amenazador a tan inestable situación. Ningún país podía desligarse de lo que sucedía en España, no sólo porque la opinión pública y los partidos políticos tomaron inmediatamente apasionado interés en el asunto, sino sobre todo porque el conflicto ibérico acercaba el espectro de la guerra mundial, y contribuyó a poner frente a frente fuerzas que, en el terreno europeo, ya eran claramente antagónicas desde años atrás.

En julio de 1936 apenas había tiempo para examinar de cerca la cuestión española. Para el público medio extranjero, para muchos observadores imparciales e inteligentes y, lo que es más importante, para muchos gobernantes, la guerra civil constituía la auténtica lucha de la democracia contra el nazi-fascismo, la primera guerra abierta entre estos irreconciliables enemigos. La situación europea en 1936 (con las cuestiones de Abisinia y el Rin aún muy recientes) daba fe de un progresivo deterioro de las relaciones internacionales y ponía de manifiesto las tensiones cada vez más agudas entre los conceptos y las prácticas de democracia y de fascismo. Lo que desde este punto de vista parecía ventilarse en España, por encima de los problemas sociales y de las cuestiones políticas internas, era, al igual que había sucedido antes en Italia, Portugal y Alemania, el advenimiento de un sistema de gobierno totalitario, de marcado carácter reaccionario, que empezaba a preocupar seriamente a los Gobiernos de Europa y América y que obsesionaba al de la Unión Soviética. Estos cambios revolucionarios hacia la derecha eran considerados como claras amenazas a una paz que muchos querían conservar. Paz de vencedores y vencidos basada en un equilibrio teórico de poder (las democracias, apoyadas por Estados Unidos, y el Oriente europeo, frente a Alemania) que todo nuevo cambio reaccionario hacía tambalear.

Como ha puesto de relieve el profesor Taylor,[1] los resultados más evidentes de la guerra del 14-18 habían sido las derrotas de Alemania y Rusia. La victoria de los aliados sobre Alemania (principal objetivo de la guerra) restó entonces importancia a la de Alemania sobre Rusia, sin duda uno de los acontecimientos que tuvo más graves consecuencias para la subsiguiente historia de Europa. En efecto, cuando en marzo de 1918 los nuevos gobernantes bolcheviques habían firmado la rendición incondicional en Brest-Litovsk, Rusia había dejado de existir como gran potencia y había desaparecido del firmamento europeo, deshaciendo así el equilibrio de antes de 1914, cuando la fortaleza de los Estados centroeuropeos era contrarrestada por la de la Triple Entente de Francia, Rusia y Gran Bretaña. Desde aquella fecha, Alemania había podido dejar de preocuparse de sus fronteras en el Este y Europa había quedado coja. Rusia se replegó sobre sí misma. Sólo años más tarde, cuando Hitler fijó su atención en el Oriente europeo, poniendo hábilmente en práctica su teoría del *Drang nach Osten*, la Unión Soviética se vio forzada a salir de su aislamiento.

Hubo otra consecuencia importante a deducir del final de la Gran Guerra, que, de hecho, constituye la causa más directamente ligada al estallido de la segunda guerra mundial. Si el conflicto había dejado a Francia destrozada, a Rusia en la ruina y al Imperio austro-húngaro disuelto, Alemania había salido de él

---

1. A. J. P. Taylor, *The Origins of the Second World War*, Fawcett World Library, Nueva York, 1966.

casi intacta desde el punto de vista territorial. En 1918, los aliados tenían enfrente a una Alemania vencida pero que, al mismo tiempo, seguía siendo el primer país de Europa, demográfica y económicamente. En aquel momento deshacer Alemania parecía una crueldad innecesaria y reconocer su fortaleza, la postura más lógica. En 1918 todo el mundo ignoraba que quince años más tarde Hitler subiría al poder. Al firmar el armisticio con el Gobierno alemán, los aliados habían resuelto, buscando asegurar una paz duradera y firmemente asentada sobre la base del respeto de buena fe a las disposiciones de los tratados de paz, transigir con cualquier situación alemana y, desde entonces, se pasaron veinte años haciéndolo. El apaciguamiento como línea de conducta política no nació para responder tímidamente a las ingeniosas maniobras expansionistas de Hitler. Cuando éste subió al poder en 1933, el apaciguamiento era un modo de ser irreversible que las democracias habían incorporado a su actividad política desde 1918. Chamberlain, el primer ministro inglés, fue el gran culpable de la crisis de Munich, pero no debe olvidarse que es muy posible que nunca hubiera sido jefe del Gobierno británico de no haber existido una tendencia tan claramente apaciguadora desde años antes. El apaciguamiento se hizo ingenuo por fuerza de las circunstancias cuando en Alemania accedió al poder una persona decidida a interrumpir el juego de la buena fe en las relaciones internacionales y a hacer que a su país se le reconociera la fuerza real que tenía.

Tampoco debe olvidarse que la guerra, larga y cruel, había dejado a los hombres cansados. La humanidad quería paz y tranquilidad. El apaciguamiento nació también de un manifiesto deseo colectivo, y la idea de crear una Sociedad de Naciones que asegurara la paz para siempre, contó con el entusiasta apoyo de todos.

El apaciguamiento fue una línea de conducta impuesta por Gran Bretaña por encima de las protestas de Francia. En la balanza europea de la posguerra hubo dos platillos, el inglés y el francés, y siempre pesó aquél más que éste. La historia de esa ambigua relación franco-británica es uno de los rasgos típicos del momento europeo. Francia no disponía de argumentos materiales o morales para imponer su teoría de la seguridad continental, mientras que Gran Bretaña sí los tenía para asegurar el sistema de conciliación que preconizaba. Alemania, la Alemania vencida y desmilitarizada, fue plenamente admitida en la comunidad europea el primero de diciembre de 1925, fecha de la firma del Tratado de Locarno. Pero también, su accesión al status de igualdad fue ambigua y muchas veces incongruente: si políticamente, por el Tratado de Locarno, se la dejaba de considerar nación enemiga y las disposiciones de seguridad se aplicaban tanto respecto de ella como respecto de Francia, si se le permitía ingresar en la Sociedad de Naciones, económica y militarmente siguió siendo durante años un país delincuente al que se obligaba a pagar reparaciones de guerra y a mantenerse desarmado. Esta doble situación contradictoria alimentó la irritación de los alemanes. A pesar de ello, la subida al poder de un hombre que hablaba con firmeza de las reivindicaciones de su país, que hablaba de rearme, de expansión territorial, no fue más que moderadamente bien acogida en Alemania. Cuando Adolf Hitler fue nombrado canciller en 1933, lo fue con el consentimiento y apoyo de sólo una minoría de sus compatriotas (apenas un 33 por ciento).

Por otra parte, nadie sabía en 1933 que el aparentemente sólido sistema de paz mundial creado desde la visión ideológica y utópica del presidente Wilson con el ferviente apoyo de Gran Bretaña y dirigido con los mejores propósitos desde la Sociedad de Naciones en Ginebra, era un castillo de naipes que no podía resistir la más leve sacudida. La Sociedad de Naciones tenía un vicio de origen insubsanable: la ausencia de Estados Unidos, y una falla ideológica y práctica muy difícil de superar: su debilidad esencial, fruto de demasiadas aspiraciones pacíficas que resultaban por completo impracticables. Estos defectos fundamentales se pusieron de manifiesto al planteársele al organismo ginebrino las primeras dificultades serias que, por otra parte, acabaron con él casi sin una protesta y ante la mirada impotente de muchos gobiernos de buena voluntad. La conquista de Manchuria por Japón, el fracaso de la Conferencia del Desarme, la conquista de Abisinia por Italia y la remilitarización del Rin por Alemania, tuvieron, como es sabido, consecuencias catastróficas para la Sociedad de Naciones, que prácticamente dejó de existir a partir de 1936. Cuando Alemania, Japón e Italia (el futuro Eje) abandonaron la Liga, no hicieron más que sacar las consecuencias de la situación internacional que ellos mismos habían provocado: el Tratado de Versalles, el Pacto de Locarno, los acuerdos Briand-Kellogg, que durante años habían sido presentados como eficaces instrumentos de paz, habían muerto. El tenor de las relaciones internacionales volvía a ser la violencia.

Sobre esta imagen de una situación internacional extraordinariamente difícil y tensa se proyectan los dos movimientos políticos más importantes de la época: el marxismo y el fascismo.

Con el triunfo de la Revolución rusa, pareció a sus líderes que la muerte del capitalismo estaba muy próxima y, sobre todo, que el comunismo había tomado el liderato del movimiento revolucionario. El levantamiento del proletariado, su progresivo despertar, eran, sin embargo, una marea mucho más general, tan inmersa en la evolución natural de la sociedad en el siglo xx que resultaba imposible que un movimiento tan radical como el comunismo se pusiera a su cabeza. Pronto se vio que el «cerco capitalista» y la forzada y consiguiente idea del «socialismo en un solo país» restringían necesariamente el impulso comunista. La Tercera Internacional creada en Moscú en 1919 nació con la evidente limitación del reducido número de afiliados a los partidos comunistas fuera de Rusia, comparado a la fuerza muy superior de los partidos y sindicatos socialistas, y se redujo pronto, con el rígido liderato práctico e ideológico de los bolcheviques, a un mero aparato de propaganda, espionaje y terror, con poca fuerza política real. El comunismo se diluyó así en Europa en la generalidad del movimiento revolucionario y hubo de ceder a la mayor fuerza de la Segunda Internacional, nacida a raíz de la Conferencia de Berna de 1919. Esta organización, pese a sus dificultades y debilidades internas iniciales, con su doctrina de la aceptación del juego democrático y de la colaboración con los partidos *burgueses*, tuvo una eficacia muy superior y entreabrió las puertas a una revolución pacífica mucho más factible que la del comunismo.

En el otro extremo, el fascismo tomó por sorpresa a Europa porque para la mayoría de los hombres constituyó una idea nueva. Las experiencias fascistas más significativas son bastante desemejantes entre sí, porque lo son las bases nacionales en que se asientan y los líderes que las conducen. Aunque no pueda establecerse un patrón igual para todos los fascismos, sí pueden predicarse de ellos tres cosas comunes: todos son, claro está, movimientos reaccionarios; en todos es rasgo distintivo el empleo de la fuerza para dominar y destruir el empuje revolucionario al que niegan en absoluto justificación alguna (el orden público, por contraposición a las dificultades internas por las que atraviesan las democracias, es el valor facial que lo justifica todo), y, finalmente, con la violencia de la represión, son esenciales, como síntesis del nacionalismo, el ensalzamiento del militarismo y la idea de gloria imperial junto con un inicial obrerismo anticapitalista. En pocos años, el triunfo del fascismo tuvo un amplio eco, tanto más preocupante cuanto que en él se había basado la construcción de gobiernos totalitarios de naturaleza claramente belicista.

Con estos breves antecedentes, pueden ahora examinarse más de cerca las cuatro teorías sobre el significado de la guerra civil española, especialmente considerando su encuadre dentro de la situación política europea:

1.° *Fue una cruzada contra el comunismo.* Reducir la historia de la guerra a una ecuación tan simple constituye una explicación muy insatisfactoria de la postura de tantos hombres y Gobiernos como los que se sintieron comprometidos en la lucha.

Ciertamente, desde febrero de 1936, momento en que las elecciones dieron el poder a un Frente Popular, empezó a notarse en España un claro ambiente revolucionario. Éste tenía raíces viejas y no más evidentes que en Francia o en Gran Bretaña. Es muy importante subrayar que el caso de España no se diferencia esencialmente del del resto de los países de la Europa de entreguerras, en los que los gérmenes revolucionarios habían ido manifestándose con mayor o menor ímpetu desde el triunfo de la Revolución rusa. Cada país había ido encontrando su solución: unos, como Alemania e Italia, exterminando por la violencia las raíces revolucionarias; otros, como Francia y Gran Bretaña, encauzándolas medrosamente en la medida de lo posible y atendiendo sus reivindicaciones en lo que tenían de justicia. Presentar el caso de España como algo absolutamente aparte y sin parangón constituye una falacia histórica[2] con la que se desprecian las evidentes analogías con la situación francesa de junio de 1936. La presión revolucionaria en España no se diferenció de las de otros países europeos más que en dos puntos sustanciales que sí pueden explicar la guerra:

a) La mayoría de la opinión izquierdista se dividía en Europa entre socialistas y comunistas. En España, el papel de los comunistas era suplido por los anarquistas. El partido comunista español era muy pequeño en número y escaso en influencia al empezar la guerra civil. Lo cual no obsta al progresivo aumento de su importancia a medida que avanzaba el conflicto: su fortaleza fue creciendo al tiempo que demostraba ser casi la única fuerza coherente en la República y, desde luego, la más decidida a resistir hasta el final. La revolución no estalló realmente hasta después del inicio de la guerra.

b) Mientras que la presión revolucionaria no empezó a hacerse patente en España probablemente hasta la Revolución de Asturias en 1934, había un elemento que la suplía desde 1931: el

2. Tómense algunos ejemplos: en un famoso discurso pronunciado en las Cortes Españolas el 16 de junio de 1936, el señor Gil Robles afirmó que entre el 13 de mayo y el 15 de junio de 1936 había habido en España 171 huelgas parciales o totales. En ese mismo período hubo en Francia más de doce mil. El 29 de mayo, dos millones de franceses estaban en huelga y, en la mayoría de los casos, las fábricas habían sido ocupadas por los huelguistas. Y también era el Gobierno de Francia un Frente Popular.

Gil Robles, en la referida sesión parlamentaria, dijo que en el mismo tiempo había habido 65 muertos y 230 heridos con motivo del desorden público. En Francia, basta recordar los motines de febrero de 1934 o los de mayo de 1936 para hablar de una continuidad en el desorden público; sólo el 16 de marzo de 1937, por una velada cinematográfica convocada por la agrupación fascista del coronel De la Rocque, que los socialistas y comunistas consideraron una provocación, se produjo una violenta revuelta en la que perecieron siete personas y resultaron heridas otras trescientas; entre ellas, el señor Blumel, jefe del gabinete del primer ministro.

De hecho, la verdadera revolución social se desencadenó en España con la guerra. A este efecto, y al de la importancia del comunismo, véase Louis Fischer, *La guerre en Espagne*, Imprimerie Coopérative Étoile, París, 2.ª edición, probablemente 1938, y David T. Cattell, *Communism and the Spanish Civil War*, Berkeley, University of California Press, Los Ángeles, 1955. La influencia comunista en España fue más resultado que causa de la guerra civil.

ataque, algo desordenado, desde un Gobierno no revolucionario a todos los valores tradicionales de la derecha política: privilegios de clase, estructura del ejército, dominio territorial de la nobleza, influencia de la iglesia. Visto con la suficiente perspectiva, está claro que esto contribuyó de forma notable a estimular la irritación de quienes habían de formar más tarde el bando rebelde. El ejército era una organización muy fuerte en la España del siglo xx; es lógico que de él, o de parte de él, cupiera esperarse una reacción tanto más fulminante cuanto que el orden público distaba mucho de la perfección. Y es lógico asimismo que a su levantamiento se añadieran no sólo las clases más poderosas, sino también muchos de los que sintiéndose republicanos, habían votado contra el Frente Popular en febrero de 1936 y desde entonces habían sido molestados por un desorden público constante.

La lucha contra el comunismo o, más bien, contra la teoría revolucionaria marxista fue uno de los elementos en la guerra desde el punto de vista de los nacionales, pero es difícil resistir la tentación de pensar que fue más bien una arma simplificadora de lucha ideológica. Es más fácil luchar contra una cosa sola que contra cinco o seis. El peligro revolucionario era cierto, pero el objeto de la rebelión fue, como demostró más tarde la práctica, mucho más extenso: los nacionales lucharon contra el marxismo, pero también contra el total significado de la República: partidos políticos, sistema parlamentario, democracia, revolución proletaria o burguesa, socialismo, anarquismo y, fundamentalmente, contra la mera idea de un gobierno burgués como el que los había atacado desde 1931.

Sin embargo, desde la óptica internacional, un amplio sector del público europeo y americano sostuvo la teoría, si no de que la guerra era una cruzada contra el comunismo, sí al menos de que era una lucha no contra la democracia, sino contra la revolución izquierdista. En Europa, en 1936, había un sentimiento conservador muy extendido, que si bien no se atrevía a ponerse francamente de parte del nazismo, a causa de las violentas implicaciones del mismo, no por ello dejaba de temer la cada vez más extendida presión revolucionaria de algún Gobierno europeo y de los partidos políticos de izquierda. A principios de junio de 1936, había accedido al poder en Francia un Frente Popular presidido por Léon Blum, un socialista ilustre pero muy mal querido en los sectores de la derecha política, esa derecha que había respirado con cierto alivio años atrás ante el asesinato de Matteotti o ante la aniquilación por Hitler de los partidos socialista y comunista alemanes. Con la Revolución rusa bien reciente aún, muchos tenían realmente miedo a las reivindicaciones cada día más apremiantes de la clase obrera y pensaban con preocupación que la tendencia del mundo lo llevaba al caos revolucionario. La subida de Blum al poder había llamado la atención sobre lo que estaba sucediendo en España, en donde también un Frente Popular gobernaba el país desde febrero. No sorprende que una parte de la opinión, apoyada por su prensa, considerara que la rebelión de los generales era un acierto que contribuía a cortar las alas al movimiento comunista y que era un ejemplo a seguir en Francia, al tiempo que un estímulo para cerrar el paso al laborismo en Gran Bretaña y al socialismo en otros países. ¿Contribuía a cortar alas? Sin duda. Pero aquí también, como es quizá forzoso que ocurra cuando se interpreta lo que sucede en otros países, hubo una gran tendencia al simplismo. Si se estudian a fondo los motivos que guiaron la opinión de derecha en su interpretación de la guerra española, se comprueba que en su formación intervinieron fundamentalmente sólo dos factores:

a) La mera existencia de un Frente Popular en España, cuya «monstruosidad» justificaba en su opinión cualquier acto en contra. Basta repasar la prensa reaccionaria de Europa para comprobarlo.

b) La presencia, al lado de los republicanos, del Frente Popular de Francia y, sobre todo, de la Unión Soviética. Pero debe tenerse en cuenta lo siguiente:

1. Del lado de la República hubo un movimiento de opinión y una presencia humana en gran parte no comunistas, y ello invalida una porción muy importante del argumento.

2. No puede hablarse de una ayuda decisiva en el caso de las democracias; con las constantes indecisiones de Francia y el hermetismo de Gran Bretaña y de Estados Unidos, hubo más bien, especialmente en Francia, una cierta complicidad benevolente que en más de una ocasión fue perjudicial para la causa de la República española.

3. La Unión Soviética ayudó a los republicanos casi constantemente, pero sin nunca comprometer demasiado su apoyo que, de haberlo querido las autoridades rusas, hubiera probablemente alargado aún más el curso de la guerra y, tal vez, dado la victoria a los republicanos. En este aspecto, deben subrayarse tres cosas:

A. Desde el punto de vista internacional, y aunque ello no constituya más que un argumento formal, la presencia de la Unión Soviética en un bando en la década de los treinta no cualificaba aún un conflicto. Rusia era una potencia de segundo orden, un aliado más en la previsible lucha contra el nazismo y no tenía fuerza, por sí sola, para hacer de la República española un satélite. La Unión Soviética pasó a la ofensiva sólo después de 1945.

B. A lo largo de toda la guerra civil, la política social del partido comunista español fue de tendencia claramente conservadora, en un intento de mantener en pie al Frente Popular.

C. Como ha demostrado ampliamente la historia posterior, Stalin traicionó a los camaradas españoles, sacrificándolos fríamente en aras de su política personal. España era una baza que jugar en la colocación de los peones antes del, para él, temido estallido de la segunda guerra mundial. Casi puede afirmarse que le tenía sin cuidado lo que ocurriera en el Occidente europeo. Lo único que le interesaba era su propia seguridad frente a Alemania (llamando la atención de las democracias sobre los peligros de un nuevo fascismo en Europa, desgastando a Hitler en conflictos locales como el de España, pactando con él como en el acuerdo germano-soviético de 1939) y se aprecia claramente el absoluto desprecio que sentía por la eventual suerte de Francia en el caso de un triunfo de la reacción en la Península Ibérica. Parece desde luego impensable que Stalin quisiera establecer un gobierno satélite tan lejos de Moscú, cuando la protección de sus fronteras en el Este (Japón) y en el Oeste (Alemania) le causaba ya tantas preocupaciones.[3] Aunque también es lógico que acogiera la comunistización progresiva de la República con cierta satisfacción acorde con un viejo interés marxista por la península Ibérica.

3. Véase David T. Cattell, *Soviet Diplomacy and the Spanish Civil War*, Berkeley, University of California Press, Los Ángeles, 1957.

2.° *Fue una lucha contra el fascismo.* Aquí aparece más o menos el mismo orden de argumentos aunque, claro, con una naturaleza radicalmente opuesta. Si la lucha contra la revolución marxista fue uno de los elementos de la rebelión de los nacionales, cabe igualmente afirmar que la lucha contra el nazi-fascismo fue a posteriori un elemento de semejante importancia en el bando republicano, y sus repercusiones internacionales fueron el eco principal de un entusiasmo en la *intelligentsia* mundial.

Como principio general, puede afirmarse que Hitler y Mussolini tiñeron de fascismo un conflicto que en principio aparecía como simple aunque violenta lucha de clases políticas.

La mayoría de los conflictos de los años anteriores a 1936 habían puesto de manifiesto la fortaleza del empuje fascista. Es lógico que muchos se preguntaran si la guerra de España era un nuevo movimiento en esa dirección. En el último tercio del siglo XIX y durante el primero del XX, los militares españoles habían sido, con raras excepciones, símbolo de pensamiento retrógrado y de conservación del statu quo. Los generales españoles se habían apoyado casi siempre en la vieja aristocracia, a la que muchos de ellos pertenecían, y que, como dice Borkenau, «era la menos capaz de europeizarse y de europeizar al país».[4] No es demasiado sorprendente que, con el recuerdo de los generales Primo de Rivera y Sanjurjo (este último, jefe nominal del alzamiento de julio de 1936, no se olvide) en sus respectivamente logrado y fracasado movimientos de 1923 y 1932, los europeos no dudaran del carácter que debía atribuirse a la rebelión de 1936. El solo hecho de contemplar quiénes ayudaron a quiénes en el conflicto español, de observar quiénes permanecieron neutrales y quiénes se mostraron indecisos, ilustra perfectamente no sólo cuál era la tendencia de la política internacional del momento, sino también las razones por las que se dividieron las simpatías. Y los militares rebeldes acudieron preferentemente a las potencias nazi-fascistas, de las que recibieron inmediata y continua ayuda gubernamental.

El enemigo de la República parecía evidente a muchos hom-

---

4. Franz Borkenau, *The Spanish Cockpit. An eye-witness account of the Political and Social Conflicts of the Spanish Civil War*, Faber & Faber Ltd., Londres, 1937, p. 281.

bres del momento: Franco y sus aliados nazi-fascistas. A los demócratas del mundo entero en los años treinta les habían enseñado a
odiar y temer a Hitler y a Mussolini; de repente, descubrieron que
había un sitio adonde se podía ir a luchar contra ellos con algo
más que manifestaciones y huelgas. Esto es lo que confiere a las
Brigadas Internacionales, con todos sus fallos y su mercenarismo, un carácter romántico y simbólico. Salir derrotados de esta
apasionada aventura ha alimentado en muchos, durante más de
treinta años, un resquemor y una amargura que son incapaces
de olvidar.

Éstos son puntos de vista interesantes. Pero en ellos hay tres
omisiones importantes:

a)   Es innegable que en España, como ha sido indicado, había un germen revolucionario marxista muy poderoso, que a estos efectos era tan nocivo para la libertad como el fascismo contra el que luchaban los republicanos.

b)   Inicialmente, el bando nacional no era, hablando con
propiedad, un grupo fascista. No había, al principio de la guerra,
un dictador al que se reconociera como líder, no había partido
único, ni siquiera había partido, no había Estado totalitario, no
había organización civil.[5] La Falange, a la que sí se podía considerar como organización fascista, y que finalmente acabó dando
apoyo ideológico al movimiento nacional, tuvo poca fuerza en
los momentos iniciales y, desde luego, era poco conocida en el
extranjero.[6]

c)   Detrás de una hipotética fachada fascista, el alzamiento
militar respondía sobre todo a una situación política inestable, a
la existencia de un Gobierno débil y poco representativo, a una
sensación de inseguridad y a un evidente sentimiento de insatisfacción en una gran masa de votantes adversos.

Esto sugiere lo que muchos autores han indicado repetidas
veces y que, sorprendentemente, ha sido negado de forma constante por los historiadores pro nacionales: que el levantamiento
militar no pasó de ser un golpe de Estado de corte clásico que es-

5.   Borkenau, op. cit., p. 278.

6.   Stanley G. Payne, *Falange, Historia del Fascismo Español*, Ruedo Ibérico,
París, 1965, pp. 97 y ss.

peraban sus autores triunfara inmediatamente sin que se hiciera necesario un cambio radical de estructuras políticas. Sólo el tiempo obligó a planificar una organización, a montar un sistema de gobierno permanente y unos servicios indispensables, al tiempo que un montaje que los rebeldes habían intentado evitar a toda costa por considerarlo culpable del fracaso de la República: la institución de una ideología política. No se encuentra en los nacionales antes del alzamiento e incluso durante muchos meses después, un programa de gobierno, una idea clara que no sea la del derrocamiento puro y simple de un régimen (inicialmente ni siquiera de la institución republicana como tal) al que se considera nocivo. Esto excluye per se la idea de una rebelión fascista, a menos de que se sostenga que toda rebelión de derechas es «fascista», por muy impropia que esta definición resulte, por el mero hecho de intentar desviar el impulso revolucionario o libertario.

Cabe preguntarse entonces el porqué de la falta de visión de los extranjeros en el caso de la guerra civil española. A primera vista, parece existir una razón sicológica importante: los hombres y los gobiernos estaban acostumbrados a la relativa falta de orden público en sus calles y es normal que no tuvieran en cuenta esta circunstancia como elemento esencial en el conflicto español. Y detrás de este motivo se esconde, en muchos casos, la ignorancia de lo que sucedía en España, del maltrato a muchas libertades, de la imposible situación económica. Los extranjeros que fueron a España a luchar del lado de la República fueron a defender, en la mayoría de los casos, la *libertad democrática*. Esto excluye naturalmente a muchos jefes y oficiales de las Brigadas Internacionales y, desde luego, a sus organizadores. El extranjero medio defendía *su* concepto de libertad contra una rebelión militar que consideraba de signo contrario. En la Europa occidental no había más que dos enemigos de la libertad en los años treinta: el nazi-fascismo y el comunismo. Pero el comunismo parecía, primero, un peligro remoto a mucha gente y, segundo, en cualquier caso estaba difuminado en la idea genérica de una revolución social (defendida no sólo por los comunistas sino también —y esto es lo más importante— por los muy poderosos partidos y sindicatos socialistas) que despotenciaba el problema inicial de libertad haciendo de él una aspiración abstracta dentro del marco de la inevitabilidad de la revolución.

Para los intelectuales del centro y de la izquierda, para los obreros, no había más que un enemigo cierto: la reacción burguesa, representada en el campo internacional por Mussolini y Hitler. Los nacionales fueron incluidos en ese grupo.

3.° *Fue el directo antecedente de la segunda guerra mundial.* Existe, como ya se ha apuntado antes, un desarrollo suplementario a la postura anterior, que ha venido a confundir aún más las posiciones ideológicas. Cuando en septiembre de 1939 estalló la segunda guerra mundial, se asumió sin más que la guerra civil española había sido su primer capítulo, porque, a escala mundial, los antagonistas eran los mismos que en el conflicto ibérico. Añadíase a la confusión el hecho de que uno de los bandos en guerra, el Eje, era efectivamente el mismo que en España y el mismo que en los últimos conflictos europeos. Pero esto no debe llamar a engaño. Los aliados eran ciertamente diferentes: uno de los protagonistas principales de la guerra mundial, Gran Bretaña, no estuvo directamente inmiscuido en el conflicto español más que en el sentido de intentar aislarlo para evitar más complicaciones internacionales. La postura del Gobierno conservador británico, su favorecimiento de la no intervención en la guerra de España, revelan, primero, el convencimiento de que en España existía un claro peligro de subversión comunista que era preciso combatir por todos los medios, aunque fuera favoreciendo aquello contra lo que lucharía subsiguientemente (el fascismo); segundo, su convicción de que no intervenir en España significaba favorecer a los nacionales; y tercero, su constante deseo de apaciguar a Hitler y a Mussolini, de atraer su amistad, un empeño, éste, mantenido a ultranza hasta la misma víspera de la segunda guerra mundial.

Además, no debe olvidarse que la contienda española tuvo lugar en un sitio marginal, poco importante en Europa, y que fue una cuestión mucho más sentimental que política para los europeos.

4.° *Fue un conflicto puramente interno.* Si es cierto que el planteamiento de la guerra civil española fue esencialmente interno y que la rebelión estalló por motivos de índole exclusivamente peninsular, no puede descartarse sin más el apasionamiento extranjero, la intervención de otras potencias y la necesidad que hubo en Europa de aislar el conflicto para evitar su degeneración en una contienda mundial. La guerra tuvo un final español y sus consecuencias fueron, han sido y son especialmente españolas, pero no debe olvidarse, como se expone en capítulos sucesivos de este libro, que la transformación del *putsch* en una guerra civil se debió fundamentalmente a la intervención y asistencia exteriores; sin las armas y los hombres extranjeros, el golpe de Estado de los militares españoles habría terminado, con uno u otro resultado, a las pocas semanas de plantearse.

* * *

Si en puridad no hay en la guerra de España sólo una lucha contra el comunismo o sólo una lucha contra el fascismo, si el conflicto no puede ser considerado como puramente interno, si los campos de antagonismo no están claramente definidos, será preciso buscar una formulación más completa.

La guerra civil española es un acontecimiento sui géneris en la medida en que lo son todos los acontecimientos históricos: cada uno está teñido de las peculiaridades nacionales, de los antecedentes históricos, de los rasgos característicos de cada país. Pero, además, la guerra española es un hecho sintomático de la historia europea de entreguerras, que pone de relieve, por encima de los problemas nacionales implicados en él, tanto el crecimiento del impulso fascista como el empuje revolucionario incontenible, en el marco de una tensión internacional muy grave. En este sentido, la guerra civil no fue más que un incidente en la política europea, un incidente que costó a España más de medio millón de muertos, un incidente tanto más inoportuno cuanto que estableció de modo muy claro cómo estaba definido uno de los campos *ideológicos* que iban a intervenir en la subsiguiente guerra mundial. Con una amenaza suplementaria ya reseñada: el hecho demostrado de que no había fisuras en el bloque nazi-fascista, mientras que sí las había y muy graves, en lo que sería su bando antagonista. Hitler sabía muy bien, a partir de 1936, cuál era su posición y Mussolini empezaba a seguirle fielmente. En cambio, los futuros aliados, tal vez con la vista noblemente puesta en la paz, aún intentaban acercarse a Italia para desequilibrar a Alemania, o a Alemania porque creían en su buena fe, aún dudaban de que la Unión Soviética fuera un colaborador deseable, todavía se discutían ácidamente la supremacía continental.

Pero, en este sentido, la guerra civil española no es más reveladora de tensiones internacionales que cualquiera de los otros incidentes del momento y, desde luego, lo es mucho menos que la crisis de Munich. La importancia del conflicto español es mucho más profunda y, en consecuencia, mucho más trascendente desde el punto de vista humano. K. W. Watkins ha resumido en dos frases con gran acierto la repercusión de la guerra civil en la opinión del mundo y su acontecer como síntoma de toda una época:

> Fue un espejo en el que se miraron los hombres y que les devolvió no un reflejo de la realidad, sino la imagen de los miedos y esperanzas de su generación. Para muchos se convirtió en la cuestión moral más importante de su tiempo.[7]

La generación de los años treinta es tensa y dolorosamente consciente de los problemas de su época. El año de 1936 la encuentra cansada, llena de temor y premoniciones. Es normal que los hombres se sintieran directamente afectados por lo que sucedía en España, porque se dieron cuenta de que el resultado, un estereotipo de los conflictos morales e ideológicos de los años treinta, les atañía muy de cerca.

Y los españoles, lejos de intentar que su conflicto se detuviera en los Pirineos, involucraron en él a todos, abriendo las entrañas de su tragedia a la conciencia del mundo, obligando bruscamente a una generación entera a volver sus ojos sobre un país que hasta entonces era conocido por poco más que su tipismo y una larga historia que al resto de los europeos se les antojaba algo tenebrosa.

7. K. W. Watkins, *Britain Divided. - The Effect of the Spanish Civil War on British Political Opinion*, Thomas Nelson & Sons Ltd., Londres, 1963, p. 13.

II. La República acude a Francia

En la noche del 19 al 20 de julio de 1936, don José Giral, jefe del Gobierno de la República desde hacía apenas unas horas, dirigía a Léon Blum, primer ministro francés, el siguiente telegrama: «Hemos sido sorprendidos por peligroso golpe militar. Solicitamos se pongan inmediatamente de acuerdo con nosotros para suministro de armas y aviones. Fraternalmente, Giral.»[1]

El aparato militar de España era muy precario. Las municiones eran escasas, la aviación casi inexistente, y la flota, pobre y mal equipada. El Gobierno necesitaba desesperadamente ayuda exterior para hacer frente a la sublevación de parte del ejército. En otras circunstancias, esta demanda de auxilio no hubiera creado dificultad alguna y, siendo natural que un país acuda a un Gobierno amigo en los momentos difíciles, Francia, los sentimientos de cuyo Gobierno eran de decidida simpatía hacia la República española, hubiera apoyado incondicionalmente a Madrid. Pero tanto la situación interna de Francia como el momento de sus relaciones internacionales hicieron muy difícil esta ayuda, que al hacerse efectiva habría de ser con el tiempo indecisa y, a veces, contraproducente.

El momento francés

Desde el 6 de junio de 1936, el Gobierno de Francia era un Frente Popular. Esta situación había dividido a Francia en dos y, en muchos momentos, tuvo al país al borde de la guerra civil.

---

1. Hugh Thomas, *The Spanish Civil War*, Penguin Books, Londres, 1965, p. 281; Édouard Bonnefous, *Histoire politique de la IIIe République. Vers la guerre: Du Front Populaire à la Conférence de Munich (1936-1939)*, PUF, París, 1965, p. 42.

Los meses que precedieron a la instauración del Frente Popular fueron de gran agitación. El último gran triunfo electoral de las fuerzas del centro y de la derecha se había producido en 1928, cuando fue recreado el antiguo *Bloque Nacional*; en cuatro años, ese triunfo se había convertido en fracaso, demostrando que el Gobierno centrista se apoyaba solamente en una coyuntura económica muy favorable y que, cuando ésta desapareció arrastrada por el gran crack americano, Francia no disponía en realidad más que de la muy sólida estructura de la izquierda radical.[2] Pese a ello, a partir de 1932, bajo los Gobiernos radicales, la situación económica y social del país había empeorado notablemente. El escándalo financiero Staviski, las huelgas, el desempleo y la agitación de los grupos fascistas franceses mantuvieron a Francia en permanente agitación e inquietud. A principios de 1936, el fascismo en Francia había adquirido bastante fuerza y muchos políticos del centro y de la izquierda veían en él un germen de dificultades y peligros para la Tercera República. Las organizaciones fascistas, concretamente, las Jeunesses Patriotes, la Solidarité Française, los Francistes y los Croix de Feu, habían ido cobrando auge desde el final de la Gran Guerra.[3] Su entusiasmo se basaba esencialmente en la admiración que en ellos suscitaba el triunfo de Mussolini en Italia. Disfrutaban de una vida relativamente próspera gracias a un difuso sentimiento que empezaba a generalizarse en Francia: en-

2. Véase D. W. Brogan, *Francia, 1870-1939*, Fondo de Cultura Económica, México, 1947; aunque no indica sus fuentes y rara vez justifica sus citas, la obra está escrita en un estilo ameno e inteligente, de óptica generalmente conservadora. Véanse también tomos IV, V y VI de la *Histoire politique de la IIIᵉ République*, de Georges y Édouard Bonnefous, PUF, 1965, y el tomo XII de *The New Cambridge Modern History, The Shifting Balance of World Forces (1898-1945)*, Cambridge University Press, 1968, cap. XVII, «Great Britain, France, the Low Countries and Scandinavia», por Maurice Crouzet; la obra recuerda un poco el estilo enciclopédico, con todas sus ventajas e inconvenientes.

3. Brogan, op. cit., p. 783. «Como se ha señalado, la idea de una revolución de derecha, de la organización de las fuerzas contrarrevolucionarias para un golpe de Estado, era, en su forma moderna, una invención francesa» (el origen directo son los *camelots du roi*). «La prueba del teorema de derrocar por la violencia al régimen republicano en el plano práctico fue obra de los *fascisti* en Italia... No fue la fuerza intelectual del credo fascista lo que ganó la admiración, sino su éxito.»

tre muchos franceses se notaba cierto deseo de acabar con la tradicional corriente antigermánica del país; muchos hombres pensaban que era preciso acercarse a la nueva Alemania de Hitler y a la Italia de Mussolini si se querían sentar las bases de una paz sólida y duradera en Europa. A este deseo se añadía en algún caso concreto (como en el de las Croix de Feu, integradas principalmente por excombatientes y héroes de la primera guerra mundial) un sentimiento de signo contrario, pero que no por ello dejaba de ser otro elemento de impulso reaccionario: la patriótica indignación que sentían algunos al ver que la Francia victoriosa de 1918 se había convertido en un país exhausto y tímido, incapaz de adoptar una política exterior definida y fuerte.

Con ser ruidosas y peligrosas, estas organizaciones no contaban a principios de 1936 con un número muy elevado de miembros, especialmente fuera de la región de París.[4] Esta característica no era exclusiva de los fascistas franceses. Lo mismo puede predicarse de las organizaciones políticas y sindicales de la izquierda, como el partido comunista o los sindicatos socialistas.[5]

Como ha dicho Pierre Mendès France, a principios de 1936 «el país sufría. El campesinado, al igual que la clase obrera, se encontraba en una situación de incertidumbre, de injusticia, de alienación. Los propios interesados probablemente no tenían conciencia de las reformas que se habían hecho necesarias... Pero

---

4. Aunque las cifras son poco precisas, hasta el momento de la disolución de las agrupaciones fascistas en junio de 1936, el número de sus miembros no debía de exceder las quinientas mil personas. Véase René Rémond y Janine Bourdin, «Les forces adverses», comunicación al coloquio organizado en marzo de 1965 por la Fundación Nacional de Ciencias Políticas de París sobre el tema *Léon Blum, Chef de Gouvernement, 1936-1937*, publicado por Armand Colin, Cahiers de la Fondation Nationale de Sciences Politiques, París, 1967, pp. 137 y ss.

5. El partido comunista sólo contaba con 87 000 miembros y el socialista con 150 000 a finales de 1935; los sindicatos de la CGT y de la CGTU tenían, en septiembre de 1935, sólo 785 000 miembros. La multiplicación numérica de estas organizaciones se produjo a raíz del éxito del Frente Popular en las elecciones. El partido comunista pasa a tener 288 500 miembros a finales de 1936, y el SFIO, 200 000. Por su parte, la CGT alcanza los cuatro millones de miembros en la misma fecha. (Jean Touchard y Louis Bodin, «L'état de l'opinion au début de l'année 1936», comunicación al Coloquio *Léon Blum*, op. cit., pp. 51-52).

era necesaria, e incluso posible, una transformación».[6] La condición obrera era de «cansancio, monotonía, servidumbre, miedo, sensación de pertenecer a un mundo separado del mundo».[7] La Francia de 1936 es un país de compartimentos estancos, sin comunicación, en el que las provincias viven alejadas de las realidades políticas y de los intereses humanos. «El Frente Popular nació no sólo de la miseria y de la angustia, sino también de esta larga espera de un porvenir diferente.»[8] La situación económica se había deteriorado rápidamente. Los precios agrícolas, por ejemplo, habían caído, sobre base 100 en 1929, a 51 para el trigo, 49 para el vino y 45 para la carne, en 1935. El índice medio de ingresos había descendido de 100 en 1929 a 70 a en 1935. El paro, en marzo de 1936, era de 800 000 obreros. La producción industrial era, en 1936, un 20 por ciento más baja que en 1930.[9]

En realidad, el triunfo del Frente Popular el 6 de junio de 1936 era sintomático de una esperanza de cambio. No hay, en los partidos que intervienen en el *Rassemblement Populaire* (el socialista, el radical y el comunista), programas verdaderamente revolucionarios. De hecho, el Gobierno frentepopulista de Léon Blum adoptará medidas de justicia satisfactorias para el pueblo y que no pertenecen a una ideología propiamente revolucionaria.

Como se ha dicho con mucha frecuencia, el verdadero protagonista en Francia en los momentos de trascendencia de su historia ha sido el pueblo, especialmente el pueblo de París. La década de los treinta no es excepción a la regla. La victoria del Frente Popular en las urnas a finales de mayo fue la señal para el desencadenamiento ininterrumpido de una serie de huelgas (exactamente, 12 142), acompañadas en la mayoría de los casos por la ocupación de las fábricas por los huelguistas. Las huelgas de junio de 1936 son, en cierto modo, la clave de la evolución social de la Francia moderna.[10] Este movimiento de protesta y el te-

6. Pierre Mendès France, en su participación en el coloquio *Léon Blum*, p. 88.
7. Touchard y Bodin, loc. cit., p. 54, citando una frase de Simone Weil.
8. Touchard y Bodin, loc. cit., p. 54.
9. Touchard y Bodin, loc. cit., p. 53.
10. Bonnefous, op. cit., pp. 12 a 31; Brogan, op. cit., pp. 841 y ss., y Antoine Prost, «Les grèves de juin 1936, essai d'interprétation», aportación al coloquio *Léon Blum*.

rror que produjo en la clase empresarial francesa permitieron a Blum imponer una serie de reformas (alza general de los salarios en proporciones del 12 al 15 por ciento, institución de las vacaciones pagadas, institución de la semana laboral de cuarenta horas y obligatoriedad de celebración de convenios colectivos de trabajo) que, con el nombre de «Acuerdos Matignon», fueron aceptadas el 7 de junio de 1936 y constituyen, junto con la promulgación del Código de la Familia en 1939, casi los únicos avances sociales de la época.[11] Avances, por otra parte, pronto interrumpidos. Los sindicatos franceses, tras cincuenta y dos años de lucha, habían conseguido que se los reconociera como genuinos representantes de la clase obrera. Pero eso fue casi todo: los patronos se reorganizaron en confederaciones de empresarios, las inversiones se retrayeron, los precios volvieron a subir anulando las ventajas conseguidas por los trabajadores, el franco fue devaluado dos veces y, en noviembre de 1938, Daladier suspendió la semana de cuarenta horas.

El lanzamiento de la nueva política social y económica por el Gobierno del Frente Popular, unido a la disolución de las *ligas fascistas*, firmada por Blum el 18 de junio de 1936, estimuló la irritación de las derechas. Las campañas de prensa contra el Gobierno, a partir de los primeros días de junio de 1936, alcanzaron caracteres verdaderamente alarmantes. No puede negarse que había en Francia un sentimiento conservador muy extendido. Al igual que en España en febrero, en Francia, el triunfo de las izquierdas en junio no fue realmente aplastante. Hay entre los votos de la izquierda y la derecha una diferencia de un millón doscientos mil (5 420 790 contra 4 233 928; en porcentajes: 45,94 y 35,88 por ciento del electorado). Y, cosa más importante aún, las derechas sólo perdieron 74 000 votos en relación a las elecciones de 1932.[12] No es de extrañar, por tanto, que las derechas constituyeran una minoría muy fuerte, siempre dispuesta a protestar con voz sonora. El coronel De la Rocque, antiguo jefe de la

11. Véanse Maurice Crouzet, cap. cit., pp. 542 y ss.; Brogan, op. cit., pp. 842-843; Jean-Marcel Jeanneney, «La politique économique de Léon Blum», comunicación al coloquio *Léon Blum*, y Bonnefous, op. cit., pp. 12 a 21.

12. Rémond y Bourdin, op. cit., pp. 138-139.

asociación Croix de Feu, encabezó la campaña contra el Frente Popular, creando un nuevo partido político, el Partido Social Francés, que contó apenas tres meses después de su constitución con cerca de 600 000 miembros y simpatizantes. Le siguió Jacques Doriot con el Partido Popular Francés. Los dos enarbolaban la consigna de «cerrar el paso al comunismo».

Paradójicamente, sin embargo, no era la situación interior la que se presentaba como peor amenaza para la paz de Francia. Lo que en más de una ocasión tuvo al país al borde de una guerra civil fue la situación internacional y, en especial, el conflicto español, cuyo estallido, progresos y gravedad fueron ampliamente difundidos por la prensa de París, aunque también es cierto que dejaron indiferente a gran parte del pueblo en el resto de Francia.

El Gobierno del Frente Popular se encontró con una difícil situación internacional. Francia había abdicado de toda política exterior sólida tras la ocupación de la Renania por los ejércitos alemanes. Al ocurrir ésta, en marzo de 1936, Francia se había vuelto hacia Gran Bretaña en demanda del apoyo garantizado por el Pacto de Locarno. Eden, secretario del Foreign Office, se negó a que se aplicaran las disposiciones de seguridad previstas en el Tratado, aceptando implícitamente la razón esgrimida por Hitler para proceder a la ocupación del Rin: a saber, que Francia había violado el Pacto de Locarno al firmar un tratado de no agresión con la Unión Soviética. Viéndose aislada, Francia no se atrevió a movilizar a sus ejércitos y quedó al descubierto frente al mundo entero. No es que a Francia no le interesara inmiscuirse en los problemas internacionales, como dice Renouvin, porque «la preocupación mayor del Gobierno no fuera la política exterior».[13] La realidad era más triste: como había dicho sir George Clerk, embajador británico en París, «por el momento, Francia es un colega silencioso en los asuntos internacionales».[14]

13. Pierre Renouvin, «La politique extérieure du premier Gouvernement Léon Blum», comunicación al coloquio *Léon Blum*, p. 239.

14. Documentos del Foreign Office, FO. C 4355/1/17, Clerk a Hoare, 11 de junio de 1936. La expresión textual en inglés es: «for the time being, France is a *sleeping partner* in international affairs» (el subrayado es mío).

Esta derrota diplomática de Francia se pone patéticamente de manifiesto en un debate sobre política exterior celebrado en el Parlamento parisino el 23 de junio en el que Blum reafirmó la voluntad del país de mantener la paz sobre la base de la conciliación con todos los pueblos, la seguridad colectiva (tres meses después de la remilitarización de la Renania) y la limitación de los armamentos. Política bien poco sólida para los tiempos que corrían.

> Pero un mes más tarde, la guerra civil española le enfrenta de repente con los más graves problemas, no sólo porque amenaza con desencadenar un conflicto internacional, sino porque pone en contradicción las opiniones personales del presidente del Consejo con las necesidades políticas.[15]

Pese a que en muchos sectores de Francia la guerra de España fuera considerada al principio con suprema indiferencia (como sucedió con gran parte de los miembros de los sindicatos socialistas), no cabe duda de que contribuyó a dividir aún más profundamente al país. Para los elementos de izquierda, resultaba indispensable apoyar al Frente Popular español en su lucha contra los militares porque, por encima de las fronteras, primaban los sentimientos de la hermandad obrera y socialista y porque defender a la República en España era defenderla en Francia contra ataques de sectores semejantes a los de los rebeldes españoles. Para las gentes de derechas y para los grupos fascistas, que veían en la rebelión nacional un ejemplo a seguir en Francia, Blum debía abstenerse de ayudar a los republicanos españoles, no sólo para evitar el riesgo de una conflagración mundial, sino también para permitir a los nacionales acabar de una vez con el peligro comunista en el sur de Europa. Ahora bien, como señala Bonnefous,

> los dos bandos no eran totalmente homogéneos. Hubo en la izquierda hombres que, queriendo ante todo salvaguardar la paz europea, guardaron silencio. La política de no interven-

---

15. Renouvin, loc. cit., p. 330.

ción gubernamental fue inspirada por ellos. Igualmente, algunos hombres de derechas no aplaudieron incondicionalmente los hechos y gestas del general Franco. Los católicos, en especial, se hicieron muchas preguntas. Por ejemplo, Jacques Maritain se rebeló contra la tesis que quería presentar a las tropas franquistas como cruzados de los tiempos modernos. Por lo que se refiere a François Mauriac, después de haber rogado encarecidamente a Léon Blum que no interviniera en favor de los republicanos («tenga usted cuidado, porque nunca le perdonaríamos ese crimen», *Le Figaro*, 25 de julio), acabó inclinándose netamente contra el general Franco, desde el mes de agosto.[16]

Consideración en París de la solicitud española de ayuda

El día 20 de julio de 1936, el primer ministro español, Giral, llamó por teléfono a don Juan Francisco de Cárdenas, su embajador en París, y le ordenó que concretara la petición contenida en su telegrama a Blum, solicitando verbalmente la inmediata entrega de veinticuatro bombarderos Potez, tipo 54, ocho ametralladoras Hotchkiss, ocho cañones Schneider del calibre 75, veinte mil bombas, doscientas cincuenta mil balas explosivas de ametralladora y cuatro millones de balas de distinto calibre.[17] También le anunció que la cuestión de los aviones sería discutida a nivel técnico directamente por dos especialistas españoles que ya estaban en camino, los capitanes de aviación Warleta de la Quintana y Aboal.

Pero el Gobierno de Madrid desconfiaba de la fidelidad del embajador de España en París, cuyos sentimientos conservadores eran conocidos y que de todos modos iba a ser sustituido precisamente en aquellas fechas por don Álvaro de Albornoz, ex mi-

---

16. Bonnefous, op. cit., p. 43.

17. *The International Brigades. Foreign Assistants of the Spanish Reds*, folleto de la Oficina de Información Diplomática, Ministerio de Asuntos Exteriores, Madrid, 1952, p. 8. Aunque contiene información interesante, el folleto, naturalmente, es de marcado carácter pro nacional.

nistro de la República.[18] Giral necesitaba un tratamiento rápido
y resolutivo de los problemas y no podía dejar nada al azar. Por
ello, prefirió acudir a un hombre de toda su confianza: don Fernando de los Ríos, ex ministro de Asuntos Exteriores, que se encontraba a la sazón en Ginebra, donde se disponía a pasar sus vacaciones en la casa de don Pablo de Azcárate, secretario general
adjunto de la Sociedad de Naciones:

> Cuando estalló el movimiento insurreccional (o «alzamiento
> nacional»), acababa de llegar Fernando de los Ríos a nuestra
> casa de Ginebra, y allí se disponía a pasar pacíficamente el ve-
> rano con nosotros, cuando, hacia el 20 de julio, recibió una
> llamada telefónica del señor Prieto, encargándole de parte
> del Gobierno que saliera inmediatamente para París y se hi-
> ciera cargo de la embajada. Esta anómala situación se prolon-
> gó varias semanas (gracias, sin duda, al deseo del señor Blum,
> jefe del Gobierno francés, de no crear dificultades protocola-
> rias al Gobierno español en aquellas angustiosas circunstan-
> cias), durante las cuales la embajada estuvo, de hecho, regida
> por Fernando de los Ríos asistido de un grupo de «volunta-
> rios» entre los cuales tuve el privilegio de contarme, porque
> desde el primer momento pasé en ella y a su lado todo el tiem-
> po que podía sustraer a mis obligaciones de funcionario de la
> Sociedad de Naciones.[19]

Giral ordenó a De los Ríos que fuera a París para consolidar la
posición española y asegurarse de que todo saldría a la medida de
los deseos del Gobierno español. De los Ríos llegó a la capital
francesa el día 23 por la mañana. Parece ser que llegaba encanta-

18. Su nombramiento como embajador de España en París había sido firmado por el presidente de la República el 4 de julio y se incorporó oficialmente a su puesto el día 27 de ese mismo mes.
19. Pablo de Azcárate, *Memorias inéditas*, p. 17. Debo agradecer al señor Azcárate su amabilidad en dejarme no sólo leer sus Memorias inéditas, sino también citarlas, así como en prestarme su colaboración escrita y hablada en cuanto problema se me planteó en los estadios iniciales de mi investigación. [El
señor Azcárate falleció en Ginebra a principios de 1972 sin ver cumplido su deseo de que se publicara en España su manuscrito, en el que trabajó intensa-
mente hasta su muerte.]

do con la situación española y exclamando: «¡Esto es magnífico!; la España de hoy parece la Rusia de 1917.»[20]

Mientras tanto, el embajador Cárdenas había cumplido con las órdenes recibidas de Madrid: el día 20 por la mañana se había entrevistado con el presidente del Consejo francés y con el ministro del Aire, Pierre Cot. Según relata en sus Memorias,[21] Cárdenas había acudido a la cita con el convencimiento de que los gobernantes evitarían por todos los medios inmiscuirse directamente en el conflicto español. De un lado, la industria francesa del armamento estaba nacionalizada y se requería el consentimiento del Consejo de Ministros para hacer una venta de armas; Cárdenas estaba seguro de que el acuerdo del Consejo no sería conseguido porque no había, ni mucho menos, unanimidad en el Gobierno francés respecto del conflicto español. También estaba seguro de que Blum no se arriesgaría a prender la mecha de la intervención extranjera en España a la vista de las especiales y explosivas circunstancias europeas del momento. Para su sorpresa, sin embargo, Blum se mostró inmediatamente de acuerdo con la idea de ayudar a la República española y en la entrevista se trató más directamente de la posibilidad de enviar, lo más de prisa posible, los aviones requeridos. La única condición impuesta por Francia era que el embajador de España presentara una solicitud escrita y firmada por él. Giral no se había equivocado: enfrentado con tal situación, Cárdenas dimitió dejando sin firmar el documento.

Fernando de los Ríos se encargó a partir de entonces de la negociación de la ayuda. Su primer paso fue pedir a Madrid autorización para que el encargado de negocios, Cristóbal del Castillo, firmara la petición de ayuda. La contestación afirmativa llegó el día 24 y en ella se indicaba, además, que ya se había hecho un depósito en francos en el Banco de París y de los Países Bajos por el cincuenta por ciento del valor de los implementos militares solicitados. Veinticuatro horas más tarde, cuando llegó el mo-

20. Evidencia de Eduardo Casuso, a la sazón secretario de Embajada en la de París.

21. Recogidas en una de las tres conferencias que componen el libro *Tres Cárdenas embajadores de España*, Escuela Diplomática, Madrid, 1950.

mento de firmar, Castillo rehusó hacerlo, y el agregado militar, Antonio Barroso, anunció que no entregaría el cheque. Ambos dimitieron, no sin antes informar de todo el asunto a la prensa francesa. El escándalo fue inmediato. Raymond Cartier publicó un artículo bajo el título «¿Se atreverá el Frente Popular francés a armar al Frente Popular español?».[22] Wladimir d'Ormesson escribía unos días más tarde en *Le Fígaro*: «Si tuviéramos la desgracia de abandonarnos a una especie de fuga internacional entre un tema rojo y un tema blanco, el más leve incidente sería suficiente para colocar a Europa, en unos días, en la situación en que se encontraba en julio de 1914.»[23] El general De Castelnau, en *L'Écho de Paris*, rebautizaba al Frente Popular con el nombre de «Frente Crapular».[24] La mayoría de los periódicos de derechas esgrimían la guerra española como ejemplo: «El Frente Popular es la guerra.»

¿Alarma en Europa? La Conferencia de Londres

Para esos mismos días estaba convocada en Londres una conferencia tripartita (de Gran Bretaña, Francia y Bélgica) como preludio a una próxima reunión de cinco potencias (con Alemania e Italia) en la que se discutiera la posibilidad de un nuevo Pacto de Locarno. El tema del día en la Conferencia de Londres habría de ser la violación del pacto que había cometido Alemania al decidir remilitarizar la Renania en marzo de 1936.

Pero Gran Bretaña no podía tener gran interés en esta reunión ni en otra futura que intentara sentar las bases de un nuevo acuerdo de equilibrio continental. Ello no casaba con la política de apaciguamiento, cuya finalidad no era alterar las estructuras ya existentes sino, al contrario, aceptar siempre (aunque inconscientemente) cualquier nuevo statu quo que se apoyara en ellas. La política del Gobierno conservador británico consistía, desde marzo de 1936, en intentar reconstruir el pacífico orden euro-

22. Thomas, op. cit., p. 295. Bonnefous, op. cit., p. 42.
23. Bonnefous, op. cit., p. 46.
24. Bonnefous, op. cit., pp. 44-45.

peo, brillantemente inaugurado con el Tratado de Locarno de once años antes, y no en alterarlo. Baldwin, el primer ministro británico, pensaba que la cuestión del Rin y, por supuesto, la de Abisinia en lo que hacía referencia a Mussolini, «habían saciado a los dos dictadores»,[25] máxime considerando que Hitler, a raíz de la cuestión renana, había asegurado a las democracias que no tenía más reivindicaciones territoriales en Europa. Según los cálculos de Londres, podía por fin iniciarse una segura época de paz y equilibrio.

Eden y Blum ya se habían reunido en París el 25 de junio y esto había parecido suficiente a los británicos. Pero tanto el primer ministro francés como Delbos, su ministro de Asuntos Exteriores, habían insistido en la celebración de otra reunión, esta vez en presencia de los representantes belgas, antes de la conferencia de las cinco potencias que había de tener por objeto la renegociación de un nuevo Locarno.[26] El Gobierno francés «era débil y quería mostrar que contaba para algo, por lo menos en Gran Bretaña».[27] El Gobierno británico finalmente accedió a que se celebrara la reunión y la Conferencia tuvo lugar en los días 23 y 24 de julio. A ella asistieron no sólo los ministros de Asuntos Exteriores de los países interesados, sino también Baldwin y Blum.

Se ha especulado mucho sobre esta visita de Blum a Londres. Se ha dicho que fueron los propios colaboradores de Blum o, alternativamente, los políticos ingleses los que prácticamente forzaron a éste a acudir a la capital británica y, en general, se ha sostenido que el viaje obedeció a una presión inglesa para que el primer ministro francés se abstuviera de intervenir en España.[28] En este sentido, las sugerencias de los historiadores y hasta de los propios políticos involucrados contradicen a los protagonistas y

25. Thomas, op. cit., p. 289.

26. M. D. Gallagher, «Léon Blum and the Spanish Civil War», *Journal of Contemporary History*, vol. 6, núm. 3, Londres, 1971.

27. Documentos británicos, Public Record Office, Londres, Cab. 53 (36), 1116, Consejo de Ministros británico, 16 de julio de 1936.

28. En la primera edición de este libro se admitía implícitamente este punto de vista.

son, en general, versiones de segunda mano, y, por consiguiente, con pocas garantías de veracidad. Las explicaciones son de doble naturaleza:

1. Para unos, se produjo una clara presión desde Londres. Giral, el primer ministro español en aquel momento, sostiene que el temor de Londres a una victoria comunista en España decidió a Baldwin a llamar a Blum y amenazarle con no prestarle apoyo en el caso de que su intervención en España provocara una guerra con Alemania.[29] Nada hay en absoluto en los documentos británicos o franceses aparecidos hasta ahora que haga alusión a ello. Thomas, sin embargo, está de acuerdo con esta teoría, aunque piensa que la presión se produjo más tarde, cuando, a principios de agosto, ya estaba en marcha la idea de la no intervención.[30]

2. Para otros, fueron los colaboradores de Blum quienes le convencieron de la necesidad del viaje a Londres. Se ha dicho que Corbin, embajador francés en Gran Bretaña, llamó al Quai d'Orsay el 22 de julio para manifestar que le parecía indispensable la presencia de Blum en la capital británica. En los documentos franceses e ingleses no aparece referencia alguna a esta llamada telefónica o a la gestión que la provocó.[31]

Alexis Saint-Léger, secretario general del Ministerio de Asuntos Exteriores francés, asegura que fue él quien convenció a Blum. La idea que dice esgrimió ante el primer ministro francés fue la de que si Francia intervenía en España, el escándalo era seguro y la guerra, probable; si, por el contrario, Francia se abstenía, los presumibles aliados de los rebeldes, Alemania e Italia, también lo harían. Para Saint-Léger, había además otra razón: si Francia no permanecía absolutamente neutral, él creía que Gran Bretaña acabaría interviniendo en favor del bando nacional en

<hr />

29. Citado por José Martín-Blázquez, *I helped build an Army*, Londres, 1939, p. 143. (Cit. David Carlton en «Eden, Blum and the origins of Non-Intervention», *Journal of Contemporary History*, vol. 6, núm. 3, Londres, 1971, artículo en el que se discute ampliamente este problema.) Cordell Hull sugiere lo mismo en sus Memorias (I, p. 476) sin que haya prueba que lo sostenga.

30. Thomas, p. 258. Cit. también por Carlton, loc. cit. En este sentido, vid., infra, pp. 128 y ss.

31. Carlton, loc. cit., p. 45.

España, favoreciendo así la constitución de una «nueva Santa Alianza al estilo de Metternich», con Gran Bretaña, España, Alemania e Italia.[32] Ambas suposiciones, como demostró la práctica, eran erróneas.

En realidad, todas estas intrigas y gestiones parecen bastante poco probables. En primer lugar, porque ya el *Times* de 22 de julio anunciaba, en una crónica escrita el 21 por su corresponsal en París, que Blum presidiría la delegación francesa en Londres, lo que quiere decir que éste había tomado tal decisión por lo menos veinticuatro horas antes de que se produjeran las supuestas gestiones de Baldwin, Corbin y Saint-Léger. En segundo lugar, porque la decisión adoptada por Blum de ayudar a la República española había sido mantenida en secreto; buena prueba de ello es que el embajador alemán en París no consiguió enterarse confidencialmente de ella hasta el mediodía del 23 de julio.[33] La dimisión del agregado militar español, Barroso (que, como se recuerda, dio los detalles de la proyectada operación a la prensa francesa al dimitir), no se produce hasta el 24. Por fin, como se ha de ver, el Gobierno británico no adoptó una política inicial respecto del conflicto español hasta su reunión del 29 de julio.

De hecho, en la Conferencia de Londres, efectivamente, no se habló más que del proyectado acuerdo de equilibrio continental y de la futura reunión de las cinco potencias. No hay en las actas y en los documentos reservados de la conferencia alusión alguna al tema español y ninguno de los presentes en ella asegura que la hubiera. Tampoco dio Blum en Londres sensación de estar preocupado por una posible oposición de Gran Bretaña a sus planes de ayudar a España. Al llegar a la capital inglesa, el político francés fue entrevistado por Kerillis, corresponsal del diario *L'Écho de Paris*, que le preguntó si tenía intención de enviar armas a la República española. Al contestar Blum afirmativamente, Kerillis le hizo notar que tal actitud no podía ser bien vista por el Gobierno británico, a lo que Blum replicó: «Es

---

32. E. R. Cameron, *The Diplomats, 1919-1939*, «Alexis Saint-Léger Léger», Princeton University Press, 1953, p. 391.

33. *Documents on German Foreign Policy*, serie D, vol. III, doc. 3.

posible, no tengo ni idea; pero, en cualquier caso, ésa es la política que pensamos seguir.»[34]

Era inevitable que la cuestión española, de máxima actualidad en aquel momento, fuera comentada de algún modo. Pero, en cualquiera de los casos, lo fue informalmente. Eden, en sus Memorias, asegura que no se hizo referencia al problema en la conferencia.[35] Sin embargo, antes de marcharse Blum de Londres, le visitó en su hotel y le preguntó si pensaba enviar armas a España. Blum le contestó afirmativamente. El comentario de Eden fue, al parecer: «Bueno, es asunto suyo, pero por favor le pido que tenga cuidado.»[36] Frase que no parece reveladora de presión especial por parte de Gran Bretaña.

Lo cierto parece ser que no hubo coacción británica, sino que los vaivenes de la política francesa en torno a la cuestión española tuvieron su origen más bien en la propia Francia. Gran Bretaña pareció mantenerse al margen del asunto y es más probable que la actitud de Francia fuera dictada, por una parte, por lo que se *pensaba* y *temía* era la desaprobación británica y, de otra, claramente, por la situación interna del país. Cot, en sus Memorias, asegura que si el Gobierno cambió su decisión de ayudar a la República española por otra de neutralidad fue porque «un reflejo casi inconsciente había magnificado la información recibida desde Londres en relación con el estado de opinión contrario de Gran Bretaña».[37] Por otro lado, estando Blum aún en Londres, en la tarde del 23 de julio, recibió un telegrama proveniente del Quai d'Orsay en el que se le informaba de que Cot había pensado en-

---

34. *Les événements survenus en France, 1933-1945*, París, 1947-1952, I, 2.ª parte, p. 216. Declaración de Blum en el juicio de Riom (cit. Renouvin, loc. cit. p. 331, y Gallagher, loc. cit., p. 58).

35. Renouvin, *loc. cit.*, Gallagher, loc. cit.

36. Declarado por Blum en el juicio de Riom. De haber existido alguna presión británica en ese momento, hubiera sido más lógico que Blum lo hubiese indicado, al menos para justificar su *volte-face* de unos días más tarde.

Otro autor, Jean Grandmougin (*Histoire vivante du Front Populaire*) (cit. Gallagher, loc. cit., p. 58), da, sin apoyarla en fuentes concretas, otra versión totalmente distinta de la respuesta de Eden: «Bueno, es asunto suyo, pero en tal caso no cuenten con nosotros.»

37. Cit. Carlton, loc. cit., p. 44.

viar unos «veinte o treinta aviones» a España inmediatamente y de que lo haría a menos de que el presidente del Consejo lo prohibiera expresamente. Pero, añadía el Quai, mientras se preparaba el telegrama de consulta, un senador había telefoneado para decir que el Senado estaba francamente en contra del envío. «En estas circunstancias, esperaré las instrucciones de vuecencia antes de preparar una respuesta.»[38] La respuesta fue la decisión del Consejo de Ministros francés, del 25 de julio de no intervenir en España.

Toda la actuación del gobernante francés en aquellos días induce a pensar que, preocupado por la situación interna de Francia y los peligros que ésta encerraba para la subsistencia misma del Frente Popular, en el avión que le devolvía a París empezó a cavilar sobre si no sería más conveniente seguir los consejos de prudencia de Eden y atender a los planes europeos de Gran Bretaña antes que a las inclinaciones de simpatía hacia la *pauvre République espagnole*. En ese momento, sin embargo, aún pensaba ayudar en armas a los republicanos españoles, aunque, como confesó años más tarde, quería mantener esta ayuda en secreto, para impedir las intervenciones de Alemania y de Italia.[39]

Para Blum, la postura de simpatía hacia la República española no era fácil. Aunque él mismo había dicho que estaba «profundamente impresionado» por la guerra, en Francia las opiniones seguían estando muy divididas. De un lado, los radicales, incluso los que estaban en el Gobierno, se habían opuesto a la idea de Blum; como había dicho Chautemps, «nadie puede comprender por qué vamos a arriesgarnos a una guerra por España, cuando no lo hicimos por el Rin».[40] La diferencia de opiniones entre Blum —apoyado por el ministro del Aire— y su ministro de Asuntos Exteriores, Delbos, es evidente en la siguiente nota publicada por el referido ministro el día 24 de julio:

Ninguna entrega de armas puede ser hecha a una potencia extranjera sin que el Quai d'Orsay haya sido consultado previa-

---

38. *Documents Diplomatiques Français, 1932-1939*, segunda serie, III, doc. 17 (cit. Carlton, loc. cit., p. 47).
39. Artículo publicado en *Le Populaire*, el 15 de octubre de 1945.
40. Thomas, op. cit., p. 294.

mente. Y los servicios administrativos de Asuntos Exteriores no han recibido solicitud alguna en este sentido.[41]

Como ya ha sido indicado, por otra parte, los partidos de la derecha temían que una victoria republicana que, según ellos, al fin y a la postre había de ser una victoria comunista, avivara las tendencias revolucionarias de la izquierda francesa. La prensa de derechas, especialmente *L'Écho de Paris* y *Le Jour*, gastó durante aquellos días mucha y muy violenta tinta exigiendo la neutralidad de Francia. La entrega de armas es inadmisible, afirmaban; viola el principio de no intervención en los asuntos internos de otras naciones, debilita la defensa nacional; «¿el ministerio Sarraut-Flandin no había rehusado vender armas al Gobierno griego amenazado por un movimiento insurreccional venizelista en la primavera de aquel mismo año?»; entregar armas a los republicanos implicaría correr el riesgo de «lanzar a España en brazos de Hitler».[42]

El propio presidente Lebrun haría notar a Blum que «la entrega de armas a España puede significar la guerra europea o la revolución en Francia».[43]

Francia dice «no»

Durante la estancia de Léon Blum en Londres, Fernando de los Ríos había proseguido las negociaciones de ayuda con el gobierno francés. Tanto los ministros franceses como el representante español, envueltos en el mayor de los secretos, buscaban una fórmula que no comprometiera directamente al Gobierno de París, pero que, al mismo tiempo, fuera lo suficientemente legal como para respaldar una decisión de ayuda a la República española. Se intentaba evitar una acción de Gobierno a Gobierno, sobre la base de que nada impedía a España realizar una compra privada a una fábrica de armamento francesa. El único inconveniente que quedaba por paliar, para calmar los ánimos de los puristas,

41. Renouvin, loc. cit., p. 332.
42. Ibídem, p. 331.
43. *The International Brigades*, folleto cit., p. 11.

era el de que, como las fábricas de armas y pertrechos militares en Francia (especialmente la de aviones Potez) estaban nacionalizadas, se requería el consentimiento del Consejo de Ministros para autorizar una venta al extranjero.

El 24 de julio se reunieron en casa de Blum, el propio primer ministro —recién llegado de Londres— con Fernando de los Ríos y con los ministros franceses de Guerra, Aire y Finanzas, señores Daladier, Cot y Auriol. Según relata en una carta dirigida esa misma noche al primer ministro español,[44] De los Ríos hubo de satisfacer y calmar las inquietudes de los gobernantes franceses explicándoles el alcance gravemente internacional del conflicto que se iniciaba allende los Pirineos. Punto por punto, analizaron las cuestiones más importantes: «la frontera militar de los Pirineos, las islas Baleares, el estrecho de Gibraltar, las islas Canarias y la ruptura de la unidad política de la Europa occidental». Apoyar a la República española aparecía como algo absolutamente necesario en la política europea y el propio Blum se daba cuenta de ello. Sin embargo, con el peso de la severa mirada crítica de Gran Bretaña, siempre vigilante desde el otro lado del canal, y con las dificultades interiores planteadas, Blum no se atrevía a dar estado oficial a la ayuda que Francia iba a prestar. Si habían de pasar armas procedentes de otros países con destino a España, las carreteras de Francia estarían abiertas; si la propia Francia había de suministrar pertrechos, aviones y armas, nadie se opondría a ello con la fuerza suficiente para impedirlo. Pero Blum no quería que el asunto recibiera sanción oficial, no podía permitirlo. Por otra parte, De los Ríos pedía que los aviones —a la vista de la escasez de pilotos españoles— fueran transportados a España por pilotos franceses, a quienes de todos modos pensaba emplear el Gobierno de Madrid. Una cosa así sí suponía una clara y abierta injerencia francesa en la guerra de España y eso era demasiado pedir. Blum («mantendré mi posición a toda costa: tenemos que ayudar a nuestra amiga España»)

44. Carta reiteradamente citada por la mayoría de los autores que se ocupan de este momento. Las únicas versiones completas aparecen en *The International Brigades* (pp. 10 y ss.) y como documento anejo al coloquio *Léon Blum* (pp. 407 y ss.).

propuso a su vez, para evitar un escándalo suplementario, que los aviones fueran pilotados por franceses hasta Perpiñán y que, desde allí, el Gobierno español se hiciera cargo de ellos. De los Ríos, naturalmente, aceptó. El resto del material sería entregado en Burdeos a un agente del Gobierno de Madrid.

Barroso, agregado militar de la Embajada de España en París, había dimitido, comunicando los detalles del asunto a la prensa. Jiménez de Asúa, llegado a la capital francesa para hacerse cargo de la embajada y, al igual que De los Ríos y Azcárate, coadyuvar en las gestiones con el Gobierno francés, fue encargado de entregar en el Ministerio de Guerra el cheque de once millones de francos que había de servir como primer pago de los armamentos franceses. La suma era el importe del depósito que había hecho el Gobierno de Madrid unas horas antes en el Banco de París y de los Países Bajos.

Mientras tanto, como se ha visto, había estallado en Francia la campaña de prensa en contra de la idea de ayudar a la República española. La presión sobre Blum era verdaderamente excepcional. El mismo día de su llegada de Londres, el primer ministro acudió a visitar a Édouard Herriot, presidente de la Asamblea, y a Jules Jeanneney, el senador socialista. Jeanneney le preguntó: «¿Cómo un pacifista como usted entregaría armas a España a riesgo de desencadenar una guerra?» Y Herriot exclamó: «*Mon grand*, no te metas en este asunto; sería muy peligroso y además no puedes hacerlo precisamente a causa de la política que siempre has preconizado.»[45]

El 24 por la noche, el agente del Gobierno de Madrid destacado en Burdeos (un amigo vasco de Indalecio Prieto) llamó muy alarmado a De los Ríos para decirle que el envío de armas no había sido preparado, sin que nadie pudiera aclararle la razón de ello.[46] Al día siguiente por la mañana, Jiménez de Asúa fue llamado por el ministro francés de Finanzas, Vincent Auriol,

45. Citado por André Blumel, antiguo jefe del gabinete de Blum, en su intervención en el coloquio *Léon Blum*, loc. cit., pp. 357-358. La frase de Herriot también es recogida por Thomas, op. cit., p. 295.
46. Comunicación de Jiménez de Asúa al coloquio *Léon Blum*, op. cit., pp. 409 a 411.

que le rogaba acudiera al domicilio de Blum. Éste le recibió «con lágrimas en los ojos» y le explicó que el primer ministro inglés, Baldwin, «se había puesto directamente en contacto con el presidente de la República Lebrun y le había dicho, de la manera más tajante, que conocía la operación de venta de armas por el propio Gobierno español, y que en el caso de que ésta provocara una guerra con Alemania o Italia, Gran Bretaña permanecería neutral».[47] En esas condiciones, los ministros radicales del Gobierno (entre otros, los de Guerra, Estado y Relaciones Exteriores, señores Daladier, Chautemps y Delbos) habían anunciado que dimitirían si Blum persistía en su intención de ayudar a la República española de manera oficial. Y esto, con toda seguridad, habría sido el final del Frente Popular. Blum («*Nous sommes des salauds si nous ne tenons pas nos promesses*») ofreció su dimisión a los delegados españoles, si ellos creían que tal gesto serviría de algo.

Nuevamente es sorprendente la referencia a esta pretendida intervención de Baldwin, esta vez con el presidente Lebrun. No puede dudarse de la fuente puesto que relata el incidente uno de sus directos protagonistas, Jiménez de Asúa. Sin embargo, si la escena tuvo lugar a las siete de la mañana del 25 de julio, como asegura el político español, y hasta la tarde del 24 Blum estuvo en Londres, ¿no hubiera sido más lógico que Baldwin hubiera hablado con él en la capital británica? En caso de que sea cierta la gestión, ésta se tuvo que producir el 24 por la tarde, cuando obviamente Lebrun sabía que Blum estaba reunido con los emisarios españoles. Y nuevamente no hay constancia de la amenaza de Baldwin en los documentos británicos; una gestión tan seria habría merecido referencia. El Gabinete británico aún no había adoptado una línea política respecto de la situación española, y cuando lo hizo cuatro días más tarde, fue de un modo vacilante, como se ha de ver. En realidad, lo único que se aprecia en Londres es prudencia ante un conflicto que es todavía un enigma. No puede olvidarse que ni Alemania ni Italia habían hecho aún en ese momento movimiento alguno y, lo que es más importante, no había motivo para pensar que lo iban a hacer. ¿Se puso

47. Loc. cit.

efectivamente Lebrun en contacto con Blum? El presidente no podía tener más que un vago interés en evitar un caos que no parecía más amenazador que la ya compleja situación de Francia. Los hechos posteriores tenderían a indicar que Blum, en su histriónica escena, mintió. Su ofrecimiento de dimisión no parece sincero, sobre todo si se considera a la luz de la situación interna de Francia, en cuyo Gobierno se apreciaba un principio de crisis grave.[48]

Consultado Madrid sobre el ofrecimiento de dimisión, el Gobierno español se mostró de acuerdo con la opinión de De los Ríos de que era absolutamente indispensable que el Frente Popular se mantuviera en el poder en Francia, antes que tener en París un gobierno hostil a la República española. Jiménez de Asúa acudió entonces al Ministerio de Guerra, retiró el cheque que había entregado el día antes y lo rompió en presencia de Blum, como muestra de que el Gobierno español renunciaba a la compra de armamento francés.[49]

El Consejo de Ministros previsto en sesión extraordinaria para examinar la petición española se celebró por la tarde del día 25. Terminado el mismo, el Gobierno de Francia anunció que rehusaba la solicitud de armas presentada por el Gobierno español el día 19 de julio y que unánimemente había «decidido no intervenir en modo alguno en el conflicto interno de España».[50] Esta actitud hizo respirar a muchos, aunque L'Humanité

48. Véase especialmente infra, p. 130.

49. Jiménez de Asúa fue el único que se opuso considerando que, una vez dimitido el Gobierno y deshecho el Frente Popular, el socialista era el grupo mayoritario en la Asamblea y su actuación desde la oposición podía ser mucho más eficaz. Tras romper el cheque en su presencia, Blum le dijo en voz baja: «Tenía usted razón.»

50. Renouvin, loc. cit., p. 332. En el Consejo de Ministros, el presidente Lebrun le preguntó a Daladier: «¿Toma el ministro de la Guerra la responsabilidad de mandar en este momento material de guerra fuera de Francia?» Daladier contestó negativamente (citado en Luis García Arias, *La política internacional en torno a la guerra de España*, Publicación de la Cátedra «General Palafox» de Cultura Militar, Universidad de Zaragoza, 1961, p. 502).

Ha habido algún autor, como Dante Puzzo (*Spain and the Great Powers, 1936-1941*, Columbia University Press, New York, 1962, p. 83) que ha acusado a Francia de ser responsable, a través de esta negativa, de la derrota de la República

del día 27 exclamara: «No nos es indiferente que Francia tenga que defender el día de mañana una frontera en el suroeste.»

Sin embargo, durante la misma mañana del día 25 de julio, se había celebrado una nueva reunión entre los delegados españoles y algunos ministros franceses para buscar un nuevo cauce en el que enmarcar la ayuda de Francia a España. Daladier, ministro de la Guerra, sugirió que existía una cláusula secreta que figuraba como anejo al tratado comercial que el año antes habían firmado Francia y España, según la que se preveía que España compraría a Francia pertrechos militares y armamento por valor de veinte millones de francos. De los Ríos conocía esa cláusula (ignorada por la mayoría de los gobernantes franceses e inconstitucional desde el punto de vista español) porque había tenido la precaución de examinar el expediente del tratado que se encontraba en la embajada de París, y se apoyó fervientemente en ella para conseguir un acuerdo de principio. Así se evitaba la ayuda de Gobierno a Gobierno, pero España quedaba perfectamente justificada si compraba de modo privado pertrechos a las fábricas militares francesas.

Es cierto que el Consejo de Ministros de la tarde del 25 de julio anunció que Francia no intervendría en el conflicto interno de España (fórmula, a no dudarlo, muy sutil). Pero, como se ha visto, las negociaciones estaban demasiado adelantadas para dar marcha atrás, las simpatías comprometidas eran demasiado grandes y, sobre todo, el riesgo que corría Francia, o así lo pensaba Blum, era enorme: una victoria nacional en España significaba para Francia, como pondría de relieve *L'Humanité*, quedar encerrada, con evidente peligro, en un cerco, o con más propiedad en este caso, en un eje de tres naciones hostiles, que la dejarían a merced de Alemania en el caso probable de una guerra mundial. El 26 de julio, Cot, ministro francés del Aire, recibía del primer

---

española. Francia sería, en consecuencia, además, responsable de la posterior sovietización del Gobierno español, puesto que, según Puzzo, aquél se volvió hacia el único país que pareció dispuesto a ayudarle incondicionalmente: la Unión Soviética. La interpretación es excesivamente simple y esquemática. Las causas de la sovietización del Gobierno español son mucho más profundas y, por otra parte, Francia no dejó de ayudar a España en ese momento.

ministro el encargo de gestionar los envíos de material militar a través de México. Se había alcanzado una transacción entre las obligaciones de Francia y sus simpatías. La fábrica de aviones Potez celebró, al parecer, un convenio colectivo con sus obreros en el que se establecía que «la empresa no construirá para el extranjero y cancela todos sus pedidos, salvo los hechos por el Gobierno de la República española»,[51] y los aviones encargados por España fueron construidos aceleradamente. El 30 de julio llegó a París, procedente de Madrid, un cargamento de oro para asegurar la operación. Tres días antes, la política oficial francesa había sido suavizada en una orden circular a todas las embajadas en la que se decía que toda «entrega de material de guerra terrestre o aéreo con destino a España queda prohibida, sea de material perteneciente al Estado o a la industria privada. Sin embargo, y de acuerdo con ciertos precedentes, se autoriza la exportación de aviones sin armamento, que pudieran ser suministrados por la industria privada al Gobierno español».[52]

Inmediatamente, se inició en Francia el reclutamiento de personal técnico y militar para la República. Se contrataron trabajadores para los astilleros de Cartagena y Valencia, con un sueldo de dos mil pesetas mensuales, más una prima de cinco mil en el momento de la firma del contrato. Fueron asimismo reclutados pilotos, a los que se había de pagar veinticinco mil francos mensuales; las vidas de estos pilotos estaban aseguradas en trescientos mil francos en la compañía de la que era director el diputado radical francés Boussutrot, que a su vez se encargaba del reclutamiento.[53]

Azcárate recuerda con viveza aquellos momentos iniciales:

Durante aquel período la embajada de París ofrecía un espectáculo indescriptible, convertida en un verdadero *caravan-*

---

51. *The International Brigades*, p. 15. Según el mismo folleto, otro artículo del mismo convenio establecía que las entregas a España no podrían sobrepasar el diez por ciento de la producción destinada a la defensa nacional de Francia. En el juicio de Riom, durante la segunda guerra mundial, se acusó a Blum de entregar a España aviones que hubieran sido vitales para la defensa de Francia frente a Alemania.

52. Renouvin, loc. cit., p. 333.

53. *The International Brigades*, p. 18.

serail en el que a todas horas del día, y buena parte de las de la noche, entraban y salían individuos de la más diversa nacionalidad y catadura ofreciendo toda clase de armamentos, municiones y aviones. En una palabra, que sobre la embajada se había volcado ese mundo turbio y sin entrañas que es el tráfico de armas, ansioso de explotar la oportunidad excepcional que les ofrecía para vender lotes de armas averiadas o aviones de desecho, de una parte, la angustiosa situación del Gobierno español que exigía con la máxima urgencia los aviones, los fusiles, las ametralladoras indispensables, no sólo para la defensa de Madrid, sino para mantener en la capital un mínimo de orden público, y de la otra, nuestra total incompetencia en materias militares, lo que hacía de nosotros fácil presa de traficantes sin conciencia. En varias ocasiones me tocó compartir con Fernando de los Ríos las verdaderas congojas que nos causaba la imposibilidad de decidir si nos encontrábamos ante ofertas serias y merecedoras de ser tomadas en consideración, o ante vulgares intentos de engaños y estafas...

Hay que añadir que aquella situación semicaótica duró poco; con la llegada del primer embajador, señor Albornoz (sustituido a los pocos días por el señor Araquistain), se regularizó la situación de la embajada y poco después todo lo relativo a la adquisición de armamento... se confió a un organismo especial dotado de los elementos técnicos necesarios para asegurar su eficacia y buen funcionamiento.[54]

Sobre este «organismo especial» a que se refiere Azcárate (que recibió el nombre de Comisión Gubernamental para la Compra de Armas), y en general sobre la situación de la embajada española en París, es interesante anotar la opinión del partido comunista español:

En medio de un constante barullo en el que las personas de buena fe que pretendían ofrecer unos u otros servicios a la República eran desbordadas por un tropel de gentes sin escrúpulos y de pescadores en río revuelto, Albornoz, De los Ríos y Asúa —a los que más tarde se unió Alejandro Otero, diputado socialista por Granada— se dejaron llevar por las promesas

54. Azcárate, pp. 17 y ss.

más fantásticas; firmaban los contratos más descabellados, cometían imprudencias realmente escandalosas... como la famosa compra de armas en la Checoslovaquia de Bénès, armas que no fueron entregadas, pero que costaron a la República la ingente suma de 600 000 libras esterlinas, como consta en un documento firmado por Jiménez de Asúa.

Otro factor que vino a agravar las cosas fue el reflejo que en la Embajada de España en París tuvieron las tendencias cantonales que imperaban en extensas regiones. A Francia empezaron a llegar múltiples delegaciones de organismos locales o provinciales, de sindicatos o agrupaciones anarquistas, que pretendían actuar por su cuenta, comprando armas u otros productos. A las deficiencias de la representación oficial de la República se agregaban una serie de actividades seudocomerciales descontroladas, que en no pocos casos encubrían robos descarados.[55]

Pese a todo, con este comité montado en la embajada y la ayuda desinteresada de hombres como André Malraux, pronto empezaron a ser enviados aviones y armamento a España directamente; la ficción del envío a través de México se había hecho innecesaria a causa, como ha de verse, de la política de no intervención: por lo menos 37 aviones franceses llegaron entre el final de julio y el 17 de agosto a Barcelona.[56] También es preciso añadir que el comité a que alude Azcárate en sus Memorias, se dedicó bajo la presidencia de Jiménez de Asúa al reclutamiento de suboficiales, a los que se ofrecía una prima de diez mil francos y el grado de capitán a su llegada a España. En esos mismos días llegaron a París el teniente coronel Luque y el comandante Prado, con la misión de reclutar técnicos y estrategas del ejército francés.[57]

55. *Guerra y Revolución en España, 1936-1939*, Comisión presidida por Dolores Ibárruri, Editorial Progreso, Moscú, 1966, vol. I, pp. 312-313.
56. *The International Brigades*, p. 19.
57. Loc. cit., pp. 18-19.

III. Los nacionales acuden a Italia

El 19 de julio, el general Franco entregó a Luis Bolín, en Tetuán, adonde ambos habían llegado pocas horas antes, una nota manuscrita que decía:

Autorizo a don Luis A. Bolín para gestionar en Inglaterra, Alemania o Italia la compra urgente para el ejército español no marxista de aviones y material. Tetuán, 19 de julio de 1936. El General Jefe,

FRANCISCO FRANCO

Debajo de su firma, Franco añadió: «12 bombarderos, 3 cazas con bombas (y lanzabombas) de 50 a 100 kilos, 1 000 de 50 y 100 de unos 500.»[1]

De este modo tan sencillo se hizo la primera gestión diplomática de la España nacional, provocada por la presencia en el Estrecho de unidades de la flota republicana que, al estar insuficientemente cubiertas las tropas rebeldes, impedían el paso de éstas a la Península.

Bolín había sido hasta ese momento corresponsal del diario *ABC* en Londres. Él mismo se había encargado de alquilar el avión *Dragon Rapide* en el que Franco hizo el viaje de Canarias a Tetuán para ponerse al frente de las tropas rebeldes en Marruecos.

El mismo día 19, Bolín voló en el *Dragon Rapide* a Lisboa, en

1. Luis Bolín, *España, los años vitales*, Espasa-Calpe, S. A., Madrid, 1967, pp. 67 y 171 y ss., en donde se relatan en detalle las vicisitudes de la petición de ayuda a Mussolini.

donde se entrevistó con el general Sanjurjo, jefe nominal del alzamiento, quien añadió a la nota de Franco un «conforme con lo autorizado por el general Franco». Por un momento se pensó que el avión llevara a Sanjurjo a Pamplona, pero la idea fue desechada por ser el *Dragon Rapide* demasiado grande para la pista de aterrizaje de Cascais, lugar desde donde proyectaba el general despegar en el mayor de los sigilos. La preferencia por una avioneta más pequeña le fue fatal a Sanjurjo puesto que, como es sabido, el nuevo aparato no pudo despegar debido al peso excesivo y se estrelló contra los árboles, muriendo el general instantáneamente.

El 20 de julio Bolín voló hasta Biarritz en donde se entrevistó con el marqués de Luca de Tena, propietario del periódico *ABC*, y con el conde de los Andes, antiguo ministro de la monarquía. El conde de los Andes, informado por Bolín de cuanto sucedía en Tetuán y en Lisboa, prometió telefonear al ex rey Alfonso XIII, que veraneaba en Austria, para mantenerle al tanto de los acontecimientos y pedirle apoyo para las gestiones que Bolín pensaba realizar en Roma. Al día siguiente, éste se dirigió a la capital italiana, vía Marsella. El 22 de julio por la mañana se le unió el marqués de Viana, enviado por el ex rey para allanar, con sus amistades e influencias romanas, las posibles dificultades que pudieran surgir. La situación, en efecto, no era fácil, al menos en teoría, ni parecía sencillo conseguir que Mussolini, escarmentado por su costosa aventura imperial, interviniera de nuevo en un conflicto cuyas implicaciones apenas le rozaban de lejos.

Una aventura fascista

En 1936, Mussolini había llegado a la cumbre de la gloria y de su poder. Su autoridad era omnipresente e indiscutida, sus decisiones se acataban con fe y humildad. «Creer, obedecer, combatir», era el lema que aparecía a diario en las paredes y en los periódicos y que era aceptado ciegamente. El Partido Nacional Fascista, única organización política legalmente admitida, contaba con tres millones de miembros; los sindicatos fascistas, con tres millones ochocientos mil; las organizaciones de juventud (los Balilli, para chicos de ocho a catorce años, Avanguardisti, para muchachos de catorce a dieciocho años y los Giovani Fascisti, para jóvenes de dieciocho a veintiún años), con casi dos millones; la Opera Nazionale Dopolavoro, organismo de recreo y descanso, con un millón ochocientos mil.[2] El acento se ponía especialmente en la juventud, que era indoctrinada, paramilitarizada, fortalecida y explotada en beneficio de una propaganda que ensalzaba la fuerza y la violencia. El Duce era un personaje cuasi-divino, adorado oficialmente como si fuera el padre de todos los italianos. A diario se oía el himno de los Balilli... «Los italianos han sido recreados, Mussolini los recreó para la guerra del mañana.» En las calles, en las oficinas, en las escuelas resonaba la máxima: «*Il Duce sempre ha raggione.*» Todo el montaje político, la doctrina, el sistema de Italia, apuntaba en una dirección tan evidentemente bélica que sorprende que las democracias se dejaran engañar por Mussolini y le configuraran en más de una ocasión como el «pacificador de Europa».[3] Durante muchos años, el Duce hizo propaganda del valor estimulante de la guerra, impulsado constantemente por el desprecio y la desconfianza que le inspiraban sus compatriotas:

> Los italianos son una raza de corderos. Dieciocho años no son suficientes para cambiarlos... Tenemos que mantenerlos disciplinados y de uniforme de la mañana a la noche. Pegarles y

2. Max Gallo, *L'Italie de Mussolini. Vingt ans d'ère fasciste*, Marabout Université, Gérard & Co., Bélgica, 1966, p. 219. Alan Cassels, *Fascist Italy*, Routledge and Kegan Paul, Londres, 1969, p. 65.

3. La doctrina fascista y la historia de sus instituciones merecen estudio especial porque los hilos que la ligan a Falange Española son evidentes. Para ello, véanse especialmente: Gaetano Salvemini, *The Fascist Dictatorship in Italy*, Nueva York, 1927; Alberto Aquarone, *L'Organizzazione dello Stato Totalitario*, Turín, 1965; Dante L. Germino, *The Italian Fascist Party in Power*, Minneapolis, 1959; Carl A. Landauer, *European Socialism*, Los Ángeles, 1959, vol. I; Herbert R. Southworth, *Antifalange. Estudio crítico de Falange en la guerra de España de M. García Venero*, París, 1967; Stanley G. Payne, *Falange, Historia del Fascismo español*, París, 1965; Benito Mussolini, *Escritos y discursos*, Barcelona, 1935. La definición corporativa del fascismo aparece en la célebre versión de la *Enciclopedia italiana*, XIV, Roma, 1932.

pegarles y pegarles... Para hacer que un pueblo sea grande, es preciso mandarlo al combate, incluso si hay que hacerlo a patadas en el trasero. Y esto es lo que pienso hacer.[4]

«Italia, tras siglos de indisciplina e indolencia, podrá volver a ser una nación militar y guerrera», decía Alfredo Rocco, el ministro de Justicia fascista.[5]

La recuperación y desarrollo de la economía, el restablecimiento del prestigio en el exterior, las relaciones internacionales, recibieron el nombre de «batallas». Se hablaba de la «batalla de la natalidad» (de dudosa utilidad en un país ya superpoblado), de la «batalla del trigo», de la «batalla del irredentismo». Todos estos eslóganes eran servidos al público italiano a través de un sólido aparato propagandístico.

El objetivo de la recuperación económica era la autarquía, paso previo a la preparación de la guerra. En 1927, presumiblemente por razones de prestigio en el exterior, se fijó una alta paridad de la moneda, que se mantuvo artificialmente incambiada durante años. Entre 1925 y 1935, la batalla del trigo hizo que se redujeran las importaciones de este cereal en un setenta y cinco por ciento. En 1931 se acabaron de desecar los pantanos cercanos a Roma, con la intención de transformarlos en explotaciones agrícolas. A principios de la década de los treinta fue creado el IRI (Instituto per la Ricostruzione Industriale), cuya misión sería apuntalar el desarrollo industrial italiano, supliendo con iniciativa pública los defectos de la iniciativa privada.

Los resultados de esta política económica no se hicieron esperar: la irreal cotización de la moneda redujo drásticamente las exportaciones de agrios y creó una grave deflación en Italia; si Italia se abastecía a sí misma en trigo era a costa de explotaciones agrícolas que anteriormente habían alimentado una próspera exportación de agrios y legumbres; la batalla del trigo también había arruinado los pastos; la colonización de los pantanos había costado doce mil millones de liras; a medida que la situación in-

4. *Ciano's Diary, 1939-1943*, editado por Malcom Muggeridge, William Heinemann Ltd., Londres, 1947, p. X.

5. Gallo, loc. cit.

dustrial se había ido agravando, el IRI había incrementado su asistencia y sus vínculos con la gran industria, sacrificando con ello a la pequeña y media empresa (solamente en 1932, de unas 3 000 sociedades de capital inferior al millón de liras, más de 1 200 quebraron); en 1931, los parados pasaban del millón de obreros (el 21 por ciento de la mano de obra).[6] De hecho, de 1925 a 1938, la renta nacional italiana aumentó solamente en un quince por ciento, y la renta per cápita, en un diez por ciento. La ciudad universitaria y la estación Termini se estaban construyendo, es cierto, y los trenes salían y llegaban a su hora; pero la tasa de crecimiento económico de Italia no era lo suficientemente elevada como para hacer frente al déficit presupuestario y a la política de obras públicas, y el peso de esta expansión cayó sobre las espaldas de las clases obreras: en los trece años indicados, el índice real de salarios disminuyó en un once por ciento (esta baja fue aún más grave en algunos sectores agrícolas, como por ejemplo en la Lombardía, en donde el índice de decrecimiento fue de un cincuenta por ciento).

Ciertamente parece que el único éxito real de Mussolini fue la firma de la paz con el Vaticano y, aun así, no puede olvidarse que los papas querían acabar con el problema desde hacía tiempo.

Los tímidos intentos de oposición al régimen mussoliniano eran severamente reprimidos por un duro sistema policial. En 1926 fue creada la OVRA (Organizzazione Vigilanza Reati Antifascisti), la policía política, y se constituyó el Tribunal Especial para la Defensa del Estado. No debe pensarse, sin embargo, que la oposición era muy activa en el interior de Italia; no hubo movimientos obreros o estudiantiles de envergadura y, más bien, la crítica provino siempre del extranjero, en donde se habían refugiado los oponentes más destacados del Duce, los *fuoriusciti* (Saragat, Nenni, Toscanini, Dom Sturzo, Salvemini).

Así es, en resumen, la Italia (todavía una de las potencias vencedoras de la última guerra) que, desde 1925, ha sido cortejada por los restantes países de Europa[7] y que es tratada con respeto

---

6. Gallo, op. cit., p. 235; Cassels, op. cit., p. 60, sugiere que el desempleo alcanza los dos millones en 1932.

7. En 1933, Churchill exclama: «El genio romano, personificado por Mus-

por la mayoría de las naciones. Para los ingleses, Mussolini es una garantía en la lucha contra la creciente marea de la revolución socialista; para los franceses, es una barrera y un equilibrio respecto del antagonismo nazi; para los alemanes es aún un ejemplo a seguir. En Locarno y en Stresa, el Duce es aceptado como igual. En la Sociedad de Naciones se le trata todavía con suavidad. Mussolini contribuirá a deshacer luego el organismo ginebrino con la crisis de Abisinia.

En 1922, sin embargo, Italia no era la potencia que hubieran querido los italianos. Al tomar el poder en aquel año, Mussolini se propuso restablecer la preeminencia de su país en los asuntos europeos. Lo cierto es que, para hacerlo, tenía pocos medios a su disposición: una nación pobre, excesivamente poblada, dependiendo de otros países para la supervivencia económica y colocada, además, en el centro de un mar dominado por otras potencias. Para emprender su tarea, el Duce tenía el apoyo moral de un cierto sentimiento (que fue naturalmente estimulado por la propaganda fascista) de insatisfacción interna por lo que se consideraba un trato injusto a la hora del reparto del mundo tras la primera guerra mundial.

A partir de 1924, el Duce se dedicó a un complicado juego diplomático cuyo examen aclara en gran parte el panorama de las relaciones internacionales del período de entreguerras. Naturalmente, tras 1919, habían aparecido en Europa dos grupos de países claramente diferenciados: de un lado, los vencedores, interesados en mantener el statu quo impuesto en Versalles, y, de otro, los vencidos, que habían visto desmembrados sus imperios y repartidos sus territorios, y a quienes interesaba la revisión de esa situación. A lo largo de los años, Mussolini osciló de un grupo a otro, para acabar inclinándose decididamente a favor del segundo.

Sus relaciones con Gran Bretaña fueron generalmente cor-

---

solini, el más grande legislador que existe, ha demostrado a muchas naciones que se puede resistir la presión del socialismo. Ha marcado el camino que una nación puede seguir cuando es valerosamente conducida. Con el régimen fascista, Mussolini ha establecido una orientación central que los países empeñados en la lucha cuerpo a cuerpo contra el socialismo no deben dudar en seguir.»

diales. Casi se puede decir que ambos países se apaciguaron mutuamente. Tenían intereses comunes en Europa y en el Medio Oriente y, aunque eran antagonistas en la escena colonial, Gran Bretaña acabó ayudando a Italia en la crisis de Abisinia. Por el contrario, Mussolini siempre sintió enorme antipatía por Francia. Esta enemistad se manifestó pronto en sus deseos de construir un cerco semifascista en torno al país galo y a sus protegidos, poniendo en peligro la seguridad continental o deshaciendo alianzas: en un momento u otro, el Duce intentó establecer alianzas panfascistas con Primo de Rivera en España, con Averescu en Rumania, con el rey Alejandro en Yugoslavia o con el canciller Dollfuss en Austria. Ninguno de los intentos tuvo demasiado éxito. El dictador italiano acabó ayudando secretamente al rearme alemán, estimulando con ello la amenaza contra Francia en el Rin, y, más tarde, trabó amistad con los nazis que aún no habían llegado al poder. Tras la llegada del Führer a la Cancillería alemana, el peligro de ese juego se puso de manifiesto cuando, en 1934, los nazis austríacos asesinaron al canciller Dollfuss, intentando tomar el poder para proceder a la unión con Alemania que había preconizado Hitler en el *Mein Kampf.* Mussolini reaccionó violentamente y, en esa ocasión, Hitler tuvo que dar marcha atrás. Pero el primer objetivo de la expansión alemana acababa de ser claramente manifestado; y debajo de Austria estaba el Tirol, el Alto Adigio italiano, otra de las regiones que el Führer quería redimir (aunque posteriormente sacrificó la zona a la amistad italiana). A partir de 1934, Mussolini, cogido en su propio juego, tuvo que ponerse a la defensiva y se encontró metido irreversiblemente en una alianza que, más que una amistad, era su condena. Desviar el impulso alemán de Austria al Rin había dejado de ser una política ofensiva contra Francia para convertirse en necesidad de supervivencia. Entre 1934 y finales de 1935, las relaciones de Italia con Alemania no fueron buenas, como no podía menos de ocurrir. Cuando mejoraron, tras la crisis de Abisinia, siempre quedó, como telón de fondo, la amenaza expansionista nazi, contra la que nada podía Mussolini, crecientemente dominado por su aliado.

La política revisionista del Duce se había iniciado en otoño de 1923 con dos movimientos de ocupación que no habían terminado en desastre porque, como había de ocurrir casi siempre en el período de entreguerras, Francia y Gran Bretaña hicieron todo lo posible por limitar sus efectos. Primero fue ocupada Corfú, la isla griega en el mar Adriático, con el pretexto del asesinato en Grecia de unos funcionarios italianos que trabajaban en la comisión de límites con Albania. El Gobierno griego apeló inmediatamente a la recién creada Sociedad de Naciones. Francia, preocupada porque se produjera una reacción similar en torno a su ocupación del Rhur, consiguió desviar el conflicto hacia una conferencia de embajadores que, finalmente, fijó una «reparación» de cincuenta millones de liras a pagar por el Gobierno griego; Mussolini, a quien no apetecía devolver Corfú, tuvo que aceptar, tras una velada amenaza de Gran Bretaña de usar su flota en el Mediterráneo si no lo hacía. Inmediatamente después, Mussolini ocupó Fiume, el primer objetivo de su política revisionista; en esta ocasión no ocurrió nada. Yugoslavia, privada de apoyo por su mentora Francia, casi ni protestó.

Las dos experiencias fueron buena muestra de lo que había de suceder doce años después, durante la crisis etiópica: de 1919 a 1939, las reacciones internacionales a los actos de piratería política fueron siempre muy limitadas.

Es difícil saber cuándo el dictador italiano decidió lanzarse a la conquista de Abisinia. Es posible que lo hiciera por una cuestión de prestigio y por impresionar a Hitler con el poderío de su ejército. No es descabellado pensar que los problemas interiores le hicieran buscar una empresa nacional común que forzara a los italianos a olvidar sus dificultades económicas. Parece lógico que pensara en Etiopía, impulsado por un afán de tomarse el desquite por la catástrofe de Adua —el Annual italiano— en 1896. En todo caso, la idea imperial era no sólo un atributo indispensable del fascismo, sino también una vieja aspiración de Italia, que había llegado tarde al reparto del siglo XIX. La península italiana está plantada en el Mediterráneo y gran parte de su historia ha estado ligada a ese mar; toda idea colonial de Italia tenía forzosamente que orientarse sobre el Mediterráneo, sobre el asentamiento de la influencia latina en el *mare nostrum*. El propio Mussolini, terminada la guerra etiópica, lo dirá claramente, aunque con patética exageración: «Italia y Roma, África, Asia, Australia... El Mediterráneo es el corazón del gran sistema eurafricaustraliano... y gracias a la conquista de Etiopía, esta cadena es italiana.»[8]

Ciertamente ni Gran Bretaña ni Francia opusieron nunca reparos fundamentales a la aventura etiópica e incluso en la primavera de 1935 parecieron dejarle a Mussolini las manos libres para que se metiera en ella. El 16 de marzo de aquel año Hitler había restablecido el servicio militar obligatorio en Alemania. En abril, MacDonald, Laval y Mussolini se reunieron en Stresa para considerar los efectos de este acontecimiento sobre la paz europea.[9] La Conferencia no produjo resultado positivo alguno, salvo el ya habitual compromiso de mantener la paz y el statu quo, palabras a las que, Mussolini, al firmar, añadió «en Europa». Nadie dijo nada.

El 3 de octubre de 1935, las tropas italianas invadieron Abisinia. Tres días más tarde habían conquistado Adua, vengando la derrota de 1896. Siete meses después, terminaba la guerra y el rey Víctor Manuel era coronado emperador de Etiopía.

Con esta guerra, Mussolini violó absolutamente todas las disposiciones de solución pacífica de los conflictos, todas las reiteradas condenas del uso de la agresión como arma en las relaciones internacionales. La Sociedad de Naciones tenía que tomar medidas inmediatas y, a despecho de las seguridades que el Duce había recibido una y otra vez de los gobernantes franceses e ingleses, el 10 de octubre de 1935, el organismo ginebrino votó la aplicación de sanciones económicas a Italia. Las sanciones fueron adoptadas a disgusto y en un ambiente de temor a sus posibles consecuencias. Gran Bretaña intentó paralizarlas en lo posible porque, una vez más, queriendo poner en práctica la teoría del apaciguamiento, no tenía ninguna intención de enemistarse con el dictador italiano. El Gobierno británico consiguió que las sanciones fueran mínimas; pero un propósito pacífico inicialmente laudable tuvo las siguientes catastróficas consecuencias:

8. Gallo, op. cit., p. 259.
9. El profesor Taylor (*English History, 1914-1945*) comenta irónicamente la Conferencia de Stresa: «...una reunión sorprendente: tres socialistas renegados defendiendo los resultados de la "guerra luchada para terminar con las guerras y para asegurar la supervivencia de la democracia en el mundo", dos de los cuales se habían opuesto a la guerra, mientras el tercero había destruido la democracia en su país» (p. 377).

1.ª Las sanciones no impidieron que Mussolini, a quien nunca faltaron petróleo para sus tanques o puertos de recalada para sus barcos, prosiguiera y ganara la guerra.

2.ª El Duce, gravemente ofendido por lo que consideró una traición de las democracias, se apartó de ellas, consolidando su fatídico acercamiento a Hitler. Menos de un año después, Mussolini exclamaría:

> Estoy muy ofendido con Francia. Hace algo más de un año firmé con Laval un acuerdo destinado a poner las relaciones franco-italianas en un plano de amistad, de confianza, de solidaridad. Este acuerdo, a la vez político y militar, estaba claramente orientado contra Alemania. En el curso de nuestras conversaciones, había informado a Laval de las ambiciones que tenía respecto a Etiopía y de mi intención de llevarlas a la práctica en breve. Laval no opuso objeción seria y me dio la impresión de que Francia no sería obstáculo a mis planes.[10]

3.ª Con su falta de severidad, la Sociedad de Naciones se cubrió de infamia ante los ojos del mundo, revelando su debilidad esencial. El organismo ginebrino dejó prácticamente de existir a partir de aquel momento y sólo continuó funcionando merced al cómodo expediente de «apartar la vista de cuanto sucedía a su alrededor».[11]

De estas tres consecuencias, la que tiene más peso desde el punto de vista de la guerra civil española es sin duda la segunda. Mussolini se encontraba metido de lleno en la aventura de Abisinia y la Sociedad de Naciones acababa de votar las sanciones contra él. Al principio, Alemania, aunque ya no era miembro de la Liga, había anunciado que observaría una rigurosa neu-

---

10. Conversación de Mussolini con el ex ministro francés Malvy, celebrada en Roma en junio de 1936, Bonnefous, op. cit., pp. 410-411. Antes de la invasión de Abisinia, Eden había viajado a Roma para ofrecer a Mussolini un acuerdo privado mediante el que Gran Bretaña le prestaría asistencia para el establecimiento de un protectorado en parte de Abisinia, renunciando a la Somalia; el Duce se negó, alegando para ello el sólido argumento de que quería para Italia en Etiopía la misma situación que Gran Bretaña tenía en Egipto.

11. A. J. P. Taylor, *The Origins of the Second World War*, p. 95.

tralidad respecto de la aventura italiana. Pero, poco a poco, la neutralidad alemana se fue diluyendo y Hitler empezó a enviar materias primas para alimentar la economía de guerra fascista. Probablemente, el Führer especuló con dos ideas, y los sucesos posteriores le dieron la razón: en primer lugar, se dio cuenta de que Mussolini estaba irritado con las democracias por su actitud en la guerra de Abisinia; todo gesto amistoso hacia un gobernante en apuros es bienvenido. Por otra parte, parecía claro que el centro del poder fascista se había desplazado hacia el sur y que Mussolini se desentendía del centro de Europa para inclinarse decididamente hacia el Mediterráneo. Esto relajaba la tensión austríaca y tenía el efecto suplementario de enajenar a Mussolini de Francia y Gran Bretaña. Este alejamiento, sin embargo, no se produjo inmediatamente. El Duce se daba perfecta cuenta de los riesgos implicados y, como subraya Bonnefous, «es preciso recordar que Italia no se enfrentó abiertamente con el clan de las democracias más que después de muchas indecisiones».[12] En el mes de junio de 1936, el dictador italiano aún se quejaba en los siguientes términos:

> La situación actual me obliga a buscar en otra parte las seguridades que he perdido del lado francés e inglés, para restablecer en provecho mío el equilibrio. ¿A quién dirigirme, sino a Hitler? Debo decirle que he recibido muestras de amistad de su parte. La conducta de Alemania para con Italia ha sido, además, perfectamente correcta y comprensiva a lo largo de toda la crisis etiópica. Hasta ahora me he reservado. Me doy perfecta cuenta de lo que sucederá si me entiendo con Hitler. Será primero el *Anschluss*. Y con el *Anschluss*, Checoslovaquia, Polonia, las poblaciones alemanas, etc. En una palabra, inevitablemente la guerra.[13]

El cambio radical y profundo se produce con motivo del estallido de la guerra civil española, en la que Mussolini intervino porque pensaba que había tres motivos de provecho para Italia

---

12. Bonnefous, op. cit., p. 41.
13. Conversación de Mussolini con Malvy, ya citada en nota 10.

(el dominio del Mediterráneo y el consiguiente prestigio para Italia, las materias primas españolas que permitirían alimentar su economía de guerra y la lucha contra el comunismo, al que veía como real peligro para la Europa occidental),[14] y la presencia de Hitler a su lado fue más bien un hecho coincidente que, bien es cierto, contribuyó a reforzar los lazos entre ambas naciones.

Bolín y Goicoechea en Roma

La tarea de Luis Bolín y del oficial de marina marqués de Viana en Roma no parecía fácil a primera vista. Mussolini acababa de conseguir un imperio a costa de grandes dificultades económicas (las sanciones de la Sociedad de Naciones, aunque leves, habían puesto de manifiesto lo frágil de la economía fascista) su hegemonía en el Mediterráneo estaba, o así lo pensaba él a la vista de las fracasadas exhibiciones de fuerza de la flota británica, sólidamente establecida y, en principio, no tenía gran interés en despertar gratuitamente la suspicacia de las democracias. Realmente, parecía que había pocos motivos para que el Duce interviniera en España. Sin embargo, los emisarios españoles lo consiguieron en menos de una semana, en cuanto Mussolini se convenció de que el levantamiento tenía visos de seriedad.

Galeazzo Ciano, ministro de Asuntos Exteriores italiano desde hacía muy poco tiempo, héroe de la guerra de Abisinia y yerno del Duce, recibió a los delegados españoles el día 23 de julio. Después de escuchar atentamente las explicaciones de Bolín sobre la naturaleza del alzamiento, sus jefes, el indiscutible caudillaje de Franco y las fuerzas con que contaban, Ciano exclamó: «¡Hay que poner fin a la amenaza comunista en el Mediterráneo!»[15] y prometió que Italia no abandonaría a los rebeldes. Era

---

14. Vid. pp. 86 y 87.
15. Bolín, op. cit., p. 178. Cuando Ciano visitó a Hitler en Brenner en septiembre de 1940, le contó que Franco había asegurado que con doce aviones ganaría la guerra (citado en *Documents on German Foreign Policy, 1918-1945*, serie D, vol. III, *Germany and the Spanish Civil War*, editados por el Government

preciso, sin embargo, consultar con el Duce. Los delegados españoles debían volver al día siguiente. El día 24, Bolín y Viana volvieron al Ministerio para encontrarse con la desagradable sorpresa de que Ciano no quería recibirlos y de que un alto cargo del Departamento, Anfuso, les comunicaba la negativa de ayuda italiana y les preguntaba, con el tono más cortés, cuándo pensaban abandonar el país. Mussolini había dicho que no; ni siquiera había querido considerar la solicitud española, pensando que provenía de un golpe de Estado más, sin consecuencias ulteriores, y desdeñando malgastar un cartucho contra las democracias. Bolín insistió en ver a Ciano y éste los recibió al fin para repetirles lo que les había dicho Anfuso. Bolín, que creía que las dificultades provenían de las dudas que pudieran tener los líderes fascistas respecto de cómo sería pagada la ayuda, hizo notar al ministro que los nacionales pagarían religiosamente todas las deudas que originara la asistencia (aunque es comprensible que no se viera claramente el procedimiento que iban a utilizar para hacerlo) y defendió con ardor el punto de vista de los rebeldes. Ciano aseguró que no era cuestión de dinero y, como desde el primer momento simpatizaba con la causa nacional, prometió volver a insistir ante Mussolini.

Mientras tanto, el día anterior se habían reunido en Biarritz, en casa del millonario español don Juan March, los líderes monárquicos señores Goicoechea, Sainz Rodríguez y Zunzunegui. Era la primera etapa de un viaje que había de llevarlos hasta Roma.[16] La gestión les había sido encomendada por el general

---

Printing Office, Washington D. C., 1950, p. 993). El 22 de julio, Ciano había recibido al embajador de la República española, señor Aguirre de Cárcer, para informarle de que Italia enviaría dos barcos de guerra a España con objeto de defender la vida de los súbditos italianos y evacuarlos si era preciso.

16. José María Gil Robles, *No fue posible la paz*, Ariel, Barcelona, 1968, p. 789.

Sorprendentemente, el señor Bolín no hace referencia en su libro a esta etapa de la solicitud nacional a Italia. Habla del «éxito de mi gestión» (op. cit., p. 177) sin consignar que, como se estudia en el texto, la gestión tuvo éxito gracias a la presencia de Goicoechea en Roma, de la que no habla en absoluto. En carta dirigida a mí, el señor Bolín dice textualmente:

«La razón de que en mi libro no aluda a don Antonio Goicoechea, en vida

Mola, que necesitaba desesperadamente aviones y material de guerra. Generalmente se piensa que esta nueva gestión ante Mussolini había sido decidida ante el fracaso de las de Bolín.[17] Esto es materialmente imposible por cuestión de fechas: la primera entrevista de Bolín con Ciano fue el día 23, y la misión de Goicoechea fue decidida por el general Mola el día 22. En este sentido caben dos posibilidades: que Mola, conocedor de las gestiones de Franco, pensara reforzarlas con el envío de quien, como Goicoechea, ya conocía a Mussolini; o que, dada la confusión inicial en las líneas rebeldes, decidiera enviar a Goicoechea sin consultar con nadie (igual que había hecho Franco con Bolín) para que le gestionara urgentemente la ayuda que tanto necesitaba para proseguir la guerra.[18] Aboga en favor de la primera hipótesis el hecho de que el primero en recibir ayuda fuera el general Franco y no el general Mola.

Dos años antes, el 31 de marzo de 1934, Goicoechea (en su calidad de jefe del partido monárquico Renovación Española), Olazábal y Lizarza (como representantes de la Comunión Tradicionalista carlista) y el general Barrera habían visitado a Mussolini en Roma. En la entrevista había estado presente el mariscal Balbo. El objeto de la visita había sido solicitar del Duce apoyo para un golpe de Estado monárquico contra la República.[19] El Duce se había

---

ilustre amigo mío, es que él no se hallaba en Italia cuando yo llevé a cabo la gestión a que usted alude, consecuencia directa de la cual fue la llegada a Marruecos de los primeros aviones cedidos por Italia. Los hechos sucedieron tal y como yo los narro. La gravedad y trascendencia de las circunstancias del momento determinaron, por sí solas, la resolución adoptada por el Gobierno italiano. Ignoro el detalle de lo que el señor Goicoechea hizo o no cerca del mismo, una vez que yo me marché de Roma.»

17. Gil Robles, loc. cit., recoge este error que cometen la mayoría de los historiadores de la guerra civil.

18. La columna García Escámez, que había salido de Pamplona el 19 de julio, presumiblemente para intentar tomar Madrid, se había visto obligada a detenerse el día 22 a las puertas de Guadalajara, casi sin munición y enfrentada con una fuerza superior que ya había ocupado la ciudad.

19. Es posible que esta visita tenga relación con la posterior entrevista del diputado de la CEDA, don José María Valiente, con el ex rey don Alfonso XIII en París el 6 de junio de 1934. Esto es puramente especulativo, pero el espíritu

mostrado de acuerdo con la idea y había prometido a los conspiradores 20 000 rifles, 20 000 bombas de mano, 200 ametralladoras y un millón y medio de pesetas; tal ayuda debía ser entendida como meramente inicial y había de ser completada posteriormente, a medida que progresara el levantamiento. Mussolini no ponía más que una condición: que la República fuera abolida y que se nombrara un regente que tomaría sobre sí la tarea de restaurar la monarquía, una monarquía de «tendencia corporativa y representativa».[20] El dinero había sido entregado al día siguiente.

El 25 de julio de 1936 por la mañana, Ciano recibió a Goicoechea, Lizarza y Sainz Rodríguez, quienes le confirmaron el carácter derechista del levantamiento, así como el hipotético vínculo entre éste y la conspiración que en 1934 había despertado el interés del Duce. Mussolini, que ante la insistencia de Bolín había vuelto a negarse a ayudar a los nacionales, ahora aceptó. Ciano ordenó telegráficamente a su cónsul en Tánger que se entrevistara con el general Franco, quien le confirmó las instrucciones que había dado a Bolín y su creencia de necesitar sólo doce aviones para ganar la guerra. El 27 de julio, Ciano recibió una vez más a Bolín para decirle, con una amplia sonrisa, que todo estaba resuelto y que Italia enviaba a los nacionales doce bombarderos Savoia-81. El ministro aseguró a los emisarios españoles que esto era sólo la primera parte de una asistencia más voluminosa.

---

de la entrevista —ofrecer de nuevo la corona al rey— sugiere un cierto carácter de apoyo por parte de la CEDA a las reivindicaciones monárquicas, reforzado por el hecho conocido de que esta Confederación siempre se resistió (quizá por formar en ella numerosos monárquicos) a declarar su fidelidad a la República. Este matiz es enfáticamente negado por el señor Gil Robles en sus Memorias (*No fue posible la paz*, pp. 89-90), contra lo que opina el marqués de Luca de Tena en un artículo publicado en *ABC* el 18 de abril de 1968, Edición Semanal Aérea.

20. La versión mecanografiada de esta entrevista se reproduce como apéndice fotocopiado al libro de la duquesa de Atholl, *Searchlight on Spain*, Penguin, 1938, pp. 273-274. La frase en entrecomillado es de Lizarza y no aparece en la fotostática referida; es recogida por Thomas (op. cit., p. 114), probablemente como recuerdo personal de Lizarza. Acaba de saberse que Ciano remitía mensualmente a José Antonio Primo de Rivera cinco mil pesetas para la Falange.

Los doce aparatos, con Bolín a bordo de uno de ellos, salieron de Cerdeña rumbo a Melilla el 30 de julio.

Posteriormente llegó a Roma el millonario español Juan March, y alternó ahí sus actuaciones privadas con la de representar oficiosamente a los nacionales en Italia. Se dice, aunque éste es un dato extraordinariamente difícil de comprobar, que March adquirió la mayoría del capital de la fábrica Savoia y que así contribuyó a financiar parcialmente el alzamiento.

Con lo que queda reseñado anteriormente, es fácil adivinar cuáles fueron los motivos que impulsaron a Mussolini a intervenir en España.

En primer lugar, como se ha visto, el centro de poder y aspiraciones fascista se había trasladado al Mediterráneo después de la campaña de Abisinia. El Duce parecía ahora interesado en extender su influencia y deshacer el equilibrio en el Mediterráneo en su favor. En este sentido, resulta muy interesante un memorándum del Foreign Office británico redactado para el Consejo de Ministros del mes de agosto de 1936:[21]

Italia es la única gran potencia centrada plenamente en el Mediterráneo. Constituye un lugar común en el pensamiento político italiano el hecho de que su futuro depende del grado relativo de poderío marítimo y aéreo que pueda ejercer en ese mar en relación con otras naciones. La limitación más importante al ejercicio de esa fuerza militar (en el sentido más amplio de la palabra) se deriva del hecho de que las tres puertas de entrada al Mediterráneo están, una, los Dardanelos, en poder de Turquía, y las dos restantes, Suez y Gibraltar, en nuestro poder.

Esta aspiración, continúa el memorándum, no tomó verdadero impulso hasta el acceso de Mussolini al poder en 1922. Desde entonces, gradualmente, la presión italiana ha ido haciéndose más sensible (los incidentes de Fiume y Corfú, la fortificación del Dodecaneso y de la isla de Leros y, finalmente, la conquista

---

21. Documentos del Foreign Office relativos a la guerra civil española, FO 371/20573, documento 125, titulado F. P. (36) 10. (Las primeras cifras corresponden al legajo general que se guarda en el Public Record Office de Londres.)

de Abisinia). También se ha hecho patente en las campañas de intriga antibritánica en el norte de África, en Egipto, en India, Arabia, Persia, Anatolia, Bulgaria, Albania.

> Tomando todo esto en cuenta, es difícil no suponer que Italia considere la lucha no sólo como una guerra entre el fascismo y el comunismo, sino también y sobre todo, como un asunto merced al que, mediante el ejercicio de actividades similares a las descritas más arriba, pudiera encontrarse en situación de solidificar su propia influencia y debilitar el poderío marítimo británico en el Mediterráneo occidental.

En segundo lugar, la preocupación por el peligro comunista en el sur de Europa llegó a ser obsesiva en Mussolini. Attilio Tamaro asegura que Mussolini resolvió ayudar a los nacionales cuando se enteró de que el Frente Popular francés (al que él consideraba como un engendro comunista) pensaba apoyar a la República.[22]

Finalmente, un factor que definitivamente influyó en la decisión de Mussolini fue la riqueza mineral del subsuelo español que, con sus abundantes yacimientos de mercurio, piritas, cobre, plomo, manganeso, cinc y tungsteno, constituía una innegable tentación para una industria bélica tan necesitada como la italiana de materias primas. Este aspecto será estudiado más adelante con detenimiento.

22. Attilio Tamaro, *Venti anni di storia*, Roma, 1952-1953, vol. III, p. 200, cit. por Thomas, p. 296.

IV. Los nacionales y Alemania

Los nacionales acuden a Alemania

El 22 de julio de 1936, la presión de las fuerzas republicanas sobre los rebeldes empezaba a ser intolerable. El general Franco se encontraba paralizado con sus tropas en Marruecos y la flota, leal al gobierno de Madrid, bloqueaba el Estrecho. El levantamiento había fracasado en muchas capitales del sur y resultaba urgente apoyarlo para iniciar una ofensiva sobre Madrid. Como se ha visto, las gestiones de los rebeldes en Roma no habían tenido éxito aún. De no encontrarse una solución inmediata, el alzamiento moriría en menos de una semana. La situación era desesperada.

En vista de ello, Franco encargó al coronel Beigbeder que se pusiera en contacto con el cónsul alemán en Tánger para solicitar de Hitler los aviones que Mussolini no acababa de mandarle. El cónsul mandó un telegrama al general Kuhlental, agregado militar alemán en Francia y Portugal, solicitando para Franco el envío urgente de diez aviones de transporte de tropas.[1] La petición llegó a Berlín el día 23 y fue recibida en el Ministerio ale-

---

1. *Documents on German Foreign Policy, 1918-1945*, serie D, vol. III, *Germany and the Spanish Civil War*, Departamento de Estado, Washington, 1950, pp. 3-4, doc. 2.

Las gestiones del general Franco y la subsiguiente ayuda prestada a los nacionales por Alemania son objeto de un detenido estudio por parte de Glenn T. Harper publicado por Mouton & Co., París, La Haya, 1967, bajo el título de *German Economic Policy in Spain during the Spanish Civil War, 1936-1939*. Poco puede añadirse a las conclusiones de Harper, que por otra parte ya aparecen en varios de los estudios generales sobre la guerra civil.

mán de Asuntos Exteriores. En 1936, como dice Harper, «la Wilhelmstrasse aún mantenía una semblanza de autoridad en las relaciones exteriores del Reich y el ministro Constantin von Neurath y sus expertos, si bien no se oponían a la posibilidad de explotar la situación española, no querían arriesgarse a nuevas complicaciones internacionales que pudieran ser desastrosas para Alemania, objeto ya de la hostilidad de Londres y París».[2] Por eso, la Wilhelmstrasse envió una nota al Ministerio de Guerra indicando que la idea de ayudar a Franco no debía ser considerada por el momento.[3]

El 22 de julio, al mismo tiempo que el telegrama, salían de Tetuán, en un avión de la Lufthansa requisado por los rebeldes españoles en Las Palmas, el capitán Francisco Arranz y dos negociantes alemanes, los señores Langenheim y Bernhardt, con objeto de intentar entrevistarse con Hitler y hacer las gestiones de ayuda personalmente. Adolf P. Langenheim era el jefe del partido nazi en el Marruecos español y Johannes Bernhardt dirigía en Marruecos la rama económica de la *Auslandorganisation* del mismo partido alemán.[4]

En muy pocos días, los representantes de Franco consiguieron de Hitler la ayuda que necesitaban. «La Alemania de 1936 era el Tercer Reich de Hitler y fuerzas ciertamente más poderosas y

---

2. Harper, op. cit., pp. 11-12.

3. *Documents on German Foreign Policy*, 1918-1945, serie D, vol. III, p. 7, doc. 5. Véase Harper, *op. cit.*, p. 12.

4. En Thomas, op. cit., p. 287, n. 1, puede leerse una breve referencia que confirma la tesis sostenida por el autor de la falta de coordinación entre las líneas rebeldes: al mismo tiempo que Franco, el general Mola envió un emisario a Berlín (el marqués de Portago). Arranz y Portago no se conocían y no se reconocieron al ser puestos frente a frente en la capital alemana.

De Johannes Bernhardt (que de los dos alemanes referidos fue el que desempeñó un papel más importante a lo largo de la guerra) se sabe poco. Thomas (op. cit., p. 287) indica que fue un comerciante en azúcar de Hamburgo que tuvo que abandonar Alemania tras un escándalo financiero. Posteriormente, ya en Marruecos, se asoció con un capitalista español para, dice Thomas, vender cocinas a las guarniciones españolas en la zona. Harper (op. cit., p. 13) indica que el socio español se llamaba Carranza y que la empresa se constituyó para explotar minas marroquíes. Sus relaciones con el ejército explicarían su inmediata toma de posición respecto del alzamiento.

mucho menos prudentes que el Ministerio de Asuntos Exteriores determinaban la política y el destino de la madre patria.»[5]

Hitler y el Estado nacionalsocialista

Las hazañas, las locuras, las intenciones y las motivaciones de Hitler han sido desmenuzadas por historiadores y políticos. El Führer ha ejercido en la mente de las generaciones que han sobrevivido a la segunda guerra mundial la fascinación especial del mito. Un hombre que en pocos años llevó a una nación a la cumbre del poderío político, para arruinarla después en una guerra casi suicida, bien merece un puesto destacado en la historia, por triste que sea la fama que le colocara en tan poco envidiable tesitura. El consenso general describe a Hitler como un monstruo paranoico. No lo fue en absoluto. El Führer, por el contrario, fue un muy cuerdo delincuente de la política y, como tal, utilizó tácticas de bandido, engañando, mintiendo, corrompiendo y dejando de cumplir sus más solemnes promesas. Detrás de ese ejercicio del crimen internacional, había una teoría y una intención muy definidas. Durante años se ha asumido sin más que el nazismo fue simplemente una tiranía, la sublimación del Estado totalitario, la utilización del oportunismo político, que se convierte así en un fin en sí mismo. La interpretación liberal del fascismo, en este sentido, es interesante, pero no suficiente. Los historiadores liberales, y especialmente los anglosajones, han manejado conceptos puramente políticos sin detenerse a profundizar en las verdaderas raíces del poder fascista.

Como ha dicho Alan Milward, «fue en Gran Bretaña en donde la historiografía liberal perpetró su propia reducción al absurdo al sugerir que la política exterior de Hitler fue la obra de un oportunista que "meramente repitió la palabrería de los círculos conservadores".[6] Un historiador tan violentamente anti-

---

5. Harper, p. 12.

6. Alan S. Milward, «French Labour and the German Economy, 1942-1945: An Essay on the nature of the Fascist New Order», *The Economic History Review*, 2nd ss., XXIII, 2 (agosto 1970), pp. 336-351. La frase que cita Milward en entrecomillado es de A. J. P. Taylor en su libro *The Origins of the Second World War*.

nazi como A. J. P. Taylor ha dicho, por ejemplo, que en contraste con lo diabólico de su política interna, la política exterior de Hitler, como la de cualquier político patriota,

> fue una cuestión totalmente diferente; intentó hacer de Alemania la primera potencia europea y tal vez a más largo plazo la primera potencia del mundo. Otros países han perseguido los mismos fines y aún lo hacen. Otras potencias tratan a las naciones más pequeñas o más débiles como a satélites. Otras potencias defienden sus intereses vitales por la fuerza de las armas. En asuntos internacionales, lo único malo que tuvo Hitler fue ser alemán.[7]

Este argumento no es correcto. Para demostrarlo, será preciso profundizar, aunque sea brevemente, en las raíces doctrinales del nazismo, para, a continuación, averiguar cómo la teoría se aplica a la práctica.

La interpretación marxista del fascismo, aunque excesivamente radical, es, como asegura Milward, más ajustada a la realidad que la liberal. Para los marxistas, el fascismo es el último estadio del capitalismo monopolista: «la motivación del poder [nazi] es el beneficio y nada más que el beneficio».[8]

La ideología socialista, que es base inicial del fascismo, hubiera supuesto, en un curso normal de acontecimientos, que Mussolini y Hitler tomaran el poder por la fuerza, apoyándose en las masas proletarias. No fue así en ninguno de los dos casos; de hecho, cuanto más se retrasó el acceso al poder de ambos líderes, menos necesaria se hizo la violencia: el fascismo triunfó con la complicidad de la alta burguesía (finanzas e industria) y la nobleza. Es extremadamente hábil esta toma del poder: nominalmente apoyado en la masa, cuyos intereses pretende defender, el fascismo triunfa sin revolución porque cuenta con la simpatía del capital, que ve en él una salvaguarda de sus privilegios contra el asalto del socialismo. En Italia, sin embargo, la evolución se detiene

7. A. J. P. Taylor, *The Origins of the Second World War*, p. 293.

8. F. Neumann, *Behemoth: The Structure and Practice of National-Socialism*, Nueva York, 1942, p. 290, cit. por Milward, loc. cit., p. 337.

en este punto: el Duce nunca llegó al Estado totalitario puro. Aunque en la Enciclopedia Italiana se defina al Estado fascista como Estado totalitario («no hay individuos o grupos —partidos políticos, asociaciones culturales, uniones económicas, clases sociales— fuera del Estado»), como dice Cassels,

> los grupos, las clases y las instituciones mantuvieron su identidad en la Italia fascista. Y más que ninguno, lo hicieron la Iglesia y la monarquía... Y además, la *Confindustria* y los latifundistas conservaron su entidad oligárquica detrás de la fachada corporativista.[9]

El capital y la alta nobleza nunca se subsumieron en el Fascio. Éste fue siempre un instrumento de aquéllas y no es descabellado pensar que, cuando el Duce fracasó en su compromiso de defenderlas, se libraron de él.

En Alemania, por el contrario, la aspiración totalitaria (todos los recursos del país, capital e individuos, al servicio del Estado) se cumplió hasta el fin. La ósmosis se hizo perfecta y cuando se hundió el Estado, todo el país se vino abajo con él.

> El estado fascista rinde un servicio más a sus magnates: rescata generosamente a aquellas empresas que están en la ruina. Se cobra con sus acciones, pero en vez de aprovechar la ocasión para nacionalizarlas, lucha por conservar su carácter esencial de empresas privadas, esperando que llegue el día en que, tras una costosa revitalización que ha financiado él mismo, puedan ser devueltas las acciones a los empresarios.[10]

Esta interpretación excluye el dominio del Estado por el capital y supone un sutil cambio respecto del caso de Italia. No puede olvidarse la base socialista de nazismo. El nazismo abrió las puertas del poder político a grupos sociales radicalmente opuestos al capitalismo. Con ello se produjo un repudio del capitalismo liberal, que fue consiguientemente asumido por el Estado; ello, a su

9. Alan Cassels, *Fascist Italy*, p. 70.
10. D. Guérin, *Fascisme et grand capital*, París, 1965, p. 218, cit. por Milward, loc. cit., p. 337.

vez, provocó una limitación del individuo, que dejó de existir como causa y efecto del capitalismo, para integrarse en el Estado. Una integración que nada tiene que ver con la igualación marxista de los hombres, la desaparición de la sociedad de clases, que, en el fondo, es la sublimación de la aspiración liberal.

La filosofía fascista impuso drásticas limitaciones a los derechos del individuo y del grupo. El capital se convertía en un depósito público. En vez del estado de clases de los materialistas, el fascismo proponía el estado ético, las virtudes espartanas de cuyos ciudadanos habían de ser muy diferentes de las del empresario o consumidor capitalista. Filosóficamente, el fascismo representó una búsqueda, no de un mayor desarrollo económico en unas circunstancias internacionales cada vez más nuevas y difíciles, sino de un punto de equilibrio económico que se convirtiera en un refugio liberado de las alteraciones sociales y económicas.[11]

En otras palabras, la superación de la lucha de clases, no mediante la solución de los problemas planteados, sino merced a su neutralización por el Estado, en una sociedad constituida por un conjunto de personas pertenecientes a una sola raza.

La política exterior del Führer responde a estos conceptos preconcebidos y racionalizados. Debe descartarse en absoluto la idea de que Hitler fue un oportunista de la política exterior y de que se aprovechó de las debilidades de otros países para conseguir, en brillantes momentos de improvisación, ventajas casuales.

Antes de llegar al poder, Hitler tenía algunas ideas fijas y muy definidas en relación con la política exterior. La prueba de ello se encuentra fundamentalmente en sus discursos y escritos... Los acontecimientos también sugieren que, entre 1933 y 1939, Hitler tuvo siempre muy presentes estas ideas en su actuación política diaria, aunque tendió a limitar su manifestación oral y escrita a la discreción del cuarto de conferencias o al círculo de sus colaboradores. El oportunismo, que algunos han señalado como esencia de la política de Hitler, constituía de hecho par-

11. Milward, loc. cit., p. 338.

te integrante de su teoría de acción política a largo plazo y muchos de sus ejemplos más extravagantes y desconcertantes encajan perfectamente en el marco de sus propósitos globales.[12]

La actuación exterior del Führer se basa en tres principios fundamentales: la raza, el espacio vital y el nuevo orden de la economía. Los tres fueron formulados en momentos sucesivos y pueden resumirse de la forma que sigue:[13]

1. La historia de la humanidad debe ser estudiada desde una perspectiva racista. La decadencia sucesiva de las civilizaciones (la griega, la romana, la francesa antes de la revolución del siglo XVIII) se debe a la degeneración de las respectivas razas. El mantenimiento de la pureza racial supone la continuada fortaleza de un pueblo. En otras palabras, la hegemonía y preeminencia de las naciones está en proporción inversa a la mezcla de sangres.

2. Para que la raza se mantenga pura es necesario, no sólo no mezclarla con otras, sino poner a su disposición todo el espacio vital que le haga falta. Existen dos alternativas políticas: el ajuste de una población a un espacio o el ajuste del espacio a una población. Si ocurre lo primero, la población, forzada por su tasa de crecimiento, tendrá que emigrar, limitar los nacimientos o destruir las nuevas vidas; en otras palabras, tendrá forzosamente que degenerar. Si, por el contrario, sucede lo segundo, la raza que disponga de espacio para reproducirse y explotar la nueva tierra se mantendrá pura y fuerte; establecerá su hegemonía. Como hay otras razas, la más fuerte triunfará y ocupará el espacio vital. Las poblaciones del territorio conquistado no deben ser asimiladas, sino destruidas,[14] y en su lugar la raza conquistadora tendrá espacio suficiente para

12. Gerhard L. Weinberg, *The Foreign Policy of Hitler's Germany*, Chicago, 1970, p. 2.

13. Pueden encontrarse análisis brillantes de estos puntos en Weinberg, op. cit. y Milward, op. cit.

14. Véanse especialmente los capítulos XI de la primera parte *(Eine Abrechnung)* —«Nación y Raza»— y XIV de la segunda parte *(Die Nationalsozialistische Bewegung)* —«Orientación al Este o Política con el Este»— del evangelio nazi, *Mein Kampf.*

Las citas del *Mein Kampf* utilizadas en el texto provienen de la edición realizada en Gran Bretaña en 1969 por Hutchinson and Co.

multiplicarse, de tal modo que se compensen las bajas habidas durante la conquista y se creen los ejércitos necesarios para la defensa del nuevo territorio y la adquisición de otros que se hagan necesarios. No hay límite a la expansión. Todo espacio se hace necesario cuando el territorio contiguo ha sido conquistado.

3. Una vez ampliado el espacio vital (el *Lebensraum*) y establecida la hegemonía de la raza, es preciso ampliar el sentido de la dominación. La industria y la economía de la raza dominante deben extenderse al territorio conquistado, estableciendo en él un nuevo orden económico. El capital, la tecnología, la dirección de toda la economía del espacio vital deben estar en manos de la raza dominante; las empresas sometidas en el espacio conquistado sirven a las del nuevo orden. Mientras no haya mano de obra suficiente, debe utilizarse la de las razas inferiores.

* * *

Para Hitler, la causa de que Alemania perdiera la primera guerra mundial no fue el esfuerzo combinado de los aliados, sino la traición de los judíos alemanes. El primer paso de una política exterior alemana sólida era la eliminación de los judíos por un fuerte y patriótico grupo y la consiguiente erradicación de sus decadentes doctrinas democráticas. «Sólo un hondo conocimiento de los judíos suministra la clave con la que se pueden comprender los profundos y, por consiguiente, reales objetivos de la democracia social», dice el *Mein Kampf*.[15] Más adelante se lee:

> La doctrina judía del marxismo rechaza el principio aristocrático de la Naturaleza y sustituye el eterno privilegio del poder y la fuerza por el de la masa y su peso muerto. Y así niega el valor de la personalidad en el hombre, niega la importancia de la nacionalidad y de la raza y, consiguientemente, le quita a la humanidad la premisa de su existencia y de su cultura. Como fundamento del universo, esta doctrina sería el fin de todo orden intelectualmente concebible para el hombre.[16]

15. *Mein Kampf*, I, p. 47.
16. *Mein Kampf*, I, p. 60.

Una vez terminada la revolución interna, podría iniciarse el rearme que permitiera la puesta en práctica de una política exterior agresiva, dirigida sustancialmente contra Francia. Francia, el enemigo secular, el invasor del solar alemán («Inglaterra no quiere que Alemania sea una potencia mundial, pero Francia no quiere que exista en absoluto una potencia llamada Alemania»)[17] había cometido un crimen aún mayor que el de intentar destruir Alemania:

> Solamente en Francia existe hoy en día más que nunca una unanimidad interna entre las intenciones de los capitalistas judíos y las aspiraciones de los estadistas patrioteros. Pero en esta identidad existe un inmenso peligro para Alemania. Por esta razón, Francia es, sigue siendo, el más terrible enemigo. Este pueblo que, básicamente, es cada día más negro [una evidente referencia de Hitler a las unidades francesas de color en el ejército de ocupación en el Rin] constituye, en su alianza con los objetivos judíos de dominación mundial, un constante peligro para la subsistencia de la raza blanca en Europa... Lo que Francia... está cometiendo en Europa es un pecado contra la existencia de la humanidad blanca y algún día caerán sobre su pueblo los espíritus vengadores de una raza que ha visto en la polución racial el pecado original de la humanidad.
>
> Para Alemania la amenaza francesa constituye una obligación a la que se deben subordinar todas las consideraciones sentimentales...
>
> En el futuro no pueden existir más que dos aliados de Alemania en Europa: Inglaterra e Italia.[18]

Por otra parte, la expansión de Alemania era de primordial importancia, pero no para restablecer las fronteras en los límites de 1914, lo que sería «un absurdo político» de enormes proporciones («las fronteras de 1914 no tienen significado alguno para el futuro alemán»),[19] sino porque «el derecho a poseer tierras puede convertirse en un deber si, sin la ampliación de su solar,

---

17. *Mein Kampf*, II, p. 565.
18. *Mein Kampf*, II, pp. 569-570.
19. *Mein Kampf*, II, p. 595.

una gran nación parece condenada a la destrucción».[20] El *Lebensraum* era asimismo esencial, porque a través de él había de llegar la salvación de Europa por la raza alemana. La lucha por el espacio vital debía dirigirse en primer lugar contra los territorios de allende las fronteras orientales de Alemania, poblados artificialmente por judíos y otras razas no arias: sería el *Drang nach Osten*. En este punto existen, como asegura Weinberg, dos implicaciones importantes en la política exterior del Führer:[21]

A. La guerra es una prioridad. Si se decide que el enemigo debe ceder absolutamente, «el proceso de las negociaciones debe implicar que las exigencias, lejos de reducirse si parece posible un compromiso, sean constantemente incrementadas, a medida que se aproxima el punto muerto en las negociaciones». Toda la política exterior de Hitler, con sus repetidas garantías de que cada acto de piratería era el cumplimiento de la última aspiración territorial alemana, lo demuestra cumplidamente.

B. Los tratados son deseables en persecución de dos objetivos: por un lado, para repartirse a terceras naciones, y por otro, para retrasar dificultades con los antagonistas. En cualquier caso, son eminentemente violables si la necesidad o el interés lo aconsejan. De ahí la aversión de Hitler por los tratados multilaterales: es más fácil zafarse de un compromiso con una sola nación que del acuerdo con varias. La actitud del Führer frente a la Sociedad de Naciones y el Pacto de Locarno son prueba evidente de ello.

Con todos estos antecedentes, es muy difícil configurar al dictador alemán como un mero oportunista.

Su política de tratados se desarrolló conforme a un triple sistema: prestó a Gran Bretaña su apoyo en las negociaciones para el desarme, con los acuerdos navales de 1935 y 1937. Usó la técnica de los pactos de no agresión con Polonia en 1934 y con la Unión Soviética en 1939. Finalmente, hizo imprecisas declaraciones de buenos sentimientos y mejor voluntad, con el Japón (Pacto Anti-Komintern) e Italia (Pacto del Eje) en 1936, y con Gran Bretaña (Declaración anglo-alemana) y Francia (Declaración franco-alemana) en 1938. No concluyó más que dos alian-

---

20. *Mein Kampf*, II, p. 597.
21. Weinberg, op. cit., p. 8.

zas: el Pacto de Acero con Italia en 1939 y la Alianza Tripartita con Japón e Italia en 1940.[22] No respetó ninguno de los acuerdos.

En consonancia con repetidas manifestaciones de intención, su política exterior de 1933 en adelante sigue los siguientes pasos: abandono de la Sociedad de Naciones y de la Conferencia del Desarme; pacto de no agresión con Polonia y fallido golpe de Estado en Austria en 1934; denuncia de las cláusulas militares del Tratado de Versalles y anuncio de un rearme iniciado dos años antes; ocupación y remilitarización del Rin; intervención en la guerra civil española; *Anschluss* con Austria; sacrificio de Checoslovaquia en Munich; creación de los estados alemanes de Bohemia-Moravia y de Eslovaquia; finalmente, ocupación de Dantzig y destrucción de Polonia y Lituania.

El *Mein Kampf* debía haber sido objeto de más profundo estudio por más de un político británico o francés.

Con todo, no en vano se ha dicho que Hitler fue un criminal peligroso que asoló a Europa y deliberadamente asesinó a millones de inocentes. Allan Bullock formula un juicio final sobre la obra del Tercer Reich que es lo más duro que puede decirse de un sistema:

> Las grandes revoluciones del pasado, cualquiera que fuera su final, han sido identificadas con el surgimiento de ideas tan poderosas como la conciencia individual, la libertad, la igualdad, la independencia nacional, la justicia social. El nacionalsocialismo no produjo nada. Hitler exaltó constantemente la fuerza por encima del poder de las ideas y se sintió feliz de demostrar que los hombres estaban gobernados por la codicia, por el miedo y por las pasiones más bajas. El único tema de la revolución nazi fue la dominación, disfrazada de doctrina de la raza y, en su defecto, la destrucción vengativa.[23]

Hitler conocía bien a sus antagonistas en la escena política europea y, lo que es más, sabía utilizar su mismo lenguaje. La habilidad con que puso en práctica sus conocimientos, el descaro

---

22. Vid. D. C. Watt en la introducción a la edición inglesa del *Mein Kampf*, p. XXXIV.

23. Allan Bullock, *Hitler, a Study in Tyranny*, Pelican, 1969, p. 804.

con que siempre actuó, sorprendieron a los estadistas de Europa (que, también es cierto, siempre estuvieron dispuestos a dejarse sorprender) y le permitieron dominar situaciones en las que inicialmente se encontraba en posición de inferioridad.

Como político internacional, Hitler siempre actuó solo, o todo lo más con sus más íntimos colaboradores. Ni la Wilhelmstrasse (acostumbrada aún a la política de Locarno y al apaciguamiento), ni el Estado Mayor alemán (asustado de las ambiciones del Führer y conocedor de la debilidad real del ejército) le apoyaron nunca. En cada crisis internacional, cuando Hitler decidía actuar, intentaron disuadirle. Pero, como dice Harper, la Alemania de los años treinta era el Tercer Reich y estaba en manos del partido nazi. Desde la crisis del Rin en adelante, las decisiones en Alemania las tomó la jerarquía nazi, con el Führer a la cabeza.

Su habilidad se aprecia en el caso de la guerra civil española. Interviniendo en España, Hitler tenía todo que ganar y nada que perder. En los meses inmediatamente anteriores al estallido de la guerra civil, Alemania había consolidado sus fronteras en el oeste. El Führer empezaba a concentrarse seriamente en su plan de anexionar a Austria. Alemania empezaba a encararse con el oriente europeo. Un foco de disturbios en el suroeste continental no podía sino ser bienvenido: había de inquietar a Francia, por una parte, y, por otra, distraer a Gran Bretaña en su labor de vigilancia, llamando su atención sobre problemas de equilibrio mediterráneo que, por lo vivo del conflicto español, eran más urgentes que remotas crisis en la Europa central. Un Frente Popular en España era un decidido aliado de Francia contra Alemania e Italia. Mucho más conveniente para Hitler era tener a la península Ibérica bajo la férrea mano de dos dictadores, con la ventaja añadida de tener a Francia rodeada por tres naciones hostiles, lo que, en caso de una conflagración europea, permitiría a Hitler tener las espaldas cubiertas cuando se lanzara a atacar al oriente. Este cálculo, a largo plazo, demuestra lo imposibles que son de prever las reacciones de otros países: los nacionales ganaron la guerra, pero Hitler estuvo muy lejos de contar con un sólido aliado en España a partir de abril de 1939.

El Führer asegura que su anticomunismo fue otro de los motivos que le impulsaron a intervenir en España. A la luz de cuanto antecede, esta afirmación no debe ser tomada en serio, pero, en cualquier caso, dos años después de terminada la guerra civil española, Hitler dijo que de no haber sido por el peligro comunista en el occidente europeo, Alemania nunca habría intervenido en ella.[24]

Sin embargo, como en el caso de Italia, fueron las razones económicas las que acabaron de decidir a Hitler. Los minerales españoles eran de una extraordinaria riqueza, sobre todo en el caso de las piritas, el mercurio y el hierro. En 1936, el ochenta por ciento del mineral de hierro utilizado en Alemania era importado. Gran Bretaña competía ya con Alemania en el mercado sueco y Francia hablaba de cortar las entregas de mineral de Lorena a los alemanes. Las importaciones de Estados Unidos disminuían rápidamente. España, en plena guerra, carecía de todo y daría, sin duda, calurosa bienvenida a materias primas y manufacturas provenientes de Alemania, a la que seguramente estaría dispuesta a pagar un alto precio en minerales.

Alemania ayuda a los nacionales

El 24 de julio de 1936, Arranz, Bernhardt y Langenheim llegaron a Berlín y se pusieron en contacto con Ernest W. Bohle, entonces jefe de la *Auslandorganisation* del partido nazi, quien concertó inmediatamente una entrevista de los emisarios de Franco con Hitler. Después de esta primera conversación, el Führer convocó para el 26 de julio una reunión en Bayreuth (en donde asistía al festival de ópera wagneriana) en la que estuvieron presentes Goering, el ministro de Guerra Von Blomberg y un representante de la Marina, el almirante Canaris, amigo personal y valedor de Franco.[25] Hitler acordó inmediatamente la ayuda y ordenó se en-

24. Thomas, p. 299. Durante el juicio de Núremberg, Goering declaró que impulsó a Hitler a intervenir en España «primero, para impedir el desarrollo del comunismo en esa zona, y, segundo, para poner a prueba a mi joven *Luftwaffe* (...)». *Trial of the Major War Criminals before the International Military Tribunal*, Nuremberg, 1946-1947, IX, p. 281. Cit. Thomas, p. 299 y Harper, p. 16.

25. Harper, pp. 13 y ss. Canaris habló de Franco como persona de «entera confianza» que merecía pleno apoyo (citado en Karl Heinz Abshagen, *Canaris:*

viaran veinte Junkers 52 a Marruecos. Los aviones llegaron probablemente el día 28 de julio. Al mismo tiempo se constituyó un «grupo turístico» al mando del general Von Scheele e integrado por ochenta y cinco hombres que salieron por mar hacia Cádiz con seis aviones Heinkel de combate el 31 de julio, llegando el 5 de agosto. Más tarde, fueron enviados ingenieros, mecánicos y más pilotos. Durante el mes de septiembre se mandaron a España otros aviones de combate, dos compañías de tanques, una batería antiaérea y algunos aviones de reconocimiento. A partir de ese momento, cada semana fueron despachados, rumbo a la España nacional, cuatro aviones de transporte y cada cinco días, un barco de carga. Al contrario de la italiana, la ayuda alemana, aunque escasa en hombres, fue pródiga en material de guerra. La Legión Cóndor, bajo la que se integraron las fuerzas alemanas, nunca sobrepasó los diez mil hombres.[26]

Al principio, la ayuda fue enviada a España del modo más discreto posible, lo que indica ciertos temores a las posibles consecuencias europeas. Las remesas de material bélico iban en su mayoría en cajas de naranjas que, descargadas en Hamburgo, se devolvían a España bajo pretexto de que estaban podridas las frutas. Algunos cargueros navegaban bajo bandera de diferentes países sudamericanos, especialmente Panamá.[27] Los

---

Patriot und Weltbürger, Stuttgart, 1950, p. 112). La mayoría de las citas sobre este momento se recogen idénticamente en Thomas y Harper.

Von Blomberg, apoyado por otras jerarquías nazis (Ribbentrop, Weizsäcker y el jefe del Estado Mayor, Von Beck), se opuso a la intervención en España basándose en que no eran de desear más complicaciones internacionales. Raeder, comandante en jefe de la Armada, adujo que «no puede por ningún concepto obrar en favor de los intereses de una política alemana sensata el comprometer material y tropas que resultan muy valiosos para Alemania, en una causa a la que ... en cualquier caso es imposible ayudar a vencer». *Documents on German Foreign Policy*, serie D, vol. III, p. 52, doc. 50.

Tampoco el Estado Mayor estuvo de acuerdo en intervenir, por miedo a las posibles repercusiones en el Mediterráneo.

26. Véase Thomas, pp. 299 y ss. Thomas da la cifra de treinta aviones Junker como ayuda inicial, citando como referencia las declaraciones del general Warlimont al Servicio de Inteligencia de los Estados Unidos en 1945 (*U. N. Security Council Report on Spain*, 1946). Los restantes datos están tomados de José Gomá, *La guerra en el aire* (AHR, Barcelona, 1958), p. 66.

soldados eran seleccionados y enviados a España sin ser informados de su destino. Los oficiales desaparecían, integrados en grupos turísticos, y volvían «seis meses después, con la piel tostada y de excelente humor».[28]

Al mismo tiempo que tomaba cuerpo la ayuda militar de Alemania a la España nacional, se ponía en marcha el aparato burocrático que había de facilitarla y que estaba destinado, sobre todo, a cumplir los objetivos económicos que Hitler se había propuesto alcanzar en sus relaciones con Franco: el intercambio de ese apoyo bélico y de materias primas y manufacturadas de la más varia naturaleza por minerales españoles. El día 27 de julio, Langenheim y Bernhardt se reunieron durante cinco horas con Goering[29] para discutir en detalle la organización material de estas relaciones. Fruto de la entrevista, y previo acuerdo de Franco, fue la creación de dos sociedades que monopolizaron el tráfico comercial y militar entre los dos países durante los casi tres años de guerra: la HISMA (Compañía Hispano-Marroquí de Transportes) y la ROWAK (Rohstoffe und Waren Einkaufgesellchaft; Sociedad de Compras de Materias Primas y Mercancías). HISMA fue formada el mismo 26 de julio en Berlín bajo el nombre completo de «Hispano-Marokkanische Transport UG. Tetuán-Sevilla», a partir de la compañía de importación-exportación de la que Bernhardt era propietario en Marruecos. Según parece, el general Kindelán tuvo activa participación inicial en su establecimiento en España.[30] El general Von Scheele fue nombrado jefe militar de HISMA en España y Bernhardt, su consejero delegado en Sevilla.[31] ROWAK fue consti-

---

27. P. A. M. Van der Esch, *Prelude to War: The International Repercussions of the Spanish Civil War, 1936-1939*, Nijhoff, La Haya, 1951, p. 36.

28. Adolf Galland, *The First and the Last*, Londres, 1957, p. 23, citado por Thomas, p. 301.

29. Esta reunión se señala como claro índice de que quien decidió y dirigió posteriormente la ayuda alemana a lo largo de la guerra española fue el partido nazi, sin que el Ministerio de Asuntos Exteriores interviniera en casi ningún momento, Harper, p. 14, y Thomas, p. 299.

30. Harper, p. 19, nota 31.

31. Thomas, p. 300. Añade que el coronel Van Thoma llegó a principios de agosto para hacerse cargo del mando de las tropas de tierra y de las unidades móviles.

tuida en Berlín bajo el directo impulso de Goering, quien, con la ayuda de Canaris, consiguió de Hitler, a través del Ministerio alemán de Finanzas, un crédito inicial de tres millones de marcos.[32] Al frente de ROWAK fue colocado un alto mando nazi, Von Jagwitz; la mayor parte del personal de ambas empresas fue reclutado entre agentes del servicio exterior del partido nazi.[33]

Las operaciones se llevaban de manera sencilla y eficaz: si un alemán quería exportar bienes de cualquier naturaleza a la España nacional, debía venderlos a KOWAK, e HISMA los distribuía posteriormente, y viceversa. Esto dio lugar, en el transcurso de la guerra, a la constitución de otras compañías comerciales, creadas por inspiración de Bernhardt; la mayoría de ellas fueron agrupadas en una sociedad de cartera llamada SOFINDUS (Sociedad Financiera Industrial, Limitada).

Durante los primeros meses de la guerra, HISMA estableció con fuerza una posición de monopolio en el suministro a España de bienes alemanes. El 8 de septiembre, en un informe enviado a la Wilhelmstrasse por el representante del Cártel de Exportación de Material de Guerra alemán (AGK), Willi Messerschmitt, aparecen ya quejas en contra de HISMA por prácticas que excluyen totalmente la competencia de otros exportadores alemanes y se acusa a Bernhardt de falta de celo en perjuicio de Alemania y de favorecer exclusivamente los intereses de los rebeldes españoles. El informe concluye sugiriendo que es el momento de exigir de Franco ciertas garantías escritas como contrapartida por la ayuda que está recibiendo, para evitar que Gran Bretaña e Italia puedan adelantarse en la consecución de beneficios materiales y económicos; «es el momento de concluir un acuerdo económico».[34]

32. Thomas, p. 301. La constitución fue mantenida en secreto y es probable que ni el Ministerio de Asuntos Exteriores alemán ni el de Economía supieran nada de ella hasta el mes de octubre.

33. *Guerra y Revolución en España, 1936-1939*, por un comité dirigido por Dolores Ibárruri y compuesto por Manuel Azcárate, Luis Balaguer, Antonio Cordón, Irene Falcón y José Sandoval, Editorial Progreso, Moscú, 1966, vol. I, p. 197.

34. *Documents on German Foreign Policy*, serie D, vol. III, doc. 80, pp. 85 y ss. Ángel Viñas, «Los costos de la guerra civil. Relaciones hispano-alemanas», *Actualidad Económica*, Madrid, 5 de agosto de 1972, indica que la HISMA se fundó en Tetuán el 31 de julio de 1936 «con el fin fundamental de encubrir el pa-

Debe hacerse notar, sin embargo, que el tráfico de mercancías no se circunscribió a la combinación HISMA-ROWAK. Hubo por lo menos una empresa berlinesa, la Josef Veltjens, que parece haber intervenido activamente en los envíos de material bélico. Por su parte, y a medida que se consolidaba el control estatal de las inversiones alemanas en la España nacional, se fue consolidando el «holding» SOFINDUS que, al finalizar la guerra, contaba con las siguientes empresas, todas ellas de capital alemán: Compañía General de Lanas, S. A.; Sociedad Exportadora de Pieles, S. A.; Productos Agrícolas, S. A.; Scholtz Hermanos, S. A.; Minerales de España, S. A.; H. zum Hingste Fabricación y Exportación de Corchos; Hermann Gärtner, S. A. de Productos Resinosos; Transportes Marion, S. A.; Agro, S. A.; Nova, S. A.; Montes de Galicia, Cía. Explotadora de Minas; S. A. de Estudios y Explotaciones Mineras Santa Tecla; Compañía de Explotaciones Mineras Aralar, S. A.; Compañía Minera Montañas del Sur; S. A. Minera Nertóbriga; Compañía Minera Mauritania, S. A.; Compañía de Minas Sierra de Gredos, S. A.; Montana, S. A. de Estudios y Fomento Minero; Francisco Mawick; Banca Eusebio Azcarreta; SOFINDUS (Lisboa); Minero-Silvícola Ltd. (Lisboa). El capital de SOFINDUS era de dos millones y medio de pesetas; sin embargo, el capital de las empresas del «holding» fue, como dice Ángel Viñas, muy superior y fue dotado «con cargo a pagos realizados por el Gobierno español en pesetas y por un importe, hasta el 31 de octubre de 1938, de 51 650 000».[35]

---

pel alemán en la operación del paso del Estrecho (de aquí que los aviones que se utilizaron se traspasaran a la compañía). De esta forma se evitaba que esta primera ayuda apareciera ante el exterior como una intervención oficial. Durante los meses de agosto y parte de septiembre, sus funciones se limitaron al traslado del Ejército de África y a la ayuda de toda índole prestada a los primeros militares alemanes llegados a Sevilla el 8 de agosto». La ROWAK fue creada en Berlín el 7 de octubre.

35. Viñas, loc. cit. A lo largo de la guerra HISMA fue siendo reducida a una mera institución de *clearing*. Los pagos a que se refiere Viñas son (ibid.): para SOFINDUS Lisboa, 1 143 000; para HISMA Sevillana, 100 000; adquisición de acciones en las empresas del «holding», 23 085 000; créditos de funcionamiento y adquisición de concesiones mineras, 26 625 567; y cuentas bancarias, 2 040 842.

V. La República y el Komintern

**Una ayuda no solicitada por el Gobierno de Madrid:
la del Komintern. Una reunión en Moscú**

La Unión Soviética suministró la mayor parte de la ayuda recibida por el Gobierno de la República. Sin embargo, como dicen Broué y Témime,

> ... Esta ayuda indispensable nunca fue suficiente. Las tropas republicanas nunca dejaron de carecer de material de aviación, de armas antiaéreas e incluso de armas ligeras durante toda la duración del conflicto. Partiendo de esta premisa, es imposible presentar como esfuerzo de solidaridad sin reservas un apoyo que fue durante mucho tiempo suficiente para seguir la lucha, pero que de haber sido más generoso habría sin duda permitido la victoria final de la República española.[1]

Sin Rusia, la República española no hubiera podido resistir; con Rusia, no fue capaz de vencer.

Aunque la diplomacia soviética será examinada con detenimiento más adelante, es conveniente subrayar desde ahora que la ayuda de la Unión Soviética fue distinta de la del Komintern (por más que este organismo tuviera estrechas relaciones con aquel país) y que siguieron líneas separadas.

La actitud de la Unión Soviética adoptó tres formas sucesivas a lo largo de la guerra civil, impulsadas tanto por la evolución de

---

1. Pierre Broué y Émile Témime, *La révolution et la guerre d'Espagne*, Les Éditions de Minuit, París, 1961, pp. 337-338.

los acontecimientos en España como por el desarrollo de las crisis europeas:

1.º Inicialmente, la Unión Soviética observó una postura de neutralidad de hecho, acompañada de manifestaciones de solidaridad y de apoyo económico.

2.º A partir de octubre de 1936 se inicia una ayuda militar paulatinamente creciente, que «responde a una toma de posición rigurosa en favor de la República en el seno del Comité de No Intervención», probablemente influida por los comunistas no rusos del Komintern y especialmente por Maurice Thorez.

3.º A partir del verano de 1938, se observa un decrecimiento paulatino de la ayuda hasta el abandono total de la República a su suerte.[2]

Como ya ha sido indicado, para Stalin, sobre todo al principio, España fue un elemento de importancia pero sobre todo frente a una situación internacional de crisis aguda en la que Rusia prefería pasar inadvertida. Además, como ponen de manifiesto Broué y Témime, las organizaciones revolucionarias de peso en España eran la CNT-FAI y el POUM y Stalin no podía sino tener escaso interés en favorecerlas cuando ambas eran tan críticas con el sistema soviético.[3] El compás de espera estaliniano parece indicativo de cierta sorpresa en los primeros meses de la guerra y las reacciones iniciales soviéticas tienden a descargar el montante de la acción diplomática sobre las naciones europeas occidentales. Stalin se da cuenta del peligro que para Rusia y las democracias representa la posibilidad de una España fascista, pero durante algunas semanas se limita a señalarlo a sus colegas occidentales sin tomar medida directa alguna.[4] La inmediata aceptación por Rusia del plan de no intervención sugiere que Stalin creyó de buena fe en su eficacia a corto plazo y que le pareció una buena medida de seguridad colectiva.

2. Broué y Témime, op. cit., p. 338.
3. Loc. cit.
4. Son frecuentes durante aquellos días los artículos en la prensa rusa señalando el peligro de la guerra civil española para la seguridad continental y en especial para Francia. Véase David T. Cattell, *Soviet Diplomacy and the Spanish Civil War*, University of California Press, 1957, p. 6.

Todo esto no quiere decir, por supuesto, que en Rusia no hubiera ninguna actividad en pro de la República; el apoyo moral y económico fue prestado desde el primer momento. N. Shvernik, jefe de los sindicatos soviéticos, inició la campaña el 3 de agosto con un discurso al Consejo Central de los sindicatos haciendo un llamamiento a los obreros y al pueblo en general para que prestaran ayuda material a sus hermanos españoles. Tres días más tarde, Shvernik anunció que ya se habían «recaudado» 12 145 000 rublos y que había enviado 36 435 000 francos franceses a Giral.[5] *Pravda* e *Izvestia* se deshicieron en elogios en favor de la República, alabando «la heroica resistencia del pueblo español».

Mientras tanto, el 21 de julio se iniciaba en Moscú una actividad que había de tener más trascendencia: la Secretaría del Komintern y del Profintern, compuesta por el secretario general, Dimitrov, y los señores Togliatti, Pieck, Manuilski, Kuusinen, Marty y Gottwald, celebró una reunión para decidir que era fundamental apoyar urgentemente a la República española.[6] La discusión en sí de los medios de ayuda tuvo lugar cinco días más tarde, el 26 de julio, en una reunión conjunta en Praga del Komintern y del Profintern presidida por Gaston Monmousseau, jefe de la oficina europea del Profintern. Se decidió que el Komintern ayudaría a la República española con un fondo de mil millones de francos franceses, de los que la Unión Soviética aportaría las nueve décimas partes. Además, se crearía una brigada, un Ejército Rojo internacional, de cinco mil hombres. La administración del fondo se encomendaba a un comité compuesto por Thorez, Togliatti, Dolores Ibárruri, Largo Caballero y José Díaz.

5. Cattell, op. cit., p. 7.
6. Thomas, pp. 282-283. Aunque no hay confirmación posible de la celebración de esta reunión, los indicios parecen bastante seguros. Citada inicialmente en la *Historia de la Cruzada*, tomo XXVIII, p. 99, y en otras varias publicaciones, la noticia le fue confirmada a Gorkin por Alberto Vassar, un alemán representante del Komintern en el Partido Comunista francés (ver Thomas, p. 282, nota 4). Thomas señala que el Presidium del Komintern no hizo ninguna declaración oficial sobre la guerra española hasta el 28 de diciembre y ve en ello prueba evidente de que los miembros del mismo no estaban ni mucho menos de acuerdo sobre la política a seguir.

Fueron montadas muchas organizaciones de ayuda que, aunque normalmente de carácter humanitario e independiente, estaban de hecho dominadas por comunistas. París y Willi Münzenberg fueron el centro de esta actividad. El más importante de estos grupos fue el Socorro Rojo Internacional, que había venido prestando apoyo a los revolucionarios izquierdistas en España desde 1934. El 31 de julio se celebró en París una reunión a la que asistieron los líderes del Socorro Rojo Internacional y de ella salió el «Comité International de l'Aide au Peuple Espagnol», del que fue nombrado presidente Victor Basch. El comité tuvo pronto ramas nacionales en varios países. Durante un tiempo, estas organizaciones se limitaron al envío de dinero, alimentos y material no militar.[7]

Existe una clara relación entre estas actividades y el nacimiento de las Brigadas Internacionales. Y, como se verá, es fácil establecer un vínculo financiero entre éstas y aquéllas, cuando las Brigadas fueron constituidas oficialmente el 22 de octubre. Como se recordará, el reclutamiento de voluntarios extranjeros desde finales de julio hasta bien entrado el mes de septiembre se llevó a cabo principalmente a través de la Embajada de España en París, con fondos españoles. Hubo otros voluntarios que ya se encontraban en España el 18 de julio: en su mayoría eran sindicalistas alemanes e italianos que huyendo de Hitler y Mussolini habían llegado a Barcelona para asistir a la Olimpiada del Trabajo. Hasta que las Brigadas Internacionales no surgieron formalmente, los milicianos extranjeros fueron incorporados al ejército republicano y sólo poco a poco fueron agrupándose en unidades nacionales, la primera de las cuales es el «batallón París», compuesto en su mayoría por franceses, que ya aparece en la defensa de Irún a principios de septiembre.

---

7. Thomas, p. 303. Indica también (nota 1, misma p.), siguiendo a Nollau, (*International Communism and World Revolution*, Londres, 1961, p. 139), que el Komintern creó un comité especial para España del que fueron miembros la Pasionaria, André Marty, Togliatti, André Bielov y Stella Blagoyeva, los dos últimos funcionarios del Komintern nombrados por la NKVD. Willi Münzenberg, jefe del Departamento de Propaganda de la Sección de Europa occidental del Komintern, era un periodista alemán, miembro activo del partido comunista (hasta su ruptura con Moscú en 1937).

VI. El nacimiento de la No Intervención

A) *Una política británica*

La No Intervención, una política apaciguadora de Gran Bretaña

El estallido de la guerra civil española sorprendió a Gran Bretaña en medio de una tremenda crisis de conciencia. En el primer capítulo se ha visto brevemente cómo la política apaciguadora del Reino Unido configuró las relaciones internacionales desde después de 1918. El triste fracaso de esta actitud empieza a hacerse patente en la primavera de 1936 y es a raíz de ese momento cuando empieza a cambiar la mentalidad británica y se produce una toma de conciencia tan acelerada que lleva al país a una guerra mundial en apenas tres años. La guerra civil española fue probablemente uno de los impulsos decisivos.

Desde 1931 gobernaba en Gran Bretaña un Gobierno nacional, de marcado carácter conservador, que había obtenido en su momento más del sesenta por ciento de los votos. Descontando el marasmo económico provocado por la crisis americana de 1929 al que Gran Bretaña iba sobreponiéndose poco a poco[1] y

---

1. Para la historia de este período véase *The New Cambridge Modern History*, vol. XII *The Shifting Balance of World Forces, 1898-1945*, capítulo XVII por Maurice Crouzet, Cambridge University Press, 1968; A. J. P. Taylor, *English History, 1914-1945*, Oxford University Press, 1965; y Charles Loch Mowat, *Britain between the Wars, 1918-1940*, Methuen & Co., Londres, 1966. Con el Gobierno «nacional», bajo Ramsey MacDonald, en cuatro años, de 1931 a 1935, se habían restablecido los niveles económicos de antes del *crack*: el índice de producción, que había pasado de 100 en 1929 a 84 en 1931, era de 93 en 1933 y pasó a 124 en 1937, debido principalmente al éxito de la política económica en el sector de la construcción (Crouzet, loc. cit., p. 535). El desempleo siguió siendo muy

las fricciones entre los partidos conservador y laborista,[2] los problemas más importantes con los que se enfrentó el Gobierno británico fueron los de la política exterior.

Como indica Mowat, tres fueron los métodos de mantener la paz sobre los que se discutió en el Reino Unido durante los años treinta:

> El primero fue el del rearme y la firma de «tratados bilaterales libremente celebrados» con los dictadores para limitar lo que no podía ser evitado. El segundo fue el de la seguridad colectiva que ofrecía la Sociedad de Naciones, reforzado por el rearme; una condena moral y las sanciones económicas deberían ser suficientes para desanimar a cualquier agresor; de no ser así, era preciso arriesgar una guerra. El tercer método también descansaba en la autoridad de la Liga, pero pretendía reforzarla con el desarme universal, en parte como un ejemplo para los dictadores y en parte para fomentar la puesta en común de los armamentos y la creación de una fuerza común de policía o de una fuerza aérea internacional.[3]

---

alto a lo largo de todo el período (1 326 000 en 1929 a 3 700 000 en 1931 y 1932) aunque disminuyó progresivamente desde 1933; la cifra de parados en 1938 aún era de 1 800 000. Crouzet, pp. 534 y 536.

2. En la elección de 1931, la distribución de escaños en el Parlamento fue como sigue: 554 para la coalición nacional, 52 para el partido laborista y 9 para el partido liberal. Dos años antes, los laboristas habían obtenido 288 escaños por 260 de los conservadores y 59 de los liberales (Crouzet, pp. 534-535). El Gobierno de Su Majestad tuvo en la oposición laborista un enemigo muy difícil. El laborismo repudiaba de plano la estructura capitalista del Estado y prometía para cuando se produjera su nuevo acceso al poder una «inmediata y concreta legislación socialista» (Taylor, loc. cit., p. 346). Para los ideólogos más extremos del partido, la gran depresión de 1929 había puesto de relieve las fallas del sistema capitalista, herido de muerte, según ellos. Los sistemas de desarrollo planificado aún no se habían puesto de moda en los países occidentales; el único ejemplo de planificación que les parecía recomendable era el de la Unión Soviética, que había lanzado su primer plan quinquenal en 1928. A esta discrepancia sobre política interior se unía una oposición absoluta en cuanto a la forma de llevar la política exterior, de la que se habla a continuación en el texto.

3. Mowat, loc. cit., p. 535.

El Gobierno nacional se inclinó decididamente en favor del primero de ellos, en contra del partido laborista que favorecía al tercer sistema y de una enorme masa de ingleses que mostró su preferencia por el segundo.[4]

La desconfianza que el Gobierno británico sentía sin embargo por la Sociedad de Naciones y por el sistema de pactos y acuerdos multilaterales, actuó de pantalla e impidió que los ingleses comprendieran durante mucho tiempo el riesgo que corrían con la política de apaciguamiento. Los tratados bilaterales con los dictadores iban en contra del espíritu colectivo de la Liga y tendían a crear recelos entre aliados. La falta de fe en el organismo ginebrino llevó a Gran Bretaña a pensar que era un instrumento peligroso al que más valía no acudir; esto explica por qué los políticos británicos prefirieron eludir y dulcificar las sanciones votadas contra Italia durante la crisis de Abisinia, con tal de no irritar a Mussolini, sin darse cuenta de que el dictador italiano no tenía la fuerza suficiente para enfrentarse contra un cuerpo unido de naciones. Y explica también (puesto que no utilizaron los resortes previstos en el pacto y nunca llegaron a saber cómo funcionaba realmente) que no comprendieran que la Sociedad de Naciones había muerto y, con ella, los pactos que habían reforzado su espíritu, como el de Locarno o el Briand-Kellogg. Los propósitos ingleses fueron laudables, pero en los medios utilizados casi siempre estuvieron equivocados.

Terminada la conquista de Abisinia, remilitarizado el Rin, los gobernantes británicos pensaron que se podía reinstaurar el sistema de equilibrio continental y que, por fin, la paz en Europa estaba asegurada, cuando, en realidad, la paz en Europa se había acabado. El intempestivo estallido de la guerra civil española les pareció una muy molesta interferencia en sus planes.

El historiador americano Donald Lammers, en un reciente artículo,[5] ha puesto de manifiesto el error más grave cometido

---

4. El 27 de junio de 1935 fueron publicados los resultados de una encuesta sobre la paz celebrada en toda Gran Bretaña. Más de once millones y medio de personas se mostraron de acuerdo en que la Sociedad de Naciones era el sistema más eficaz de salvaguardar la paz y que, en aras de ella, era preciso llegar hasta arriesgar una guerra si las sanciones normales contra un país agresor no eran suficientes.

5. D. Lammers, «Fascism, Communism and the Foreign Office, 1937-1939», *Journal of Contemporary History*, vol. 6, núm. 3, 1971, Londres, pp. 66-86.

por el Forcign Office británico en sus análisis de política exterior y en su estimación de los peligros y antagonistas reales:

> Un estudio superficial de los archivos del Foreign Office para la década de los treinta sugiere que, con la posible excepción de Rusia, no se concedió especial importancia al problema de la ideología como factor determinante de la acción política. La mayor parte de los documentos sobre las principales potencias se ocupan de su conducta internacional desde el punto de vista de los intereses y de las ambiciones nacionales tal y como habían sido tradicionalmente concebidos... Esta carencia de aproximación ideológica cuadra bien con el empirismo de la tradición intelectual británica pero es muy posible que dejara a los políticos mal preparados para juzgar con claridad todos los factores que constituían el marco histórico y político en el que operaban.

Pese a que algunos jóvenes diplomáticos del Foreign Office señalaron con insistencia el peligro que para la paz representaban Hitler y Mussolini, el peso de la sospecha recayó siempre sobre Stalin. Mientras los altos cargos, los *policy-makers*, del ministerio londinense ponían de relieve la capacidad e intención del comunismo de subvertir todo el orden capitalista liberal, descartaban la amenaza fascista, aceptando las «idiosincrasias» de los dictadores, sugiriendo que podrían ser apaciguados «probablemente» con algunas concesiones económicas y «posiblemente», en el caso de Alemania, con algunas colonias o con la expansión en el oriente europeo que no era «un asunto de vital importancia para los intereses británicos».[6] No puede resistirse la impresión de que los conservadores británicos desconfiaban de los soviéticos, naturalmente por lo revolucionario de su doctrina, pero también porque eran unos «salvajes semi-asiáticos»; y que no podían pensar que unos seres civilizados como los centroeuropeos pudieran dedicarse a algo más que a la palabrería revisionista y a un «lógico patriotismo defensivo». Evidentemente no habían leído el *Mein Kampf.* Esta postura está en la base del apaciguamiento y hay memorán-

6. *Documents of the Foreign Office*, Osborne to Collier, FO 371/21103, N 2109/272/38.

dums internos del Foreign Office que lo demuestran hasta, literalmente, la misma víspera de la Conferencia de Munich.[7]

El conflicto español tuvo un tremendo impacto moral sobre la conciencia de los ingleses, poniendo de manifiesto sus profundas divisiones internas.

En líneas generales, puede decirse que los conservadores, especialmente los que estaban en el poder, no le tenían simpatía a la República española, en la que veían una amenaza comunista. Estos sentimientos sin duda influyeron en la actitud posterior del Gobierno y en la creación de la No Intervención.

El partido laborista, como señala Cattell, no tenía los problemas derivados de una participación en el Gobierno, como les sucedía a Blum y a los socialistas franceses en Francia, y podía instalarse «en la mucho más cómoda postura de la oposición, dedicándose meramente a criticar la política gubernamental de no intervención».[8] Los trabajadores ingleses reaccionaron con bastante indiferencia ante la guerra. Por supuesto, el partido laborista como tal apoyaba a la República, pero no parece muy claro que quisiera adoptar una línea política definida o siquiera beligerante; cuando la Liga Socialista abogó por una intervención armada en favor del Gobierno de Madrid, fue expulsada del partido «y en el ambiente quedó la permanente sospecha de que los líderes laboristas estaban más interesados en mantener la disciplina del partido que en dirigir la lucha contra el fascismo».[9] La tendencia pacifista del laborismo encajó perfectamente la adscripción de Gran Bretaña al Pacto de No Intervención; aunque nunca dejó de defender el derecho de la República española a comprar armas, aceptó la neutralidad como mal menor (a peti-

---

7. Solamente un diplomático inglés, Laurence Collier, manifestó su desacuerdo con la postura oficial británica. Parece ser el único que comprendió que, pese a la desagradable naturaleza del comunismo, el peligro real estaba en el fascismo: «los Estados fascistas son animales de presa, cuyo ímpetu crece con cada concesión que se les hace». Aún en noviembre de 1938, después de la Conferencia de Munich, Cadogan, subsecretario del Foreign Office, dijo que, en su opinión, ese ímpetu no podía ser detenido ya, a no ser con sucesivas concesiones a los dictadores.

8. David T. Cattell, *Soviet Diplomacy and the Spanish Civil War*, p. 25.

9. A. J. P. Taylor, *English History*, p. 397.

ción de Blum) para evitar la caída del Frente Popular en Francia y una carrera de armamentos que llevaría inevitablemente a la guerra. Sólo cuando comprobaron que no funcionaba, los laboristas acabaron denunciando la No Intervención.

Pero es en los individuos donde realmente es importante el impacto de la guerra civil española, que provocó en la opinión pública británica una pasión casi sin precedentes, sobre la que, sin embargo, debe recordarse un dato muy importante:

> Miles y miles de hombres y mujeres en Gran Bretaña se identificaron con los que en España llevaban la misma etiqueta u ocupaban, nominal o realmente, una posición similar en la sociedad... por ejemplo... sería irreal sugerir que la mentalidad del típico sindicalista británico, perteneciente a un movimiento laborista con profundas raíces en el metodismo y en el socialismo reformista, era fundamentalmente la misma que la de un trabajador español perteneciente a un sindicato anarquista y partidario de las teorías socialistas de Bakunin.[10]

Esto explica muchas de las posturas de incomprensión o análisis equivocado que se produjeron en torno a la guerra. Como subraya Watkins, el conflicto español puso de relieve, no sólo las diferencias entre la derecha y la izquierda, sino sobre todo las diferencias *dentro* de la derecha y de la izquierda británicas. En este sentido, la crisis española tuvo una tremenda importancia en la Inglaterra de los años treinta, acaso más que el *Anschluss* o Munich.[11]

Hay, naturalmente, dos grandes corrientes de opinión: la favorable a los nacionales y la favorable a la República, que pueden ser identificadas generalmente con las posturas de derecha y de izquierda, pero en las que, a su vez, existen muchos matices.

Entre los simpatizantes de Franco pueden destacarse tres grupos principales. De un lado, había quienes se sentían cerca de los

---

10. K. W. Watkins, *Britain Divided*, pp. 13 y 14. El libro del profesor Watkins es una contribución muy importante a la historia de las repercusiones internacionales de la guerra civil española. La mayoría de las conclusiones que siguen el texto han sido tomadas de este estudio.

11. Watkins, p. 83.

rebeldes españoles por afinidades de clase y religión y por el horror que les producían los crímenes en territorio republicano. En ellos es muy importante el anticomunismo, mezclado con la patriótica preocupación por los intereses británicos de naturaleza económica o política. «Como alguno de estos factores era mutuamente excluyente, la actitud de los individuos dependía de su escala de prioridades.»[12] Churchill, uno de los hombres más odiados en la Inglaterra de los años treinta, escribe: «Naturalmente, yo no estaba en favor de los comunistas. ¿Cómo podría haberlo estado, si de haber sido español nos habrían asesinado a mí, a mi familia y a mis amigos?»[13] No debe olvidarse, sin embargo, que Churchill es un político especial en el que el odio por el nazismo es tan grande como la desconfianza hacia el comunismo.

En segundo lugar estaban los que simpatizaban directamente con la idea y teoría nazi-fascista. Aunque el movimiento de sir Oswald Mosley fue bastante reducido y se hizo prontamente impopular después de algún violento mitin,[14] existía en Gran Bretaña un sentimiento pro fascista bastante extendido entre quienes pensaban que era necesario acabar con los decadentes gobiernos occidentales y sustituirlos por «la misma rectitud de intención y energía de método de que han hecho gala Hitler y Mussolini».[15] Para estas gentes, la rebelión de los generales españoles era un ejemplo a seguir y una causa que apoyar. El sentimiento anticomunista de estos ingleses era tal que habían sucumbido a la admiración por los procedimientos e ideología de los dictadores europeos.

Finalmente había quienes, no siendo partidarios de Hitler por las evidentes implicaciones que la política del líder alemán tenía respecto de Gran Bretaña y porque no estaba muy claro que el Führer fuera precisamente el campeón del cristianismo en Europa, encontraron a quien admirar y apoyar en los jefes de la sublevación

---

12. Watkins, pp. 84-85.

13. Winston Churchill, *The Second World War*, vol. I, *The Gathering Storm*, p. 167, Cassell, Londres, 1948, también citado por Watkins, p. 88.

14. Véase, *The New Cambridge Modern History*, vol. XII, capítulo XVII.

15. Lord Rothermere en el *Daily Mail*, el 15 de enero de 1934, citado por Watkins, p. 89.

militar española, cuyo escenario, marginado en el sur de Europa, era mucho menos peligroso para la paz que Alemania.

Por otra parte, estaba la gran masa de ingleses favorable a la República española. El antifascismo era un sentimiento muy generalizado en la Inglaterra de los años treinta y no sólo en los sectores de izquierda. La combinación de antifascismo y anticomunismo fue la manifestación tradicional de la antipatía inspirada por los sistemas dictatoriales. De este grupo provino el movimiento de opinión que hizo posible la No Intervención.

En el laborismo, la inmensa mayoría se pronunció en favor de la República, pero hubo disensiones entre la izquierda y la derecha de ese movimiento en cuanto a la práctica de esa preferencia. Desde la primera guerra mundial las dos ramas del laborismo se habían separado, si no formalmente, por lo menos ideológicamente. En un extremo se encontraba la derecha del partido laborista y de los sindicatos, incluyendo a la mayoría de los altos mandos, y en el otro la «alianza incómoda y no oficial»[16] de la izquierda del partido y de los sindicatos, el partido comunista, el partido laborista independiente (ILP) y la liga socialista. Estas divisiones internas, tan parecidas a las de la izquierda española, «debilitaron tanto el apoyo prestado a los republicanos españoles como la eficacia de la lucha contra la política de apaciguamiento del Gobierno nacional».[17]

Cuando estalló la guerra civil, el partido laborista entero, a través de su jefe el mayor Attlee, se había puesto de parte de la República española. En un discurso pronunciado el 20 de julio en Londres, Attlee había manifestado su apoyo en favor de los españoles que luchaban heroicamente para defender la democracia contra el asalto de las «fuerzas totalitarias». Las disensiones empezaron más tarde, cuando se creó la No Intervención y los líderes laboristas la apoyaron contra el ala izquierda del partido y muchos de los intelectuales.

También la *intelligentsia* británica tomó partido sobre la guerra. En 1937, la revista *Left Review* celebró una encuesta entre 121 intelectuales y escritores de habla inglesa para averiguar de qué

16. Watkins, p. 142.
17. Ibídem.

lado estaban. Cinco (entre ellos, Evelyn Waugh y Edmund Blunden) se pusieron de parte de los nacionales; dieciséis (entre ellos, Ezra Pound y H. G. Wells) manifestaron ser neutrales; los cien restantes (entre ellos, W. H. Auden, Samuel Beckett, Havelock Ellis, Aldous Huxley y Harold Laski) se inclinaron del lado de la República.[18]

La prensa británica también se dividió e intervino apasionadamente en la discusión: el *Morning Post*, el *Daily Mail*, el *Daily Sketch* y el *Observer* apoyaron a los nacionales; el *News Chronicle*, el *Daily Herald*, el *Manchester Guardian*, el *Daily Express* y el *Daily Mirror*, a la República; el *Times* y el *Daily Telegraph* permanecieron neutrales.[19]

Actitud del Gobierno

El 20 de julio de 1936, el primer ministro Baldwin advirtió a Eden, su ministro de Asuntos Exteriores, que «bajo ningún pretexto, ya sea francés u otro, debemos entrar en la lucha del lado de los rusos».[20] El día antes había presentado credenciales el nuevo embajador de la República española en Londres, don Julio López Oliván.[21] El 26 de julio, con instrucciones concretas de

18. Citado por Thomas, pp. 291-292. Beckett, de una manera muy típica y godotiana, escribió simplemente «UPTHEREPUBLIC».

19. Thomas, loc. cit.

20. Thomas, p. 289. Unidades de la flota británica se dirigieron a puertos españoles para proteger las vidas y eventualmente evacuar a los ingleses residentes en España.

21. Hasta el momento de su nombramiento como embajador en Londres, en sustitución de Ramón Pérez de Ayala, don Julio López Oliván había estado a cargo de la Legación de España en Berna. Fue designado embajador en la capital británica el 2 de mayo de 1936, presentó cartas credenciales el 19 de julio y dimitió el 26 de agosto del mismo año. Uno de los más brillantes diplomáticos jóvenes del momento y jurista de prestigio internacional, López Oliván, de conocidos sentimientos monárquicos, fue separado de la carrera diplomática por el Gobierno de la República el 30 de agosto de 1936 (Boletín Oficial del Ministerio de Estado, septiembre de 1936). Había sido asiduo colaborador de la Sociedad de Naciones (y delegado español en ella en numerosas ocasiones). En 1937 fue nombrado secretario del Tribunal Permanente de Justicia Inter-

su Gobierno, López Oliván visitó a Eden y le preguntó si habría inconveniente en que la República adquiriera armas en Gran Bretaña. Eden le contestó que Gran Bretaña no se opondría a la venta de aviones civiles y que cualquier solicitud de compra de armamento sería considerada con interés por el Gobierno de Su Majestad. De hecho, las exportaciones de material bélico de Gran Bretaña a España fueron mínimas.

Desde el primer momento, sin embargo, el Foreign Office consideró la necesidad de manifestar de alguna forma su neutralidad en el conflicto español de acuerdo con las intenciones y finalidades de su política exterior e independientemente de su aceptación de la política de no intervención. Durante todo el mes de agosto se discutió la posibilidad de hacer una proclamación oficial de neutralidad y circularon borradores de la misma, utilizando modelos de la proclamación relativa a la guerra de Secesión americana. Fueron consultados los abogados de la Corona,[22] y, finalmente, el proyecto fue redactado en la forma que sigue, para su eventual publicación en el caso de que Gran Bretaña decidiera reconocer que existía un estado de hostilidades en España:

---

nacional. Terminada la guerra civil, en parte por su lealtad al entonces pretendiente a la corona española y en parte porque el Gobierno español no le ofreció un puesto que lo justificase, López Oliván no volvió a reintegrarse a la diplomacia activa, sino que se mantuvo en situación de excedencia voluntaria. En 1943 intervino activamente en la redacción del manifiesto monárquico del conde de Barcelona. Después de la segunda guerra mundial fue nombrado secretario del Tribunal Internacional de La Haya, cargo que conservó hasta su retiro voluntario aquejado de una grave dolencia que le causó la muerte en 1962.

López Oliván relataba que, mientras se estaba vistiendo para acudir a presentar cartas credenciales al palacio de Buckingham el 19 de julio, le llevaron los periódicos con la noticia del alzamiento en España. Naturalmente, a pesar de la inquietud que el acontecimiento llevó a su ánimo y no conociendo el carácter del movimiento, presentó sus credenciales al rey, escogiendo el camino de la dimisión pocas semanas después.

Don Pablo de Azcárate fue nombrado para sustituirlo el 12 de septiembre de 1936.

22. Véase Documentos del Foreign Office, W. 9550/9549/41, legajo FO 371/20572, documento p. 42 y FO 371/20574, p. 77. Archivos del Public Record Office.

... de la forma más categórica solicitamos y ordenamos que todos nuestros súbditos... observen una neutralidad estricta en y durante las indicadas hostilidades, de conformidad con las leyes y estatutos del reino... Si cualquiera infringiera tales leyes y estatutos, no gozaría de nuestra protección y sería castigado con las penas previstas...[23]

De hecho, la tónica del Gobierno fue la de una absoluta neutralidad. En el Consejo de Ministros celebrado el 29 de julio (es decir, mucho antes de que siquiera se propusiera la no intervención), Eden informó a sus colegas de la gestión del embajador López Oliván y les advirtió que existía la posibilidad de que España quisiera comprar armas al Gobierno de Gran Bretaña; Eden aconsejó que se diera a estas peticiones el curso administrativo normal a través del Ministerio de Comercio y de otros departamentos interesados, confiando en que el propio proceso detendría las solicitudes porque «los Departamentos de Defensa podrían querer detener cualquier suministro, sobre la base de que nuestra propia defensa requiere la atención exclusiva de toda la producción de armamento». En cuanto a las posibilidades de intervención en el conflicto español, el Gobierno consideró que debían ser descartadas por el momento y que tal vez en el futuro cupiera interponer buenos oficios entre las partes en lucha.[24]

Este constante deseo de neutralidad, que tan perjudicial, consciente o inconscientemente, sería para la República española, daría la razón a quienes sostienen que Gran Bretaña fue desde el principio la inspiradora de la política de no intervención, aunque la propuesta formal emanara de Francia.

Finalmente, el 27 de julio, «es decir, dos días después de que el Consejo de Ministros de Francia había decidido no intervenir

---

23. FO 371/20577, doc. W 1150/9549/41. A lo largo de todos los documentos del Foreign Office se comprueba la seriedad con que las autoridades británicas se tomaron la neutralidad y la no intervención, denegando pasaportes, controlando a los agentes españoles, no facilitando licencias de exportación. Naturalmente, esta política no fue siempre eficaz, pero es preciso subrayar que Gran Bretaña fue la nación que más rigurosamente aplicó el acuerdo.

24. *Documents of the Foreign Office*, «Meetings of the Cabinet», FO CAB 23/85, 55 (36) 7.

en modo alguno en la guerra civil española»,[25] en la Cámara de los Comunes un diputado laborista dirige a Eden las dos preguntas siguientes: ¿Ha habido algún contacto con el Gobierno francés acerca de una posible cooperación en relación al conflicto español? ¿Se dejará Gran Bretaña arrastrar por Francia a una intervención en España? A la primera pregunta, el secretario del Foreign Office contesta negativamente y a la segunda, manifiesta no conocer la existencia de intervención alguna por parte de Francia.

Pero la oposición liberal quiere saber si deben considerarse exactas algunas informaciones aparecidas en la prensa, según las cuales el Gobierno británico habría pedido al Gobierno francés «la prohibición de venta de armamento al Gobierno español». Anthony Eden desmiente la noticia formalmente: «No hemos dirigido comunicación semejante al Gobierno francés.» Y, sin embargo, ¿puede este desmentido, que se aplica a una gestión diplomática, aplicarse a la gestión directa que el primer ministro habría hecho cerca del presidente de la República?[26]

25. Renouvin, op. cit., p. 340.
26. Renouvin, loc. cit., véase p. 55.

VII. El nacimiento de la No Intervención

B) *La gestión del acuerdo*

La propuesta de No Intervención

Después de la Conferencia de Londres, los últimos días de julio habían sido un dramático compás de espera. Mientras la embajada alemana en Madrid informaba que «si no ocurre algo imprevisto, es difícil esperar que triunfe la revuelta militar»,[1] Europa entera parecía estar en vilo, esperando a que alguien tomara la iniciativa de ayudar a uno de los dos contendientes. El día primero de agosto *L'Écho de Paris* publicó la noticia del aterrizaje forzoso en el Marruecos francés de un avión Savoia y el accidente de otro. Una encuesta realizada por el general Denain, del Alto Estado Mayor francés, demostró que estos aviones, aunque camuflados burdamente, llevaban las insignias de la aviación italiana y que las tripulaciones, aunque provistas de documentos españoles, apenas hablaban más que italiano. Los aparatos formaban parte del envío de Mussolini a Franco de doce Savoias, a bordo de uno de los cuales viajaba Bolín:[2]

> Uno de los aparatos perdidos tuvo que aterrizar cerca de Orán; sus ocupantes sufrieron conmoción y heridas. Otro se estrelló en la orilla derecha del río Muluya a escasa distancia de la zona española —el capitán Criado divisó los restos de este avión desde el aire—, pereciendo todos sus tripulantes. El tercer bombardero —el mismo a que fui asignado primera-

1. *Documents on German Foreign Policy,* serie D, vol. III, p. 13.
2. Supra, pp. 83-84.

mente en la base de Cagliari y del que un comandante italiano me sacó casi a la fuerza— desapareció en el mar con su dotación completa... Los restantes nueve aparatos llegaron a Melilla con escasa gasolina en sus respectivos tanques.[3]

El 31 de julio, el Gobierno francés ya tenía en su poder los resultados de la encuesta que demostraba inequívocamente que los rebeldes españoles recibían ayuda de Italia. Blum confiesa que se sintieron muy «aliviados»[4] con la noticia.

Veinticuatro horas después, el primero de agosto por la tarde, se reunió el Consejo de Ministros francés y mientras Pierre Cot recibía definitivamente la orden de empezar a enviar a España la ayuda prometida, sin preocuparse de mandarla a través de México, el Gobierno anunció que había decidido urgir a los Gobiernos de Gran Bretaña e Italia para que se llegara a la firma de un acuerdo de no intervención en la guerra de España. En un telegrama cursado por el ministro de Asuntos Exteriores a los embajadores franceses en Londres y Roma se indica que el Gobierno francés se había abstenido, de acuerdo con la declaración del Consejo de Ministros del 25 de julio, de enviar armas al Gobierno español, pero que posteriormente había comprobado que otros Gobiernos estaban entregando pertrechos de guerra a los rebeldes. En vista de ello se proponía a los Gobiernos inglés e italiano un acuerdo sobre reglas «comunes de no intervención».

> Debe usted añadir que, en espera de que se llegue a un acuerdo sobre este particular y tomando en cuenta los suministros de guerra que ahora están recibiendo los rebeldes, el Gobierno francés estimaría difícil rehusar en principio la solicitud de un Gobierno legítimo y oficialmente reconocido y se reserva en este sentido una libertad de acción más amplia que los límites que se había trazado anteriormente.[5]

Como indica Renouvin, a pesar del empleo del condicional, el Gobierno de París anuncia su intención de entregar armas a

---

3. Bolín, op. cit., pp. 182-183.
4. Renouvin, op. cit., p. 334.
5. Citado en Renouvin, p. 334.

España hasta tanto el Gobierno italiano no se adhiera a la propuesta de no intervención. Como Blum indica en un telegrama enviado a Londres exclusivamente, la finalidad de su idea es evitar «la formación de bloques políticos que harían inútiles todos los esfuerzos por el mantenimiento de la paz» y «el montaje de una asistencia italiana a los rebeldes que tomara como base de operaciones la zona española de Marruecos».[6]

La idea de un acuerdo de no intervención, que es buena como recurso político, no es muy legal desde el punto de vista del derecho internacional. En efecto, como afirma Padelford,

> durante los estadios de pre y postadmisión de la rebelión, el Gobierno legítimo del país correspondiente sigue gozando de la personalidad y del status normal que tiene en tiempo de paz. Puede continuar sus relaciones normales con los Estados amigos y participar en organizaciones internacionales, como si no hubiera ocurrido la alteración de paz en su territorio. Consuetudinariamente le ha sido reconocido el derecho de adquirir armas y material de guerra en los mercados privados de otros países con el fin de dominar la revuelta; este privilegio ha sido denegado a menudo a los rebeldes por las leyes internas de otros Estados. Más allá de las fronteras y de las aguas territoriales, no se reconocen otros derechos que aquellos de que gozan cualesquiera otras entidades políticas soberanas en tiempo de paz.[7]

Pero, aunque un Gobierno legítimo como el de la República española tuviera derecho a la compra de armas, la cuestión, pensaban los gobernantes franceses e ingleses,[8] no podía dilucidarse con la fría aplicación de unas normas, cuando estaba en juego la paz de Europa.

6. Ibídem.
7. Norman J. Padelford, *International Law and Diplomacy in the Spanish Civil Strife*, Macmillan, Nueva York, 1939, p. 4.
8. Las autoridades nacionales, dándose cuenta del problema, se apresuraron a negar la legitimidad del Gobierno republicano y, más tarde, concentraron sus actividades en conseguir el reconocimiento de beligerancia. La idea defendida por los nacionales fue que, a los pocos días del alzamiento, habían dejado

Tomando la iniciativa anunciada en el Consejo de Ministros francés, Charles Corbin, embajador en Londres, visitó a Eden el día 2 de agosto. El secretario del Foreign Office acogió la idea con satisfacción y propuso que se extendiera la gestión a Moscú, Berlín y Lisboa.[9]

Chambrun, embajador francés en Roma, visitó a Ciano el 3 de agosto con la misma propuesta, y François-Poncet, embajador en Berlín, sometió el programa de no intervención a Von Neurath, quien le contestó que Alemania no necesitaba firmar tal declaración porque «naturalmente no intervenía en los asuntos políticos y en las disputas internas de España»,[10] aunque estaba dispuesta a estudiar la forma de evitar que la guerra de España se

---

de ser rebeldes para convertirse en beligerantes: de hecho, desde el momento en que se consolidó su dominio sobre una parte importante del territorio español y a partir del instante en que se creó un Gobierno nacional. Esta opinión se basa en la más sólida tradición del derecho internacional. Tanto el profesor Scelle, en una monografía publicada en la revista suiza *Die Friedenswarte*, en 1937, como el profesor Wehberg han mantenido la tesis de que los nacionales tenían derecho al reconocimiento de la beligerancia desde el momento en que establecieron su dominio sobre una porción de territorio y constituyeron un Gobierno de facto (*Recueil des Cours de l'Académie de droit international*, I, tomo 63, «La guerre civile et le droit international», pp. 92-108, La Haya, 1938).

9. Se ha sugerido que el Gobierno británico y concretamente Eden fueron los que tuvieron la idea inicial del acuerdo de no intervención. Esto es muy difícil de comprobar. Eden lo niega en sus Memorias y, en unas instrucciones suyas a Clerk, embajador británico en París, se lee:

«M. Corbin me preguntó si tenía alguna información sobre la actitud de nuestro partido laborista respecto de la cuestión española. Tenía la impresión de que estaban poco interesados. Le contesté que no me parecía que ése fuera el caso, aunque me había divertido la historia que uno de ellos [un diputado laborista] había traído de París: que la sugerencia de la no intervención no había sido originariamente una iniciativa francesa sino británica. Yo había contestado que, desde luego, no había nada de cierto en ello, aunque siempre había considerado la iniciativa del señor Blum como una idea sensata. El embajador me hizo notar que no recordaba que hubiera habido discusión sobre el problema español durante nuestra reunión tripartita» (Eden a sir G. Clerk, 28 de agosto, 1936, *Documents of the Foreign Office*, Archivos del Public Record Office, FO 371/20573, W 9887/9549/41, número 1490). El diputado a que se refiere es lord Dalton.

10. *Documents on German Foreign Policy*, loc. cit., pp. 29-30.

extendiera fuera de sus fronteras, siempre y cuando la Unión Soviética participara en las negociaciones.

El 6 de agosto, Francia aún no había recibido respuesta de Italia a su propuesta y, en vista de ello, el Gobierno publicó una nueva nota en la que manifestaba que no podía seguir rehusando ayudar a la República, aunque deseaba la rápida firma de un acuerdo de no intervención. Ese mismo día, 17 aviones Dewoitine, que habían sido encargados a Francia por el Gobierno lituano, fueron entregados a España.[11]

El mismo 6 de agosto, Ciano, después de consultarlo con el Reich, comunicó a Chambrun que Italia se adhería en principio al acuerdo, pero que le preocupaba mucho la intervención «ideológica y espiritual» en España y que ese tipo de apoyo debía, en su opinión, «impedirse, al mismo tiempo que el envío de armas». Por intervención ideológica y espiritual, Ciano entendía las actividades de organizaciones privadas inglesas, francesas y soviéticas que se dedicaban en sus respectivos países a la colecta de fondos y al reclutamiento de voluntarios para enviarlos al territorio de la República y solicitaba que Francia incluyera estos puntos en su declaración. Días después, Chambrun le contestó que su Gobierno entendía que la inclusión de semejantes reservas en su programa podía ser causa de un retraso en su puesta en ejecución y que, en consecuencia, a pesar de que se aceptaba la sugerencia, ésta iría incluida en el plan como *addenda* italiana. Ciano entendió que esto era inadmisible y que si los países no aceptaban la idea como parte sustancial del plan, Italia no se sentiría más ligada que ellos en este aspecto. Las conversaciones quedaron momentáneamente aplazadas.[12]

También el día 6, la Unión Soviética contestaba a la propuesta francesa afirmando que aceptaba «el principio de no intervención en los asuntos de España, estando dispuesta a tomar parte en el acuerdo propuesto». Sin embargo, en la misma nota se añadía:

El Gobierno de la URSS desea también que, además de los Estados mencionados en la propuesta francesa, Portugal se una

11. Renouvin, p. 335.
12. *Documents on German Foreign Policy*, loc. cit., p. 30; Puzzo, op. cit., p. 105.

al acuerdo y, en segundo lugar, que la ayuda prestada por ciertos Estados a los rebeldes contra el Gobierno legítimo de España sea inmediatamente suspendida.

No debió de ser fácil tomar esta decisión. En efecto, como subraya Cattell, para Rusia había tantas razones en favor como en contra de la no intervención. De un lado, aceptar la propuesta de Francia implicaba una pérdida de prestigio respecto de los revolucionarios de todos los países porque parecería que la Unión Soviética se negaba a ayudar a sus hermanos proletarios; además, Stalin dudaba mucho de la eficacia del acuerdo en lo que hacía a la interrupción de apoyo por Alemania e Italia a los nacionales. Pero, por otro lado, probablemente le parecía que alguien tenía que impedir que Hitler y Mussolini siguieran interviniendo en España (además de estimular, como ha de verse, la política continental de seguridad), aparte de que si la Unión Soviética rehusaba adherirse al plan, ello podría ser considerado como una prueba de que estaba ayudando a la República, lo cual acabaría avivando los recelos que había en la Europa occidental respecto de Rusia.[13] Sin embargo, como muestra de la reticencia con que la Unión Soviética se adhería a la propuesta francesa, puede esgrimirse su negativa a responsabilizarse por las actividades de «organizaciones proletarias internacionales» con sede en Moscú, porque «este Gobierno no tiene más control sobre las actividades privadas de sus ciudadanos que los de Francia y Gran Bretaña respecto de los suyos». Este extremo, que hacía referencia al reclutamiento de voluntarios y a la colecta de fondos, era un obvio sofisma del que todos se dieron cuenta y que sirvió para dificultar aún más la puesta en práctica de la no intervención.[14]

Mientras tanto se produce un cambio de actitud sorprendente en el Gobierno francés. Repentinamente, en la noche del 7 de agosto, tras deliberación del Consejo de Ministros, Francia contradice su declaración de dos días antes y anuncia que ha decidido, «en vista de la buena acogida que ha tenido» la idea de la no intervención, prohibir totalmente la exportación de material bé-

---

13. Cattell, *Soviet Diplomacy and the Spanish Civil War*, pp. 15-16.
14. Puzzo, op. cit., pp. 109-110.

lico a España. Al día siguiente se dictan instrucciones formales a la Dirección General de Aduanas en este sentido y se cierran las fronteras con España. ¿Qué ha pasado? Blum ha explicado este cambio achacándolo, entre otras cosas, a lo que él consideró el fracaso de una gestión amistosa encomendada al almirante Darlan, jefe del Estado Mayor naval francés, que se trasladó a Londres el 5 de agosto para entrevistarse con lord Chatfield, primer lord del Almirantazgo británico.

Según Renouvin, la entrevista fue absolutamente negativa[15] y la frialdad de las respuestas dio a Blum «una prueba más de la simpatía británica por Franco»;[16] el político francés asegura que su resultado tuvo «considerable influencia» en el subsiguiente embargo de armas para España.[17]

De hecho, parece claro que durante la entrevista no se habló de armas o de intervención en España. Lord Chatfield dio al Foreign Office la siguiente versión de la reunión:

...El almirante Darlan dijo que estaban muy preocupados por la situación española, sobre todo por la posibilidad de que intervinieran otras potencias. No querían que se implantara

---

15. Renouvin (pp. 335-336) resume así la entrevista: Darlan solicitó de Chatfield la opinión del Gobierno británico sobre las siguientes dos cuestiones:

1.ª Considerando la posible victoria de los rebeldes en España, cabía pensar que eventualmente Alemania acabaría estableciendo bases militares en las islas Canarias y que Italia haría lo mismo en las Baleares. ¿No deberían Francia y Gran Bretaña preocuparse de impedirlo?

2.ª Aun manteniendo el espíritu de la no intervención, ¿no sería conveniente que Gran Bretaña y Francia hicieran un intento de mediación entre el Gobierno de la República y los rebeldes, en la esperanza de que se pudiera constituir un gobierno democrático y representativo de todo el pueblo español?

A la primera pregunta, el lord del Almirantazgo contestó, según Renouvin, que el Gobierno británico no había comprobado la existencia de indicios que permitieran suponer que tales eran las intenciones de Alemania e Italia y que, en cualquier caso, el asunto debía ser tratado por la vía diplomática. A la segunda indicó que el Gobierno británico no tenía ninguna intención de inmiscuirse en la cuestión española.

16. Geoffrey Warner, «France and Non Intervention in Spain, July-August 1936», *International Affairs*, 1962, p. 213, cit. Carlton, loc. cit., p. 49.

17. *Les événements survenus en France*, vol. I, pp. 217-218.

un gobierno fascista o uno comunista en España, pero les parecía que uno u otro era inevitable. Esto implicaba una guerra civil prolongada que agotaría a España, dejándola en manos de un Gobierno forzosamente débil... e incapaz de resistir las ambiciones de Alemania e Italia. Lo que temían era que Italia aprovecharía la ocasión para ocupar las Baleares y que lo mismo haría Alemania con las islas Canarias. Esto sería extremadamente peligroso para las comunicaciones de Francia con Argelia y Marruecos y para la política y las rutas británicas del Mediterráneo y del Cabo. ¿Qué pensábamos nosotros?... Le pregunté si lo que me estaba diciendo era cierto o pura conjetura, y me dijo que en lo que hacía referencia a Italia y a las islas Baleares tenían información concreta, pero que no la tenían en el caso de Alemania y las Canarias. Le pregunté si, estando preocupados, tenían intención de enviar barcos que observaran la situación en ambos grupos de islas. Me dijo: si ustedes mandan barcos, nosotros también lo haremos, pero no queremos que los barcos franceses vayan solos...

Entonces le dije que el Almirantazgo no tenía política definida en relación con el asunto, *sino que sólo actuaba siguiendo las instrucciones del Foreign Office*... Por mi parte, yo no tenía información semejante a la que me había dado (lo que no es estrictamente cierto, porque sí tenemos alguna información), pero si el Ministerio de Marina francés consideraba que la situación era tan grave como me la estaban describiendo, me parecía que el procedimiento correcto era el de la vía diplomática: que el Quai d'Orsay se pusiera en contacto con nuestro embajador en París...[18]

No debe olvidarse que el Gobierno francés pensaba que había habido una presión oficiosa de Baldwin sobre Lebrun el 25 de julio (si es que esto es cierto); presión repetida al parecer el 4 de agosto por el embajador británico Clerk ante Delbos,[19] en el sentido de que Francia no debía contar con Gran

---

18. *Documents of the Foreign Office*, FO 371/20527, W 7781/62/41, Chatfield a sir Samuel Hoare, 5 de agosto de 1936, el mismo día en que se celebró la entrevista. (El subrayado es mío.)

19. Blumel, a la sazón jefe del Gabinete de Blum, así lo asegura. (Coloquio *Léon Blum*, p. 358.)

En la noche del 19 al 20 de julio de 1936, don José Giral (a la izquierda), jefe del Gobierno de la República desde hacía apenas unas horas, dirigía a Léon Blum (a la derecha), primer ministro francés, el siguiente telegrama: «Hemos sido sorprendidos por peligroso golpe militar. Solicitamos se pongan inmediatamente de acuerdo con nosotros para suministro de armas y aviones. Fraternalmente, Giral.»

Ante el ofrecimiento de dimisión de Blum, Jiménez de Asúa retiró el cheque que había entregado el día antes y lo rompió en presencia de Blum, como muestra de que el Gobierno español renunciaba a la compra de armamento francés.

*El 19 de julio, el general
Franco* (a la izquierda)
entregó a Luis Bolín
(a la derecha), *en Tetuán,
adonde ambos habían llegado
pocas horas antes, una nota
manuscrita que decía:
«Autorizo a don Luis A.
Bolín para gestionar en
Inglaterra, Alemania o Italia
la compra urgente para
el ejército español no marxista
de aviones y material.
Tetuán, 19 de julio de 1936.
El General Jefe, Francisco
Franco.»*

El 3 de octubre de 1935,
las tropas italianas invadieron
Abisinia (en la foto).
Con esta guerra, Mussolini
violó absolutamente todas
las disposiciones de solución
pacífica de los conflictos.

Al contrario de la italiana,
la ayuda alemana, aunque
escasa en hombres, fue pródiga
en material de guerra.
(En la foto, artillería alemana.)

Cuando estalló la guerra civil, el partido laborista entero, a través de su jefe, Attlee, se había puesto de parte de la República española. (En la foto, Attlee con el general Miaja.)

El 20 de julio de 1936, el primer ministro Baldwin (a la izquierda) *advirtió a Eden* (a la derecha), *su ministro de Asuntos Exteriores, que «bajo ningún pretexto, ya sea francés u otro, debemos entrar en la lucha del lado de los rusos».*

Álvarez del Vayo, ministro de Estado español, escribe sobre la propuesta de no intervención: «Quizá fue desacertado abandonar, en primer término, nuestros derechos. Yo así lo creo. Pero había sido por la fuerza de la presión y ya no cabía hacer otra cosa sino jugar el juego en el que habíamos entrado, a pesar de que sabíamos que los dados estaban falseados.»

Salazar ofreció ayuda a Franco y, al terminar la guerra, recibió gratitud y colaboración. (En la foto, Salazar junto a Carmona, presidente de la República portuguesa.)

Es significativo que el 29 de agosto, cumpliendo un acuerdo de establecimiento de relaciones firmado años antes, Rosenberg presentara al presidente Azaña sus cartas credenciales como embajador soviético en Madrid, apenas una semana después de la adhesión rusa al Acuerdo de No Intervención.

México fue el único país que se puso abiertamente de parte de la República española y que de forma manifiesta y ostensible cooperó en su esfuerzo bélico. (En la foto, el carguero español *Mar Cantábrico* con escala en México.)

El 30 de diciembre de 1936, Roosevelt se reunió con varios congresistas y les encargó la elaboración y presentación de una enmienda a la Ley de Neutralidad en el sentido de que se extendieran sus disposiciones a la guerra civil española.

Desde finales de julio de 1936, el Gobierno mexicano se dedicó a comprar aviones en los Estados Unidos para enviarlos a España. Todas estas operaciones se llevaban a cabo a través de la embajada española en México, al frente de la cual se encontraba don Félix Gordón Ordás.

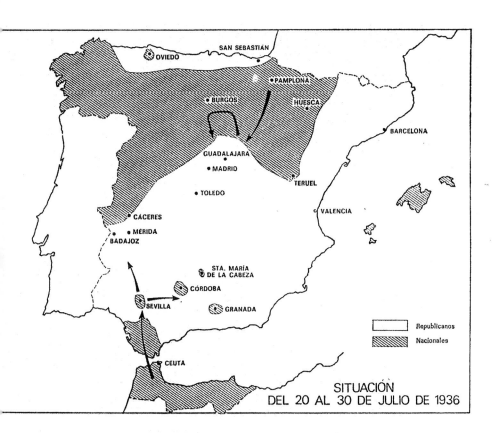

SITUACIÓN
DEL 20 AL 30 DE JULIO DE 1936

Republicanos
Nacionales

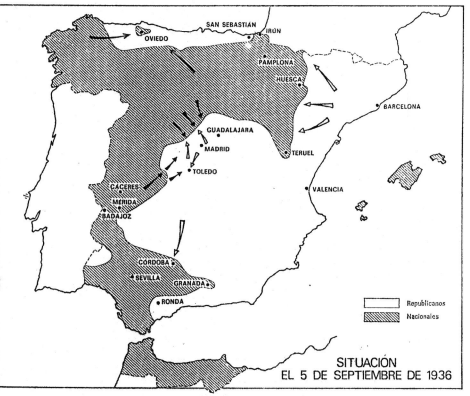

SITUACIÓN
EL 5 DE SEPTIEMBRE DE 1936

Republicanos
Nacionales

El 25 de septiembre de 1936, en Ginebra, el ministro español Álvarez del Vayo (arriba, hablando con Litvinov) solicitó formalmente la intervención de la Sociedad de Naciones (abajo, una reunión del Consejo) en España porque, según afirmó, la guerra civil constituía una amenaza para la paz mundial.

Bretaña en el caso de una guerra con Alemania a causa de España. En tales condiciones, cualquier gestión que no diera por resultado un franco apoyo británico a Francia podía ser interpretada con desánimo. La situación política interna era tal en Francia que las suspicacias estaban al borde de la histeria.

No parece probable, y es conveniente repetirlo ahora, que hubiera gestiones de Gran Bretaña para forzar un acuerdo de no intervención. Con lo satisfechos que estuvieron en el Foreign Office con el acuerdo, no puede dudarse de que Londres habría alardeado de su paternidad si hubiera estado en su mano hacerlo. El propio Eden lo niega. Los cambios de actitud franceses se debieron fundamentalmente a la situación interna del país, exacerbada por lo que se *pensaba* era la desaprobación británica. La entrada de Alemania e Italia en el conflicto español añadió un elemento más amenazador a la situación y parece evidente que Blum, asustado por la posibilidad de una guerra europea (en la que estaba seguro de no contar con el apoyo británico), pensó en seguida en un acuerdo de neutralización que aislara el conflicto y permitiera a los contendientes españoles dirimirlo por sus propios medios, una vez que estuvieran equilibradas sus fuerzas. De ahí la propuesta del 2 de agosto y la orden simultánea de enviar a España ayuda militar.

No puede, sin embargo, desecharse sin más la responsabilidad de Gran Bretaña. La política de no intervención no hubiera sido concebible sin apaciguamiento y, si se le quiere buscar un directo antecedente, basta con recordar la actitud británica frente a la remilitarización de la Renania por Hitler.

La única gestión de que hay rastro se produce el 7 de agosto por la tarde. Sir George Clerk acudió a visitar a Delbos y le expresó su preocupación por la posible posición de Francia, si se empeñaba en continuar la ayuda a España. Lo único que puede interpretarse como velada amenaza en la entrevista es la siguiente frase: «debía hacerle notar [a Delbos] el peligro de cualquier acción que pudiera inclinar al Gobierno de Francia hacia uno de los contendientes en el conflicto, haciendo con ello más difícil la estrecha colaboración entre nuestros dos países».[20] Clerk no te-

---

20. *Documents of the Foreign Office*, FO, Confidential Prints 432/2, 7 de agosto de 1936, Clerk a Eden.

nía instrucciones e hizo la gestión de forma puramente «personal y bajo su entera responsabilidad». Eden la aprobó y se congratuló de sus «buenos resultados».[21]

No parece que la visita de Clerk fuera interpretada en el Quai d'Orsay como una amenaza: una nota de este departamento fechada el 8 de agosto dice entre otras cosas:

> 1. Ayer, sir George Clerk manifestó claramente a M. Yvon Delbos la preocupación de su Gobierno por el caso de España. [En su opinión] es necesario llegar rápidamente al establecimiento del acuerdo de no intervención y, mientras tanto, suspender el envío de armas, que no haría más que comprometer a todos.
> 2. El embajador británico teme especialmente que, si esta incierta lucha continúa, el general Franco, que necesita asistencia a cualquier precio, pueda llegar a trocar las Baleares por ayuda italiana y, lo que es peor, las Canarias por apoyo alemán...[22]

(Es muy notable que Clerk utilizara con Delbos el mismo argumento que Darlan empleó con Chatfield.)

Sin embargo, el Consejo de Ministros del 7 de agosto, al prohibir totalmente la exportación de armas a España, pareció estar cediendo a las presiones británicas. Así lo piensa Clerk, que ignoraba la gestión de Darlan y que atribuye el cambio de actitud de Francia a su protesta frente a Delbos: «yo no sabía, cuando pedí audiencia con el ministro de Asuntos Exteriores, que inmediatamente después de la entrevista tenía que asistir a un Consejo de Ministros, pero en todo caso mi visita parece haber sido muy oportuna».[23] Eden parece pensar lo mismo, al felicitarse, como se ha visto, de los buenos resultados de la entrevista.

Es posible, como sugiere David Carlton, que el rumor de que Gran Bretaña estaba presionando a Francia se debiera a los socialistas franceses, quienes, para cubrirse de su fracasado apoyo a

21. Ibídem, FO 371/20528, W 7964/62/41, 10 de agosto de 1936.
22. Documentos franceses, núm. 108, cit. Carlton, p. 52. Carlton hace notar que parece claro que Clerk no hizo suficiente hincapié en el hecho de que expresaba su propia opinión y no la de su Gobierno.
23. *Documents of the Foreign Office*, FO 371/20528, W 8055/62/41.

España, propalaron la mentira.[24] Desde luego, el 25 de agosto Blum manifestó a unos delegados del Partido Laborista británico que no había habido presión inglesa,[25] lo que contradice absolutamente sus lágrimas y la dramática escena del 25 de julio, cuando, en su casa, aseguró a Jiménez de Asúa que estaba dispuesto a dimitir.[26] Mientras tanto, Jouhaux y los demás altos cargos de la CGT les habían dicho a sus colegas británicos que había habido una presión desde Londres. Alguien estaba mintiendo. Es posible que la mentira hubiera sido dicha por los ministros franceses a sus colegas sindicalistas de la CGT, mientras decían la verdad a los laboristas; con ello se conseguía un doble efecto:

1. Que los socialistas franceses no se opusieran a la política de no intervención preconizada, les decía Blum, por Londres, porque en caso contrario caería el Gobierno.

2. Que los socialistas británicos apoyaran la política de no intervención para no dejar a los socialistas del Gobierno francés al descubierto.

En efecto, si los socialistas franceses hubieran sabido que no había presión desde Londres, habrían podido forzar la mano de su Gobierno para que éste ayudara a la República española; y si los laboristas hubieran pensado que era el Gobierno de Londres el responsable de la no intervención, nunca la hubieran aceptado, y habrían presionado a Baldwin, pensando ayudar así a Blum.

De todos modos, la actitud neutralista de Gran Bretaña fue siempre tan evidente que no dejó de provocar protestas del partido laborista inglés. Por ejemplo, Strauss, un diputado laborista, escribió el 1 de octubre una carta a Eden, indicándole que pensaba hacerle, cuando el Parlamento iniciara sus sesiones el 29 de aquel mes, las dos siguientes preguntas: 1.ª El Parlamento quería saber si Gran Bretaña había hecho presión sobre Francia en los días 4 y 7 de agosto para que ésta no enviara municiones y armas compradas y pagadas por el Gobierno español y si esto quería decir que se había hecho notar al Gobierno francés que la no intervención implicaba la denegación de armas a la República incluso antes de ha-

---

24. Carlton, loc. cit., pp. 52-55.
25. Vid. nota 9, p. 124 supra.
26. Vid. supra, p. 63.

berse concluido las negociaciones conducentes a la firma del acuerdo. 2.ª También interesaba conocer si Francia había preguntado a Gran Bretaña si recibiría su apoyo en el supuesto del estallido de una guerra a causa del problema español y en tal caso cuál había sido la contestación de Gran Bretaña. El 20 de octubre, Eden contestó negativamente, como era de esperar, a ambas preguntas.[27]

En aquel momento probablemente Blum comprendió lo que significaba iniciar una carrera de armamentos con Alemania y se dio cuenta de que una intervención extranjera a la escala en que la necesitaban los dos contendientes en España hubiera sido tan masiva que habría provocado una conflagración europea:

> Habíamos pensado, ése era nuestro convencimiento, que incluso para España, en vez de iniciar una lucha y una competencia necesariamente desiguales, la conducta que a la postre había de resultar mejor, la que implicaba una ayuda más real, era obtener esa especie de abstención internacional que entonces, a pesar de la desigualdad flagrante e hiriente del comienzo, habría permitido a la voluntad nacional volverse a imponer, asegurar de nuevo y poco a poco su predominio.[28]

Durante todos estos días, el Quai d'Orsay había estado elaborando una nota en la que definía los términos de su no intervención. Este documento había de ser presentado a los diferentes Gobiernos interesados con la invitación de que ellos los ratificaran o hicieran declaraciones análogas y fue fechado definitivamente el 15 de agosto. Tras un preámbulo en el que se expresaba el pesar del Gobierno francés «por los trágicos acontecimientos de los que España es teatro», la resolución de «abstenerse rigurosamente de toda injerencia, directa o indirecta, en los asuntos internos de dicha nación» y su voluntad «de evitar cualquier complicación que pudiera perjudicar el mantenimiento de las buenas relaciones entre las naciones», se establecía:

---

27. *Documents of the Foreign Office*, FO 371/20528, W 8055/62/41.
28. Léon Blum, «Discurso en el Luna Park», 6 de septiembre de 1936, publicado en *L'œuvre de Léon Blum, 1934-1937*, Albin Michel, París, 1964, p. 392.

1. La prohibición por el Gobierno francés en lo que a él respecta, de exportación directa o indirecta, reexportación y tránsito con destino a España, sus posesiones y la zona española de Marruecos, de armas, municiones, material de guerra, aeronaves montadas o desmontadas y naves de guerra.

2. Esta prohibición se aplica a los contratos en curso de ejecución.

3. El Gobierno francés mantendrá informados a los demás Gobiernos participantes en este convenio [*entente*], de las medidas adoptadas para poner en práctica la presente declaración.

El Gobierno francés aplicará esta declaración tan pronto se adhieran a ella los Gobiernos británico, alemán, italiano, soviético y portugués...[29]

En los días 7 y 8 de agosto, el proyecto de nota francés fue sometido a los principales Gobiernos interesados.

El 9 de agosto llegaban 19 Junkers a Sevilla procedentes de Berlín.[30] Otro Junker, de la misma expedición, equivocó la ruta y aterrizó en Madrid. Dándose cuenta del error, el piloto volvió a levantar el vuelo, posándose finalmente en Badajoz, que aún estaba en manos de la República. Avión y tripulantes quedaron detenidos en esta ciudad. El consejero alemán en Madrid, Schwendemann, solicitó al día siguiente la inmediata devolución del aparato por las autoridades de Madrid. Cuando el Gobierno republicano se negó a ello, Neurath, en Berlín, el 12 de agosto, comunicó a François-Poncet que Alemania no se adheriría el Pacto de No Intervención mientras el avión (simplemente «un aeroplano civil») no fuera liberado.[31] El día 15, gracias a una gestión de Delbos, fue liberada la tripulación del aparato, pero éste fue

29. Documentos de la No Intervención (de ahora en adelante NIS) archivados en el Public Record Office de Londres; FO 849/2, documento NIS (36) 2. Estos documentos de la no intervención, que no han sido publicados, obran en poder del autor en la única colección microfilmada que de ellos existe. El número del archivo general es FO 849, tomos 1 al 42.

30. Departamento de Estado de los Estados Unidos, *Foreign Relations of the United States*, Washington, Government Printing Office, 1954-1955, vol. II, 1936, p. 481, información del cónsul americano en Sevilla.

31. *Documents on German Foreign Policy*, loc. cit., p. 37.

retenido indefinidamente, siendo destruido poco después en un ataque aéreo nacional.

Reacción en Madrid al proyecto de No Intervención

Comprendiendo que era inútil oponerse a la no intervención propuesta por Francia —por los amigos del Frente Popular de París—, el Gobierno de Madrid se limitó, manteniendo unas reservas puramente formales, a solicitar que la política de abstención se aplicara a rajatabla. El embajador en París, Albornoz, en una nota dirigida el 10 de agosto al ministro de Asuntos Exteriores francés, subraya el hecho de que

> El Gobierno español está dispuesto a reconocer las ventajas que tal acuerdo tendría, principalmente como medio de prevenir complicaciones internacionales de carácter general... Mi Gobierno estaría dispuesto a colaborar lealmente en la aplicación de tal acuerdo... pero cree indispensable llamar la atención del Gobierno francés sobre la importancia decisiva que tienen, de un lado, el plazo en el que el acuerdo podría estar en vigor y, de otro, la eficacia de las garantías de su aplicación estricta.[32]

Nota reforzada por otra del 15 de agosto en la que se lee:

> Principalmente me consideraba en el deber de llamar su atención sobre los peligros que podría representar la prolongación de un estado de cosas en el que ciertos Gobiernos, entre ellos el francés, han prohibido toda exportación de material guerra a España, mientras que otros, que deberían igualmente formar parte del mencionado acuerdo, conservan, en este punto, plena y completa libertad de acción...[33]

Álvarez del Vayo, que fue nombrado ministro de Estado español a las pocas semanas, comenta estas dos notas en los términos siguientes:

32. *Guerra y Revolución en España, 1936-1939*, vol. I, p. 310.
33. Ibídem.

Al fin y al cabo, la República había aceptado la propuesta de no intervención tal como nos fue hecha. Habíamos abandonado nuestro derecho legal a comprar armas para nuestra defensa. Hicimos así —mi predecesor [Augusto Barcia] lo hizo así—... porque se nos aseguró que los rebeldes tampoco recibirían ayuda. Quizá fue desacertado abandonar, en primer término, nuestros derechos. Yo así lo creo. Pero había sido por la fuerza de la presión y ya no cabía hacer otra cosa sino jugar el juego en el que habíamos entrado, a pesar de que sabíamos que los dados estaban falseados.[34]

La posición de Portugal

El 13 de agosto, el Gobierno portugués, en nota dirigida a los representantes británico y francés en Lisboa, aceptaba en principio el Acuerdo de No Intervención. De todas las adhesiones al proyecto francés, ésta era, sin embargo, la que por evidentes razones menos garantías ofrecía.

Desde hacía ocho años, Portugal estaba bajo la rígida y austera mano del profesor de Economía António Oliveira Salazar, en tanto que ministro de Hacienda, primero, y como presidente del Consejo, desde 1932. Un pasado de relativa violencia y confusión política había preparado la llegada al poder de un régimen de ultraderecha que guardaba estrecha similitud con el sistema corporativo de Mussolini.[35]

34. Ibídem.
35. La historia del Portugal salazarista no ha recibido aún el tratamiento que se merece. Apenas si existen algunos panfletos laudatorios, algunos libros, recopilaciones de discursos y documentos. Silencio casi absoluto sobre la obra de un hombre que ha marcado para siempre la historia de un pueblo que hoy es un perfecto desconocido en el mundo entero. Sobre la revolución que derrocó la monarquía, instauró la República y finalmente trajo a Salazar, véase Jesús Pabón, *La Revolución Portuguesa*, Espasa Calpe, Madrid, 1941 y 1945, dos volúmenes. Sobre Oliveira Salazar existe un curioso librito de Henri Massis, *Chefs* (Plon, París, 1939), en el que hay descripciones y conversaciones con Hitler, Mussolini, Franco y Salazar. El capítulo referente a Portugal se llama «Salazar, o la dictadura de la inteligencia». Recientemente, Hugh Kay ha publicado una biografía del político portugués, *Salazar and Modern Portugal* (Eyre and Spottiswoode, Londres, 1970). Sobre la Constitución del *Estado Novo*, véase Luis Sán-

Como en todo sistema autoritario, la figura de Salazar contribuyó en gran medida a configurar el carácter político del país. Oliveira Salazar fue un hombre silencioso y ascético. Era un político pragmático y, como tal, nunca se hizo ilusiones sobre su país: sabía que Portugal tenía un largo camino por recorrer antes de incorporarse al siglo XX y, sin ambiciones supervaloradas o mesiánicas, se propuso llevarlo de la mano la mayor parte del recorrido («en vez de una nación de superatletas o de débiles, hagamos una nación de hombres y mujeres sanos... tranquilos, pacientes y tenaces»).[36] Si bien su ambición de poder no puede ser descartada, entendió la función pública como un sacrificio, por muy apasionante que éste fuera. Como buen pesimista, sabía que su tarea era difícil (tal vez menos de lo que esperaba) y que le tomaría mucho tiempo completarla; de hecho, la crítica más seria que puede hacérsele, como a la mayoría de los dictadores, es que su pesimismo respecto del país se transformó pronto en un despotismo a largo plazo.

Salazar estuvo doctrinalmente muy influido por Mussolini, cuyo sistema fascista le parecía un brillante modelo de organización. Con los años, sin embargo, se fue apartando de él, considerando que su régimen se hacía crecientemente inmoral. Las veleidades exteriores del fascismo, su triunfalismo, la alianza con Hitler (por quien Salazar sintió siempre profunda antipatía), le parecían estar muy lejos del carácter del *Estado Novo*, «de la familia como núcleo social por excelencia», «de los valores espirituales y el respeto debido a cada individuo».[37]

---

chez Agesta, *Curso de Derecho Constitucional*, Granada, 1955. Sobre Portugal de 1928 hasta nuestros días existen unos apuntes históricos y sociológicos de manifiesto carácter antisalazarista publicados por Peter Fryer y Patricia McGowan Pinheiro bajo el título de *El Portugal de Salazar*, Ruedo Ibérico, París, 1962. Véase también: *Doctrine and Action*, Faber and Faber, Londres, 1939, colección de discursos de Oliveira Salazar; J. George West, *The New Corporative State of Portugal*, Conferencia en el King's College de Londres, 1937, publicada por Servicio Propaganda Nacional, Lisboa; y *Dez Anos de Política Externa (1936-1947). A Nação Portuguesa e a Segunda Guerra Mundial*, libro blanco de documentos portugueses, Imprenta Nacional de Lisboa, 1961-1965, cinco volúmenes (referidos de ahora en adelante como *Documentos Portugueses*).

36. Antonio Ferro, *Salazar, Portugal and her Leader*, Faber and Faber, Londres, 1939, p. 49.

37. *Doctrine and Action*, p. 26.

El doctor Salazar, como aún le llaman sus compatriotas, se encontró al llegar al poder con un país sumido en la miseria, que tenía una tasa de analfabetismo superior al cincuenta por ciento, que carecía de industria y que padecía una estructura social y agraria puramente feudal. Un país que, con toda la gloria imperial de su pasado y una tradición minoritaria pero sólida de cultura, estaba, al igual que su temido vecino España, aún lejos de la Europa del siglo xx.

Al establecer el sistema corporativo, Salazar pretendió, sin engañar a nadie, instaurar un «régimen popular, pero no un gobierno de masas, influido y dirigido por ellas».[38] Claramente, no creía en la capacidad de autogobierno y disciplina de los portugueses. «Somos antiparlamentarios, antidemócratas y antiliberales y estamos decididos a establecer un estado corporativo.»[39]

Esta visión paternalista de la política le llevó, de la desconfianza por la crítica y la oposición, a un duro sistema policial y a la represión de cualquier actividad crítica. Su convencimiento de que el pueblo portugués era inculto y estaba ineducado le llevó a retrasar indefinidamente la mayoría de edad intelectual y política de sus gobernantes («pongamos nuestra libertad en manos de la autoridad; sólo la autoridad sabe cómo administrarla y protegerla»).[40] Todo su montaje político estaba orientado hacia la consecución de un sueño: que le dejaran gobernar sin trabas, que se le permitiera alcanzar unas metas, el secreto de cuya obtención sólo él conocía. Él sabía lo que convenía al país y la Providencia le había colocado en el lugar idóneo para poner en práctica sus ideas. Estuvo más de cuarenta años en el poder, y, con ello, marcó indeleblemente al país.

Para hacerlo utilizó dos procedimientos:

1. Un sistema político silencioso, sin alteraciones, en el que todas las fuerzas de la nación estuvieran contenidas y retenidas. Solamente en los últimos años de su gobierno tuvo dificultades internas reales, pero hasta el final conservó en la inmensa mayoría de su pueblo —un pueblo básicamente conservador— la adhesión

38. Ferro, op. cit., p. 77.
39. *Doctrine and Action*, p. 29.
40. Ferro, op. cit., pp. 154-155.

y la popularidad, casi la reverencia que se siente por un padre.

2. Una política económica rígida y deflacionaria. Desconfió siempre de los milagros económicos. Lo más importante para él fue el mantenimiento del valor de la moneda y no tuvo inconveniente en manifestar su oposición a una política de desarrollo que pusiera al país al borde de la inflación. Restringió las inversiones extranjeras y limitó la política crediticia, retrasando así el desarrollo armónico de la economía. No se trataba, como en la Italia de Mussolini, de estimular la autarquía para preparar la guerra. Salazar quería desarrollar al país, en lo posible, por sus propios medios, para no hipotecar su futuro a manos de los inversores extranjeros. Para ello contaba con unas colonias ricas y moderadamente prósperas: se entiende muy bien su preocupación por conservarlas. Con todo, en pocos años, las metas económicas alcanzadas fueron muy considerables. Se construían carreteras y ferrocarriles, se extendía la electrificación del país, se cultivaban nuevas tierras (doscientos mil acres habían sido puestos en explotación en 1936). El desempleo se había reducido a finales de 1935 a menos del uno por ciento de la población. Los salarios eran aún muy bajos, pero la economía rendía más y el país dependía menos de las importaciones: el déficit de la balanza de pagos se redujo en un treinta y cinco por ciento en ocho años, de 1928 a 1936. La tasa de crecimiento era baja pero constante.[41]

En política exterior, Salazar fue un sólido defensor de sus intereses nacionales y luchó siempre por restablecer en el mundo la posición que creía debía ocupar Portugal. Procuró orientarse sobre tres polos: fortalecimiento de la alianza secular con Gran Bretaña, conservación del imperio a través de la neutralidad y mantenimiento de la identidad portuguesa frente a España.

Al estallar la guerra civil española, Salazar se dio cuenta inmediata del peligro que representaba para la seguridad de Portugal y tuvo que decidir rápidamente el curso a seguir. Como ha puesto de manifiesto el general Santos Costa, que a la sazón era subsecretario de Guerra en Lisboa, había tres posibilidades de actuación.[42]

41. West, op. cit., pp. 13-14, cit. Kay, op. cit., pp. 82-83.
42. *Documentos Portugueses*, prólogo al volumen III, pp. IX y ss.

1. «Desinterés por el resultado de la lucha o colaboración con las autoridades gubernamentales.»

2. Aprovechando las fuertes corrientes separatistas, favorecimiento de la «fragmentación de España en pequeños estados peninsulares, provocando su debilitamiento» en provecho de la fortaleza de Portugal.

3. Colaboración con los nacionales para hacer de la Península un «elemento de primera importancia en la defensa de los valores fundamentales de la civilización cristiana».

La primera alternativa fue, naturalmente, descartada. Un Gobierno como el de Portugal no podía menos de despertar las antipatías de los partidos socialista y comunista, y buena prueba de ello fue la constitución en Madrid, durante el mes de mayo de 1936, de un «Comité de Amigos de Portugal» —entre los que figuraban Álvarez del Vayo y la Pasionaria— para ayudar «en todas sus formas a las víctimas del fascismo portugués».[43] Se comprende fácilmente el recelo con que Salazar hubo de acoger el establecimiento del Frente Popular en España, sobre todo si se tiene en cuenta que una de las más caras aspiraciones de los partidos de extrema izquierda españoles era la creación de una República Ibérica, rompiendo una frontera que siglos de historia habían hecho insalvable. Largo Caballero había hablado recientemente de ello, en una entrevista concedida al periodista norteamericano Kno'blaugh del *New York Times*, cuando el líder español estaba aún en la cárcel de Madrid en 1935. Además, según aseguran fuentes conservadoras y sin que exista prueba real de ello, en una reunión del Komintern, el 27 de febrero del mismo año, se había decidido enviar a Bela Kun y a Losovski a España con la misión, entre otras, de provocar una guerra contra Portugal, a título de experiencia de guerra revolucionaria. Para Salazar no había duda sobre lo que ocurriría si ganaba la lucha el Gobierno republicano: «el aniquilamiento de todos los valores espirituales de la gran patria del Cid». Una España comunista era un fruto demasiado tentador para la Unión Soviética y, si se conseguía añadirle Portugal, Stalin ten-

---

43. Boaventura, *Madrid-Moscovo. Da Ditadura à República e à Guerra Civil de Espanha*, Lisboa, 1937, p. 72.

dría en su mano el control del Mediterráneo y de las rutas marítimas africanas.

La segunda posibilidad, la de la *balcanización* española, era más tentadora. Portugal adquiriría, con la desmembración de España, la hegemonía peninsular. Si las izquierdas españolas eran un peligro para la nación lusa, no podía olvidarse, como había de decir Salazar,

> la antigua tradición imperial de la monarquía absoluta; la tradición federalista de la primera República; las variadas tácticas de infiltración y captación de la monarquía constitucional borbónica; ... las características, mentalidad y tendencias de una parte de la Falange.[44]

Eran constantes, desde todos los ángulos, las amenazas a la nacionalidad portuguesa. La tentación del «divide y vencerás» debió de ser fuerte. Pero el Gobierno portugués consideró que la «pulverización política de la antigua Iberia sería, en primer lugar, un foco de constantes perturbaciones en la Península» y, en segundo lugar, «una puerta abierta a la invasión comunista».[45]

La tercera alternativa, la de la colaboración con los nacionales, era claramente la más atractiva. No sólo por las semejanzas de carácter político existentes entre Portugal y los nacionales, sino porque en el mantenimiento de la «occidentalización» de la Península estaba la mejor garantía de amistad e independencia. Salazar escogió, y lo hizo cordialmente, esta carta y no se equivocó. Ofreció ayuda a Franco y, al terminar la guerra, recibió gratitud y colaboración. Durante la segunda guerra mundial, Portugal fue el enlace entre los aliados y España y la mejor garantía de y para la neutralidad de ésta:

> Conocemos los sentimientos del general Franco y confiamos en ellos, pero tenemos que pensar en la posible marcha de los acontecimientos después de la guerra y su victoria en ella. La posición asumida por Inglaterra desde el principio de la guerra

---

44. *Documentos Portugueses*, I, p. 360.
45. Ibídem, III, p. XIV.

fue equivocada y, aunque la cambiase ahora, es dudoso que los yerros tuvieran remedio. Se piensa en Inglaterra que, terminada la guerra, España necesitará de ayuda para su reconstrucción y que, no estando Alemania o Italia en condiciones de prestarla, el gobierno de España tendrá que volverse hacia Inglaterra... No tienen en cuenta cuánto puede una nación cuando se decide a sufrir, ni cuántas riquezas naturales posee España que permiten que las financiaciones vengan de otro lado. A los yerros de Inglaterra se suman los aún mayores de Francia... Así, se permitió que se estableciera en España, en detrimento de aquellos países, una creciente influencia alemana e italiana, sobre todo alemana, en el campo económico y político. Obra en favor nuestro y en el de la propia Inglaterra el que la posición política de Portugal ante la España nacionalista sea fuerte y que Alemania e Italia no aparezcan como sus únicos grandes amigos.[46]

De todo ello se desprende que Salazar debió de recibir la noticia del alzamiento nacional con un sentimiento de alivio. Desde el principio, Portugal fue un sólido refugio para los nacionales al tiempo que un lazo de unión entre sus dos zonas cuando Badajoz aún estaba en manos republicanas.[47] Desde luego Salazar se lo jugaba todo a una carta: si la República dominaba la rebelión, los días del vecino Gobierno habían de estar sin duda contados: Madrid no tardaría en declararle una guerra en la que la debilidad militar portuguesa llevaba todas las de perder. Pero éste era un caso político sin opción y, como indicó el encargado de Negocios alemán en Lisboa, el Gobierno luso «se ha fijado el bien definido programa de apoyar a los revolucionarios con todas sus fuerzas, al punto de no dejar subsistir más que la apariencia de una neutralidad formal», impuesta en este caso por las presiones de Gran Bretaña.[48]

Portugal, en consecuencia, no podía considerar seriamente

46. Ibídem, I, p. 361. Conversación de Salazar con el embajador británico el 5 de mayo de 1938.

47. Existe evidencia de un tren que llevó municiones de Sevilla a Burgos a través de Portugal (*Documents on German Foreign Policy*, loc. cit., p. 43).

48. *Documents on German Foreign Policy*, loc. cit., p. 42. El propio Salazar dijo el 1 de agosto que apoyaría a los nacionales con todos los medios a su disposición, incluso con el ejército, si era necesario, ibídem, p. 25.

la adopción de una postura neutral. Y así, el 21 de agosto, una nueva nota, complementaria de la de adhesión de principio a la no intervención, y que constituye la declaración de aceptación formal del acuerdo, indicaba las reservas y condiciones impuestas por Lisboa. He aquí sus puntos principales:

1. Adhesión de principio a la declaración francesa y garantía de que Portugal se abstendría en el futuro de cualquier injerencia directa o indirecta en los asuntos de España.

2. Sin embargo, Portugal no consideraría «injerencia directa o indirecta» los actos a que le forzaran las circunstancias:

a) para defender el orden público, la vida, los bienes y la libertad de los portugueses, la integridad territorial y la seguridad nacional;

b) para la aplicación de las convenciones impuestas por las circunstancias de la guerra;

c) para mediar entre las partes en lucha;

d) para la defensa contra los regímenes socialmente subversivos que se estableciesen en España;

e) para el mantenimiento de las relaciones con las autoridades centrales y locales que ejerciesen de facto el Gobierno;

f) para el reconocimiento de beligerancia de las fuerzas en lucha o de un nuevo Gobierno.

En lo demás, la nota portuguesa ratificaba en sustancia el texto de la nota francesa, pero solicitando que se propusieran «formas de control más severo para establecerlo cerca de las empresas productoras de material bélico» y especificando que Portugal se consideraría desligado de sus obligaciones en el caso de que alguno de los signatarios se dedicara a la colecta de fondos o al reclutamiento de voluntarios, dos hechos que consideraba «violación de la obligación de no injerencia directa o indirecta».[49]

Evidentemente, nadie podía hacerse ilusiones sobre una nota con tantas reservas y condiciones, que colocaban a Portugal, en la práctica, al margen del acuerdo. De este modo, el pacto nacía viciado y estaba, desde el principio, condenado al fracaso.

---

49. NIS (36), 2 (FO 849/2). También aparece este documento en Ministério dos Negócios Estrangeiros, *Dez Anos de Política Externa. A Nação Portuguesa e a Segunda Guerra Mundial*, Imprenta Nacional, Lisboa, 1964, p. 177, vol. III.

El 21 de agosto por la tarde, el ministro de Asuntos Exteriores portugués, Armindo Monteiro, recibió al embajador británico, sir Charles Wingfield. Éste, en su despacho de Londres, dice:

> Lo encontré extremadamente nervioso. Dijo que la situación le recordaba la de julio de 1914 y me pidió que informara a vuecencia de las noticias que tenía el Gobierno de Portugal de que fuerzas insurgentes habían sido bombardeadas en Navalperal (en las montañas del Guadarrama) por quince aviones franceses con la bandera francesa aún pintada en sus costados. El día antes aviones franceses habían volado desde Francia para bombardear a las fuerzas insurgentes en Tolosa y Oyarzun (en las provincias vascas), volviendo después a Francia. Añadió que «fuerzas comunistas» en el frente de Guipúzcoa habían recibido gran cantidad de material bélico de Francia. Se mostró convencido de que el Gobierno alemán aprovecharía la ocasión para intervenir activamente en favor de la otra parte, y me manifestó estar muy inquieto sobre el final que todo esto tendría.
>
> Le hice notar que el acuerdo propuesto intentaba precisamente evitar semejante situación.

A continuación, Monteiro enseñó a Wingfield la nota de adhesión formal de Portugal al Acuerdo de No Intervención, explicando uno por uno los diferentes puntos contenidos en ella:[50]

> Con respecto a la reserva *a*), el doctor Armindo Monteiro me hizo notar que muchos portugueses viven al otro lado de la frontera española... y que había habido muchos incidentes a lo largo de ella. Bandas de españoles habían atravesado la frontera y cuando el Gobierno portugués se había quejado al español, la respuesta había sido que debían haber sido las fuerzas portuguesas las que debían haber perseguido a las bandas a través de la frontera para castigarlas.

Con respecto a la reserva *e*) Monteiro explicó que, dadas las conexiones geográficas entre España y Portugal, era inevitable que se produjeran contactos con las autoridades rebeldes y que

---

50. Véase supra, p. 142.

—en lo que a la reserva *f)* se refería— aunque Portugal no pensaba reconocer la beligerancia de los insurgentes por el momento, en vista de las constantes complicaciones que surgían en la frontera, era posible que se considerara esa actitud en el futuro para poder aplicar en todos los casos las disposiciones del derecho internacional de guerra.

> En un momento de la conversación, el ministro portugués me explicó que Portugal no había suministrado armas a España ya que ni siquiera había suficientes para el ejército portugués. Le pregunté, pidiendo perdón por la insolencia, si esto era realmente así, porque me habían hablado de entregas de material bélico luso en Vigo. Apresuradamente me dijo que él también había oído que un barco enarbolando la bandera portuguesa había desembarcado allá, y que estaba haciendo las averiguaciones pertinentes. Parecía ser de la opinión de que las armas eran llevadas del sur de España a este puerto del norte, pero me aseguró no saber nada concreto. Mi pregunta se basaba en información muy confidencial enviada por el cónsul británico en Vigo en el sentido de que habían sido desembarcados veintitrés vagones de material bélico en el mayor de los sigilos.[51]

Posteriormente, el 29 de agosto, Eden envió a Wingfield un telegrama en el que se indicaba que

> el Gobierno francés considera la respuesta portuguesa... extraordinariamente embarazosa puesto que contiene reservas que podrían hacer que otros gobiernos consideraran que la condición de unanimidad que exigen no se cumple en el caso de Portugal.

Las reservas impuestas por Portugal podrían ser aceptadas si no hubieran sido puestas para retrasar la entrada en vigor del acuerdo. Pero «desafortunadamente» las intenciones portuguesas no podían ser más claras, como se desprendía de la lectura de las notas de este Gobierno en las que se hacía depender la acep-

---

51. Sir C. Wingfield a Eden el 22 de agosto de 1936. Recibido el 29 de agosto. *Documents of the Foreign Office*, FO 371/20573, W 9906/9549/41, doc. 142.

tación del acuerdo de la promulgación satisfactoria para Lisboa de normas de restricción de tránsito y entrega de armas por otros Gobiernos signatarios.[52]

Gran Bretaña contesta afirmativamente

El 15 de agosto, Eden entregó a Corbin una nota en la que, además de manifestar la satisfacción del Gobierno británico porque «las negociaciones que se han celebrado entre el Gobierno de Su Majestad y el Gobierno francés hayan dado lugar a un acuerdo sobre la actuación común que debe ser observada en relación a la situación en España», se repetía textualmente la nota original francesa.[53] Sin embargo, en lo que hacía referencia a la reexportación y tránsito de armas y material militar, el Gobierno británico hacía notar que había «dificultades prácticas... para que la prohibición se aplique con entera eficacia», puesto que lo realmente grave sería «el tráfico terrestre a través de los países limítrofes con España».[54]

Al mismo tiempo, en el Foreign Office se empezaba a considerar la posibilidad de que el Acuerdo de No Intervención no tuviera éxito. ¿Cuál había de ser la política en este supuesto? Una nota interna del ministerio, fechada el 20 de agosto y firmada por sir Gerald Mounsey (uno de los subsecretarios del Foreign Office), resulta reveladora:

---

52. *Documents of the Foreign Office,* FO 371/20573, W 9781/9549/41, doc. 69. El telegrama terminaba diciendo que, «por otra parte, el Gobierno francés considera que esta cuestión no puede ser dejada a la decisión de un Gobierno solo, sino que debe ser tratada por todos los Gobiernos interesados por medio de un comité coordinador cuyo establecimiento se propone ahora... Al mismo tiempo debe informarles que hemos sabido que un barco británico, el *City of Manchester,* ha salido de Hamburgo con dirección a Lisboa, llevando una carga que incluye 15 aviones de bombardeo, 50 toneladas de bombas, 100 ametralladoras de avión, algunas ametralladoras de tierra y 250 toneladas de municiones. Debe usted intentar conseguir que el Gobierno portugués le dé garantías categóricas de que este ... material ... no abandonará el país con destino a España». La garantía fue posteriormente dada por Monteiro, que aseguró que el material bélico referido se destinaba al rearme del ejército portugués.

53. Vid. supra, p. 128.

54. NSI (36), 2.

...Alemania e Italia siguen siendo las incógnitas y es difícil saber si alguno de estos dos países está dispuesto a unirse a la no intervención, o siquiera si dudan por razones legítimas o con la intención deliberada de retrasar indefinidamente la entrada en vigor del acuerdo. Si realmente quieren unirse a las otras potencias, esto se verá en pocos días. En caso contrario, parece que el Gobierno francés no podrá mantener indefinidamente la línea de conducta que se ha impuesto en la esperanza de conseguir un acuerdo general... y nos enfrentaremos en breve con la peligrosa situación de un apoyo francés al Gobierno español en lucha con unos rebeldes apoyados a su vez inevitablemente por Alemania, Italia y Portugal.

¿Cuál debe ser la actitud británica? Las alternativas posibles deben, desde luego, excluir «como contraria a todos nuestros principios de corrección y justicia» la ayuda a los rebeldes. Quedan tres posibles soluciones:

1) Mantener nuestra anterior política de imparcialidad, des-incentivando la entrega de armas y municiones a cualquiera de los dos bandos y encontrando razones para no conceder licencias de exportación de armas hacia España...

2) Adoptar una política similar a la que hemos observado en condiciones normales respecto de otros Gobiernos: es decir, conceder licencias de exportación sólo cuando existan garantías de que el material bélico será destinado por el Gobierno español únicamente a usos defensivos.

3) Permitir la exportación de armas a cualquier parte de España.

Naturalmente, continúa el informe, existen objeciones a las tres soluciones propuestas. La primera, a medida que vaya pasando el tiempo, será más difícil de justificar y el Gobierno español acabará acusando al británico de parcialidad, alterando su actitud respecto de Gran Bretaña si gana la guerra. La segunda tendrá el mismo resultado respecto de los rebeldes, aunque la gravedad es menor porque en el fondo Gran Bretaña se estaría poniendo de parte de Francia, contra Alemania, Italia y Portugal. Pero nos impediría la adopción de una actitud imparcial que en el fondo y cara al futuro debe ser nuestra carta más importante a la hora de renovar las relaciones con cualquiera de los bandos que resulte ser el vencedor y nos impediría ofrecer... una mediación en España, si surgiera la oportunidad.

La tercera daría lugar a la misma acusación por parte del Gobierno español. Mounsey se muestra partidario de la primera solución, aunque se da perfecta cuenta de los riesgos que tiene cara al interior del país:

> Naturalmente, suministrará a la prensa de la oposición una excelente oportunidad de atacar al Gobierno por negarse a apoyar el principio de la democracia al no querer ayudar a Francia en sus esfuerzos por salvar al régimen democrático español de los ataques del fascismo...[55]

Eden, el 21 de agosto, anotó al final del informe:

> Estoy de acuerdo en que la solución primera es la más recomendable por el momento y, en lo que puede preverse, para el futuro. Este futuro es, sin embargo, tan incierto, que habremos de revisar nuestra postura nuevamente si el intento de no intervención fracasa.[56]

Alemania e Italia se adhieren

El mismo día 15, Neurath entregaba a François-Poncet una nota en la que manifestaba que el Gobierno alemán estaba en principio de acuerdo con la proposición francesa, pero que su puesta en práctica dependía del cumplimiento de las condiciones siguientes:

1. Liberación del «aeroplano civil» alemán aún detenido en Madrid.
2. Adhesión al pacto de países (no incluidos en la nota francesa) con industrias capaces de producir material bélico.

55. *Documents of the Foreign Office*, FO 371/20573, W 9717.
56. Ibídem.

3. Extensión de las obligaciones a personas y sociedades privadas.

4. Prohibición de salidas de voluntarios hacia España.[57]

Sin embargo, el día 20, el barón Welczeck, embajador de Alemania en París, comunicó a la Wilhelmstrasse su opinión de que la no adhesión de Alemania al acuerdo habría de resultar desventajosa para los nacionales. Todo retraso en este sentido no haría más que empeorar la situación de los rebeldes, puesto que Blum, de no concluirse el pacto, acabaría recuperando su libertad de movimientos para apoyar decididamente a la República en España.[58] No se trataba de cortar la ayuda a los nacionales; se trataba de esposar a Blum e impedirle que siguiera favoreciendo al bando republicano. El 24 de agosto, el Junker detenido en territorio republicano no había sido aún devuelto; sin embargo, el Ministerio de Asuntos Exteriores alemán entregó al embajador francés una nueva nota en la que se decía que, pese a no haberse alcanzado aún acuerdo satisfactorio con el Gobierno de Madrid en relación al avión, dado que el Gobierno de Alemania comprobaba que muchos países se habían adherido a la declaración francesa, no quería retrasar más su inmediata puesta en funcionamiento, y aceptaba *in toto* las propuestas de Blum.[59]

La adhesión italiana, que tuvo lugar el día 21, tiene una particularidad interesante. Tras reiterar las reservas formuladas inicialmente sobre la intervención «ideológica y espiritual»,[60] se repiten los puntos de la nota francesa, para terminar con la siguiente declaración:

> Ya que en la propuesta francesa se habla también de injerencia indirecta sin precisar de qué se trata, el Gobierno italiano quiere manifestar que interpreta la injerencia indirecta en el

---

57. NIS (36), 2. También citado en *Documents on German Foreign Policy*, loc. cit., p. 45.

58. *Documents on German Foreign Policy*, loc. cit., p. 49.

59. NIS (36), 2.

60. Vid. supra., p. 125.

sentido de que no son admisibles en los países adheridos al acuerdo suscripciones públicas o alistamientos de voluntarios para una u otra de las partes en lucha. El Gobierno italiano, al aceptar adherirse a la no intervención directa, tiene el honor de mantener sus observaciones en lo que se refiere a la no intervención indirecta.[61]

Esta salvedad es hábil. En efecto, una primera lectura da la sensación de que existe una respetuosa protesta porque no se hayan fijado claramente los términos de la intervención indirecta. Pero un examen más atento revela que lo que en el fondo está implicando la nota italiana es que se desliga del acuerdo en lo que hace referencia precisamente a la injerencia «ideológica y espiritual» ya referida, guardando las manos libres para proceder como mejor le parezca.

No había sido fácil conseguir la aceptación italiana. Gran Bretaña se había visto obligada a ejercer toda la presión de la que era capaz para convencer a Mussolini de que era la actitud del Gobierno italiano «la que aparecía ahora como casi el único obstáculo a la rápida firma y puesta en vigor del acuerdo».[62]

El 17 de agosto, el encargado de Negocios británico en Roma se había entrevistado con Ciano para decirle que

lo que más se necesitaba en este momento era una confianza mutua en las buenas intenciones de los que se encontraban al margen de la lucha española por minimizar, dentro de las posibilidades de cada uno, las repercusiones del conflicto. Temía seriamente que la actitud del Gobierno italiano estuviera minando lentamente esta confianza. El conde Ciano rechazó estas sospechas con calor y me dijo que podía darme las seguridades más categóricas y formales, que me pedía transmitiera a Vuecencia, de que *ni el Gobierno italiano ni ningún italiano habían tenido relaciones de cualquier tipo con el general Franco* y que tampoco había nada de cierto en las sospechas de que Italia había celebrado o pensaba celebrar acuerdo alguno con los

---

61. NIS (36), 2.
62. *Documents of the Foreign Office*, FO 371/20572, W 9621/9549/41, p. 60; despacho 925 de 18 de agosto del encargado de Negocios en Roma.

rebeldes para la cesión de Ceuta, del Marruecos español o de las islas Baleares.[63]

Hacía ya más de dos semanas que los primeros aviones italianos habían llegado a Marruecos. Gran Bretaña se dio progresivamente cuenta de estas intervenciones que pronto se convertirían en violaciones al Acuerdo de No Intervención y, a partir del mes de septiembre, empiezan a aparecer en los documentos ingleses notas manuscritas y comentarios, especialmente de Eden, mostrando desencanto y acusando sobre todo a Francia de duplicidad. «Me parece que somos los únicos que nos tomamos el acuerdo en serio.»[64]

Aunque en algunas gestiones diplomáticas, sobre todo con Francia,[65] el Gobierno británico había manifestado no sentir inquietud alguna por la actitud de Italia frente al conflicto español y por las posibles repercusiones de esta actitud en la situación política del Mediterráneo, durante todo el mes de agosto se consideró en Londres la conveniencia de manifestar públicamente cierta preocupación, advirtiendo de forma indirecta a Mussolini (a quien se consideraba baza importante en el apaciguamiento de Hitler y en el equilibrio continental). La advertencia fue cuidadosamente estudiada y, tras discusión en el Comité británico de Política Exterior, en su sesión de 25 de agosto,[66] se envió al encargado de Negocios en Roma el siguiente telegrama:

> Debe aprovechar la primera ocasión que se presente para indicar verbalmente al ministro de Asuntos Exteriores que su aseveración de que el Gobierno italiano no había tenido tratos con el general Franco ha sido transmitida por usted al Gobierno de Su Majestad... que... ha recibido estas seguridades con satisfacción, *puesto que cualquier alteración en el statu quo del*

---

63. Ibídem; el subrayado es mío.
64. FO 371/20576; doc. W 10993/9549/41.
65. Vid. pp. 127 y ss.
66. *Documents of the Foreign Office*, FO 371/20573, FP (36) 5th Meeting, 127. Estuvieron presentes, entre otros, Ramsay MacDonald, Eden, Chamberlain y Samuel Hoare.

Mediterráneo occidental es motivo de la más grave preocupación para el Gobierno de S. M.[67]

El telegrama terminaba diciendo que, para hacer esta comunicación, el encargado de Negocios no debía pedir audiencia especial, sino que debía utilizar cualquier otro pretexto y «emplear la fórmula exacta indicada sin añadirle nada».[68] Ello indicaría un especial cuidado en el Gobierno inglés por no ofender a Italia y preocupación porque en ningún momento Mussolini pudiera pensar que se le estaba amenazando o presionando.

También existe una carta interesante de Ingram, el encargado de Negocios en Roma, a un colega suyo en el Foreign Office, en la que manifiesta haber tenido al tanto de todas las negociaciones sobre la no intervención al embajador norteamericano y que cree que las presiones ejercidas por éste sobre Ciano han sido decisivas para la entrada de Italia en el acuerdo.[69] Esto, probablemente, tiene relación con las seguridades dadas por Estados Unidos de que su no adhesión a la no intervención no significaba repudio de la misma, como quedó claro al establecerse en Washington el «embargo moral».[70]

La actitud de la Unión Soviética

El 23 de agosto, el comisario soviético para Asuntos Exteriores, Litvinov, comunicaba al embajador de Francia en Moscú que la Unión Soviética se adhería a la declaración francesa.[71] Aunque el día 8 Blum había firmado el decreto de embargo de armas conforme a las obligaciones contraídas y Baldwin había hecho lo mismo el 15 (desde el momento en que supo que algunos aviones británicos habían volado privadamente a la zona nacional),

---

67. Ibídem, FO 371/20574, W 9621/9549/41, telegrama cifrado 342 a Roma; el subrayado es mío; el término *grave preocupación* es incorrecto, pero fiel traducción de *closest concern*.
68. Ibídem.
69. Ibídem, 10293, carta de 24 de agosto.
70. Vid. infra, p. 147.
71. NIS (36), 2.

Rusia retrasó la adopción de medidas de este tipo hasta el día 28, es decir, hasta que tuvo conocimiento de los decretos similares de Italia, Alemania y Portugal. Este retraso, que había sido ya anunciado por la nota de dos días antes, fue explicado por *Pravda* el día 24:

> De resultas de ello [de los embargos británico y francés], se ha producido una situación en la que los rebeldes reciben sin interrupción material de guerra de Alemania e Italia, mientras que al Gobierno legítimo de España le es negada esta posibilidad si acude a Francia y a Inglaterra.[72]

Así se iniciaba la doble política de la Unión Soviética: de un lado, ayuda a la República española para contrarrestar la intervención de Alemania e Italia, y de otro, apoyo a la No Intervención para evitar mayores complicaciones internacionales.

Stalin oscilaba de una posición a otra sin acabar de decidirse: por una parte, la victoria de Franco dejaría a Francia, como ha sido indicado repetidamente, encerrada en un cerco de tres naciones, con lo que Hitler tendría las manos libres para atacar a Rusia, sin preocuparse de cubrir sus espaldas: sus intenciones, explicadas detalladamente en el *Mein Kampf*, no dejaban lugar a dudas en este aspecto, y su enemistad por el comunismo, harto probada con las liquidaciones de los partidos socialista y comunista alemanes, se concretaba en su voluntad abiertamente declarada de construir un imperio germánico a costa de la Rusia soviética. Esta razón era suficiente para justificar una intervención soviética en España. Sin embargo, Stalin también sabía que una cosa así asustaría a Francia y a Gran Bretaña, sus potenciales aliados contra el fascismo, y que sería uno de los pocos motivos generadores de una conflagración mundial. Además, en Francia, aún no habían disminuido las reticencias de la derecha ante la firma en 1935 del Acuerdo franco-soviético, recientemente ratificado; la intervención rusa en España había de provocar con toda certeza, o por lo menos así parecía pensarlo Stalin, su rescisión. La Unión Soviética no estaba preparada para una guerra mundial, como

---

72. Cit. en Cattell, p. 19.

tampoco lo estaba en 1941, cuando las *Panzerdivisionen* germanas cruzaron sus fronteras. La solución inicial más cómoda aparentaba ser, desde luego, la solución negativa: no asegurar la victoria de la República, pero sí impedir la de los nacionales. Lo que Stalin no quería en ningún caso, al igual que Francia, era empeñarse en una carrera de armamentos con Alemania.

Al parecer, en efecto, la preocupación principal del líder soviético en aquella época fue Alemania, su más directa amenaza. Cattell analiza este momento de una manera particularmente brillante, al indicar que Stalin se enfrentaba con una triple disyuntiva: primero, construir un sistema europeo de seguridad colectiva, de tal modo que se restringieran al mínimo las posibilidades de una agresión nazi; segundo, empeñar a Hitler en una guerra de desgaste y arruinar su poderío militar antes de que pudiera consumar su agresión contra el Oriente europeo, y tercero, intentar apaciguarle.[73]

Estas tres posibilidades no deben entenderse como alternativas, sino más bien como un juego que Stalin dosificó al calor de las circunstancias durante los años que precedieron a la segunda guerra mundial.

Desde el punto de vista de la estrategia revolucionaria comunista no puede olvidarse que no eran los enfrentamientos armados, sino, por el contrario, el libre juego de las fuerzas políticas a través de los Frentes Populares lo que interesaba a los soviéticos.

Las primeras indicaciones de una política soviética de apaciguamiento datan del año 1934, con la entrada de Rusia en la Sociedad de Naciones. Lo que pretendía Stalin era atraerse a las democracias occidentales, demostrándoles que la alteración de la paz en un solo punto constituía una amenaza para todos; desde este punto de vista, su intervención en España, aparte de razones de índole interna, podría ser considerada como un estímulo puesto ante Francia para que Blum se decidiera a interesarse por su propia seguridad y para, retrasando la victoria de Hitler y Mussolini, dar tiempo a Francia y Gran Bretaña a reaccionar. Gran Bretaña, sin embargo, como ya ha sido indicado, veía la situación de otro modo y su empeñado neutralismo desvirtuó el plan ruso en lo

73. Cattell, op. cit., pp. 33 y ss.

que tenía de política continental. Claro que con ciertas limitaciones porque sería erróneo pensar que la no intervención fue un éxito y que Francia, desoyendo la voz de Stalin, nunca llegara a intervenir en España.

Por otra parte, mantener a Hitler y a Mussolini en España resultaba tarea relativamente fácil y este punto fue cumplido puntualmente.

Por fin, la idea de la alianza con Hitler nunca fue una realidad muy sólida, incluso cuando años más tarde llegó el Pacto germano-soviético. Krivitski escribió que la idea de Stalin

> era incluir a España en la esfera de influencia del Kremlin. Tal dominio hubiera asegurado sus lazos con París y Londres y, por otro lado, hubiera reforzado su posición negociadora frente a Berlín. Una vez dueño del Gobierno español... habría encontrado lo que buscaba; ser una fuerza con la que había que contar, un aliado deseable.[74]

Su error, probablemente, fue no pensar que Hitler nunca habría de ser un amigo seguro, como la historia posterior tuvo ocasión de demostrar.

Es significativo que el 29 de agosto, cumpliendo un acuerdo de establecimiento de relaciones firmado años antes, Rosenberg presentara al presidente Azaña sus cartas credenciales como embajador soviético en Madrid, apenas una semana después de la adhesión rusa al Acuerdo de No Intervención. En su discurso, Rosenberg dijo que «el Gobierno de la Unión Soviética ha deseado que se establezcan lazos de perfecta cordialidad entre nuestros países», al tiempo que pedía «vivamente que, en el ejercicio de la alta misión de que estoy encargado, me sea concedida la confianza de vuecencia, así como el apoyo de la República española».[75] Palabras de trámite, por supuesto, pero que no dejan

---

74. Walter Krivitski (jefe soviético de la Inteligencia Militar en la Europa occidental), *In Stalin's Secret Service*, Harper & Row, Nueva York, 1939, p. 76. Citado por Cattell, p. 36.

75. *Gaceta de Madrid*, 30 de agosto de 1936. Según el periódico *Daily Mail*, Rosenberg llegó a Madrid acompañado de 140 criados..., de los que 138 eran aviadores rusos (citado en *Dez Anos de Política Exterior*, vol. III, p. 405).

de tener relevancia a la vista de los acontecimientos internacionales del momento.

Entrada en vigor del acuerdo

Así, del modo que ha sido descrito, Francia, Italia, Portugal, Rusia y Alemania entraban en el doble juego que había de ser el rasgo típico y vergonzoso de la no intervención en la guerra de España. Gran Bretaña, copatrocinadora de la idea, se sumaba a estas naciones pero con muchas más reservas que ellas sobre la idea, como ha de verse.

El esquema estaba casi completo. El 3 de septiembre se habían adherido a la declaración francesa Albania, Austria, Bélgica, Bulgaria, Checoslovaquia, Dinamarca, Estonia, Finlandia, Grecia, Hungría, Irlanda, Letonia, Lituania, Luxemburgo, Noruega, Países Bajos, Polonia, Rumania, Suecia, Turquía y Yugoslavia.[76] A estos países se añaden los ya conocidos, Francia, Gran Bretaña, Italia, Alemania, Portugal y Unión Soviética. En total, veintisiete naciones; quedaba fuera del acuerdo Suiza, que habiendo prohibido la exportación de material bélico a España,[77] en razón de su neutralidad permanente, no podía participar en convenciones de tipo bélico o parabélico.

76. NIS (36), 2. Todos los adherentes manifestaron su voluntad por medio de notas firmadas a los embajadores de Francia en los distintos países, y en todas las notas se repetía, con leves alteraciones, la sustancia de la comunicación francesa: 1) prohibición de exportación y tránsito de armas y material bélico; 2) suspensión de los contratos en curso, y 3) compromiso de comunicación de las medidas tomadas a los demás adherentes. Solamente Albania, Austria, Bulgaria, Checoslovaquia y Luxemburgo se abstuvieron de hacer referencia en sus respectivas notas al punto 2.

77. Por decreto del Ejecutivo, comunicado por nota a la Embajada de Francia en Berna [véase NIS (36), 2 B].

VIII. Estados Unidos y la guerra de España

Estados Unidos es raramente citado entre los grandes protagonistas de las relaciones internacionales de los años treinta.

Desde 1918 había vuelto francamente a la política del aislacionismo americano, de la que es buena muestra su ausencia de la Sociedad de Naciones. Estados Unidos no quería inmiscuirse directamente en los problemas europeos y se mantuvo constantemente apartado de ellos. Como había de suceder con el primer ministro Baldwin en Gran Bretaña, el presidente Roosevelt no tenía gran interés por los acontecimientos internacionales y, lo que es más, no quería hacer peligrar su política doméstica en el Congreso distrayéndolo con problemas extraamericanos. Esto paralizó en gran medida la actividad del Departamento de Estado, a cuya cabeza se encontraba a la sazón un viejo liberal ortodoxo, Cordell Hull. Aquellos años fueron la gran época de la política del *buen vecino* y de la «diplomacia ejemplar», una especie de apaciguamiento aislado muy similar al de la Gran Bretaña. De hecho, como dice Richard P. Traina,

en 1936, la política europea de Estados Unidos podía ser descrita, por muy inadecuada que esta definición resulte, como una política de actuar al unísono con Francia y Gran Bretaña, y especialmente con esta última. Es dudoso que el secretario de Estado adoptara esta postura con mucho entusiasmo, porque se oponía a la formación de bloques y prefería la acción colectiva que hubiera sido capaz de suministrar una Sociedad de Naciones eficaz. Más adelante, cuando los franceses propusieron el establecimiento de un Comité Europeo de No Intervención, principalmente para aislar la crisis española, cabía esperar de Hull que simpatizara con la idea.[1]

Con todo, y a pesar de la lejanía y de la diferencia de condicionamientos, el estallido de la guerra civil española tuvo enorme repercusión en Estados Unidos.

Con la sola excepción de la Gran Depresión y de las hostilidades que empezaron en septiembre de 1939, ningún acontecimiento público de los años treinta tuvo tanta importancia para tantos americanos como la guerra civil española. Americanos sensatos, muchos de los cuales jamás habían mostrado interés alguno por las cuestiones internacionales, se preocuparon grandemente por el destino de la República española y aún lo hacen hoy en día.[2]

A lo largo de la guerra civil se hicieron en Estados Unidos cuatro encuestas del Instituto Gallup. Sus resultados son muy interesantes: constantemente, entre el 24 y el 34 por ciento de los entrevistados carecieron de opinión, sin que se especifique cuántos de éstos se hallaban indecisos en cuanto a sus opiniones y cuántos simplemente ignoraban hasta la propia existencia del conflicto. De entre estos últimos, parece ser que el mayor porcentaje corresponde a los trabajadores no especializados, a los desempleados y a los campesinos del sur de Estados Unidos. El 23 por ciento de los profesionales y el 26 por ciento de la gente de negocios prefirió no comentar sobre la guerra.[3]

De entre las contestaciones positivas a las encuestas, pueden distinguirse, claro está, grupos claramente en favor o en contra

---

1. Richard P. Traina, *American Diplomacy and the Spanish Civil War*, Indiana University Press, 1968, pp. 17-18.

2. Allen Guttmann, *The Wound in the Heart, America and the Spanish Civil War*, The Free Press of Glencoe, Nueva York, 1962, p. 201. Para las reacciones de los americanos ante el conflicto, véase también F. Jay Taylor, *The United States and the Spanish Civil War, 1936-1939*, Macmillan, Nueva York, 1956. El libro del profesor Guttmann es un modelo de estudio monográfico, obra de un verdadero *scholar*, en la mejor tradición de la escuela historiográfica americana.

3. Guttmann, op. cit., pp. 207-208.

de los nacionales y de los republicanos. Estas posturas no pueden ser identificadas tan claramente, como sucedió en otros países, con las actitudes de derecha e izquierda.

En la derecha, y al extremo de ella, está un pequeño grupo de fascistas (los editores y suscriptores de revistas tales como *The American Bulletin* y *New Liberation*) que ven en la rebelión nacional la esperanza de repudio de la democracia liberal y de la «conspiración judaica». Otro pequeño grupo ultrarreaccionario, desde luego más coherente y mejor informado, está compuesto por poetas y escritores (como Ezra Pound y Santayana) que ven en el posible triunfo del Movimiento Nacional «el renacimiento de un orden social nacionalista y aristocrático».[4] Existen, por fin, las opiniones confesionales: la jerarquía y el 39 por ciento de los católicos se manifiestan en favor de Franco, lo que indica una mucho menor cohesión de lo que cabía esperar y, tal vez, una conciencia más política que religiosa en muchos americanos. Por el contrario, sólo el nueve por ciento de los protestantes en sus varias denominaciones se manifestó en favor de los nacionales. De las publicaciones confesionales, todas las católicas, menos dos (*Commonweal* y *The Catholic Worker*) que permanecieron neutrales, apoyaron a los nacionales, y todas las protestantes, menos una *(The National Republican)*, se inclinaron del lado de la República.

Entre los partidarios de la República está naturalmente una gran masa de americanos medios, herederos de la vieja tradición de la democracia liberal, que, por conciencia y por antipatía al fascismo o a la forma dictatorial de gobierno, adoptaron tal postura. Indudablemente, uno de los importantes y poco estudiados efectos negativos de la ayuda nazi a los nacionales fue la automática e irreconciliable enemistad de los muy influyentes sectores judíos norteamericanos, dominantes en ciertos aspectos decisivos de la opinión del país.

Finalmente, en la izquierda pueden distinguirse dos grupos significativos. En primer lugar, está la tendencia anarquista o si se quiere «primitivista», teñida de un cierto romanticismo americano, que considera la lucha de la República como un intento de volver al «florecimiento de una sociedad orgánica compuesta

4. Ibídem, p. 201.

por hombres completos y unida en una comunidad de intención».[5] Es la consagración del ideal sentimental de un mundo de gitanos y de campesinos. En segundo lugar se encuentra el grupo de los socialistas (ex comunistas y viejos marxistas tradicionales al estilo de Daniel de León) para quienes la lucha de los republicanos y su hipotética victoria hará que en España se llegue a la sociedad sin clases de Marx y Engels; estas gentes apoyaron al Frente Popular como mal menor para alcanzar esa meta, aunque abominaron tanto del triunfo de la democracia burguesa como del estalinismo.

En general, como concluye Guttmann su espléndido estudio sobre las reacciones americanas ante la guerra civil española, lo que se aprecia fundamentalmente en Estados Unidos es el violento y contradictorio impacto del conflicto español en la mentalidad liberal americana, y la dificultad de su encaje dentro de los moldes tradicionales de una sociedad ciertamente muy alejada de la española:

> ¿Cómo podía un católico declarar su adhesión a las tradiciones americanas y al mismo tiempo ser partidario de un dictador que, arrastrado por la Luftwaffe y por los veteranos de la campaña de Abisinia, intentaba llegar al poder a cualquier trance? ¿Cómo podían los demócratas liberales ayudar a la causa de la democracia española sin arriesgar otra guerra mundial? ¿Cómo podía ayudarse a la democracia española sin alienar a los mismos votantes católicos que habían ayudado a llevar a un liberal a la Casa Blanca? ¿Cómo podían anarquistas convencidos justificar la participación de sus hermanos españoles en el Gobierno? ¿Cómo podían ser los marxistas partidarios de un Gobierno que incluía a liberales, anarquistas, hombres de negocios conservadores y católicos vascos? ¿Cómo, por otra parte, podían las señoras de los clubs elegantes congeniar con revolucionarios convencidos?[6]

Desde el punto de vista político, el estallido de la guerra civil española no sorprendió a Washington. En más de una ocasión, el

---

5. Ibídem, p. 203.
6. Ibídem, pp. 209-210.

embajador americano en Madrid, Bowers, había advertido al Departamento de Estado de la posibilidad de que se produjera un levantamiento del ejército. Pero la visión de los problemas europeos era demasiado confusa en Washington como para anticipar una política clara y, además, como indica el profesor Traina, lo que pasaba en España era de importancia secundaria para los políticos americanos. «Lo que más les importaba era lo que los británicos y los franceses creían que estaba pasando o iba a pasar»,[7] y como consecuencia de ello, la política franco-británica acabó dominando la política americana en el caso de la guerra civil española. Era inevitable que la idea de no intervenir en el conflicto que enarbolaron Francia y Gran Bretaña y que tan bien encaja dentro de la política aislacionista americana, fuera asumida por Washington naturalmente y casi sin pensamiento u opinión en contra.

El día 4 de agosto, el encargado de Negocios francés en Washington visitó al secretario de Estado, Hull, para informarle de la acción iniciada dos días antes por el Gobierno de Francia en el sentido de conseguir la adhesión de los países europeos a un acuerdo de no intervención en la guerra de España, y para preguntarle discretamente sobre las intenciones de Estados Unidos a este respecto. La respuesta de Hull no pudo ser más vaga puesto que se limitó a informar al representante francés de que Estados Unidos se daba por enterado de las gestiones indicadas. El día 5, sin embargo, se celebró en el Departamento de Estado una reunión para fijar definitivamente la política de Estados Unidos en torno a la guerra. La necesidad de establecer claramente una actitud de no intervención se había hecho patente debido a que las dos leyes de neutralidad existentes en Estados Unidos solamente hacían referencia al caso de lucha entre naciones y no al supuesto de guerra civil. Aun así, la declaración americana, que no constituía más que una invitación política, no adoptó forma de ley hasta principios de 1937, y, en consecuencia, debe ser entendida como un *embargo moral* y no como un embargo legal sobre la exportación de material bélico a cualquiera de las dos partes españolas en lucha. Si un particular decidía ayudar económica o militarmente a la República o a los nacionales, no co-

7. Traina, loc. cit., p. 26.

metía delito alguno. Esto queda claro en las referencias a los «deberes patrióticos» de los americanos contenidas en la instrucción del Departamento de Estado que, con fecha 7 de agosto, fue enviada a las embajadas americanas y a los cónsules en España y que es resultado de la reunión antedicha:

> Es evidente que nuestra ley de neutralidad, en lo relativo al embargo de armas, municiones y ayuda bélica, no tiene aplicación en la situación presente, ya que aquélla entra en vigor solamente en casos de guerra entre naciones. Por otra parte, de acuerdo con su constante política de no intervención en los asuntos internos de otros países, tanto en tiempo de paz como en caso de lucha civil, este Gobierno, naturalmente, se abstendrá escrupulosamente de cualquier intervención en la infortunada situación española. Esperamos que los ciudadanos americanos, tanto aquí como en el extranjero, estén patrióticamente observando esta reconocida política de Estados Unidos.[8]

8. *Foreign Relations of the United States*, 1936, II, p. 471. Citado en parte por Traina, loc. cit., p. 52. Los comentarios del profesor Traina son interesantes sobre este aspecto de la cuestión; al hablar del deseo de Estados Unidos de no intervenir en los asuntos internos de otros países, «tanto en tiempo de paz como en caso de lucha civil» *(whether at peace internally or engaged in civil strife)*, dice: «Puede que hubiera varias razones para explicar el especial cuidado puesto en escoger los términos en que fue redactada la declaración, pero desde luego la más aparente fue un deseo de ambigüedad respecto del status legal, tanto del conflicto en sí como de la facción rebelde. El uso del término "lucha civil" evitaba el empleo de las categorías sucesivas de insurrección, revolución y guerra civil —términos que los internacionalistas encontraban difíciles de definir, pero sobre los que existía, hasta cierto punto, acuerdo—. Asimismo, el escrupuloso cuidado en evitar cualquier idea de que Estados Unidos estaba iniciando *una política de neutralidad* indicaba que el Departamento de Estado no tenía intención alguna en aquel momento de otorgar derechos de beligerancia a los rebeldes. La neutralidad sólo podía ser aplicada a guerras civiles cuando hubiera sido reconocida la beligerancia», Traina, op. cit., p. 50.

En este sentido, Dante Puzzo, en su libro *Spain and the Great Powers* (p. 150), abunda en la teoría de Traina y añade: «Excepto en el caso de algunos contactos informales entre diplomáticos americanos y funcionarios rebeldes en relación con la protección de súbditos y propiedades americanas en territorio rebelde —una práctica de la que existían antecedentes en la política exterior americana durante algunas revueltas latinoamericanas—, Washington siguió ignorando oficialmente la existencia del Gobierno rebelde hasta el final de las hostilidades.»

Estados Unidos no se adhirió a la política de no intervención europea y las razones para adoptar tal postura no son claras, sobre todo si se piensa que el embargo moral podía llegar a colocar (como de hecho sucedió) al Gobierno en la incómoda postura de tener que autorizar exportaciones de material bélico a España, en evidente contradicción con el espíritu de la declaración del 7 de agosto.

Desde luego, parece ser que Alemania e Italia pidieron que Estados Unidos se incorporara al Acuerdo de No Intervención y que Von Neurath, al principio, consideró la adhesión de Washington como «esencial para su eficaz funcionamiento».[9] Sólo cuando Estados Unidos estableció el embargo moral, en Roma y Berlín se dejó de considerar su participación como necesaria porque quedaba entendido cuál iba a ser su comportamiento futuro.[10] El

---

También Padelford, en su libro citado (*International Law and Diplomacy in the Spanish Civil Strife*, p. 188), señala que la limitación impuesta por Estados Unidos al Gobierno de la República española en materia de compra de material bélico provino más de la política de cooperación con Francia y Gran Bretaña que de la aplicación estricta de una práctica de no intervención y no interferencia, aunque el curso adoptado fuera absolutamente legal desde el punto de vista del derecho internacional público (cit. Traina, p. 51).

Traina (op. cit., p. 51) añade: «Sin embargo, puede decirse que existió una violación del derecho internacional en la dificultad con que topó el Gobierno español al intentar comprar armas si se compara con las facilidades que tuvieron los rebeldes. En su momento, y en vista de tan complejas circunstancias, el Departamento de Estado hubo de defenderse regularmente contra acusaciones de que su política intentaba condicionar determinados resultados en España.»

9. *Foreign Relations of the United States*, 1936, II, pp. 478-479, cit. por Traina en nota 15, p. 259.

10. Puzzo (op. cit., p. 150) indica: «...Dado especialmente el hecho de que desde 1912 el único Gobierno legítimamente establecido a quien Estados Unidos había denegado el privilegio de importación de armas para dominar una rebelión fue el de México y, en este caso, sólo hasta que el régimen de Huerta fue derrocado en 1914, bien podía esperarse de Washington que permitiera al Gobierno español la compra de material bélico en los mercados estadounidenses... Washington nunca consideró seriamente la posibilidad de adoptar esta postura. Dados los sentimientos aislacionistas del pueblo americano, la negativa de Estados Unidos a sumarse a la Sociedad de Naciones y su constante reticencia a adherirse a organizaciones internacionales y acuerdos fuera del he-

Quai d'Orsay negó que hubiera solicitado la participación del Gobierno americano en el acuerdo.[11]

El 6 de agosto, don Luis Calderón, embajador español en Washington, había visitado al subsecretario de Estado Phillips para pedirle diez mil balas de ametralladora, una cantidad ridícula si se consideran las necesidades de un ejército normal. Cabe suponer que la petición española fue simplemente un intento directo para averiguar la posición americana al respecto. Pero Phillips contestó que, pese a que la legislación de neutralidad no se aplicaba al caso, el problema causaría malestar en el país puesto que los sentimientos de los americanos eran opuestos a cualquier entrega de material bélico a un país asolado por una guerra civil. El asunto fue abandonado por la Embajada y, pocos días después, Calderón, cuyas simpatías estaban de parte de los nacionales, dimitió.[12]

El 10 de agosto, un tal señor Hartson, director de la Compañía Glenn L. Martin (Aircraft) de Baltimore, preguntó a la Oficina de Control de Armas y Municiones del Departamento de Estado cuál sería la actitud del Gobierno americano si se vendían al Gobierno de la República ocho bombarderos. Durante el mes de febrero el Gobierno de Madrid había contratado la construcción de los aviones, pero, debido a dificultades de pago, el asunto había sido pospuesto. Como era natural, las autoridades españolas querían ahora renegociar el contrato.[13] Hartson pensaba que la entrega no podría ser efectuada hasta el mes de noviembre y confiaba en que, para esa fecha, «la situación en España se habría calmado, no existiendo, en consecuencia, objeción posible a la exportación».

Hull no se encontraba en ese momento en Washington. El asunto fue pasado al secretario de Estado interino, Phillips,

---

misferio occidental, no fue sorprendente que Washington no se asociara formalmente al esfuerzo franco-británico de llegar a la conclusión de un acuerdo de no intervención...»

11. *Foreign Relations of the United States*, 1936, II, pp. 478-479, cit. por Puzzo, p. 150, y por Traina, p. 53.

12. Traina, op. cit., p. 54.

13. *Foreign Relations of the United States*, 1936, II, pp. 474-475, cit. por Puzzo, p. 151, y por Traina, p. 54.

quien inmediatamente se lo comunicó al presidente Roosevelt. Para Phillips la contestación era clarísima; menos de una semana antes había escrito en su diario: «lo peor de la situación española es que si el Gobierno gana, como parece ahora probable, se estimulará extraordinariamente el comunismo en toda Europa».[14] Fue por eso por lo que presionó al presidente para que la consulta se evacuara negativamente. Tras algunas dudas, Roosevelt aceptó la idea, y Phillips envió una carta a la Glenn L. Martin en la que insistía en que la política norteamericana era de no interferirse en los asuntos internos de otras naciones (tal y como había sido recomendado en la instrucción del 7 de agosto a las misiones diplomáticas, copia de la cual se incluía como anejo a la carta) y terminaba diciendo que «parece razonable deducir que la venta de aeroplanos, sobre la que ustedes nos consultan, no se ajustaría al espíritu de la política del Gobierno».[15]

Inicialmente, esta toma de posición del Departamento de Estado tuvo éxito y, aunque como ya ha sido indicado el embargo no tenía fuerza legal coercitiva, varias compañías productoras de material de guerra que habían consultado al Gobierno en el mismo sentido que la Glenn L. Martin desistieron de exportar sus productos a España.[16] Como era de esperar, esta actitud no podía durar mucho; concretamente, duró hasta que para una compañía el interés crematístico pudo más que los llamamientos a la conciencia patriótica de los ciudadanos. Pero esto no sucedió hasta finales de diciembre de 1936.

La carta de Phillips a la Glenn L. Martin Company fue hecha pública por el presidente en una conferencia de prensa celebrada

---

14. Cit. Traina, p. 55.

15. Ibídem, y Puzzo, p. 151.

16. Entre ellas, R. F. Sedgley, Francis Bannerman & Sons, Bellanca Aircraft. Traina comenta (pp. 57-58): «Considerando la imagen pública de estos "mercaderes de la muerte", su decisión fue probablemente pura habilidad comercial para no irritar a los gobernantes, a quienes no habría de faltar apoyo de la opinión pública. Bannerman, por ejemplo, que ya era irónicamente conocido como el "Sears Roebuck de los comerciantes de armas", querría evitar la indignación popular. Y, además, los constructores temían las periódicas amenazas de nacionalización de la industria del armamento que provenían del Congreso.»

el 11 de agosto, sin percatarse de que esto era precisamente lo que quería evitar el Departamento de Estado, que se daba perfecta cuenta de lo frágil que era una prohibición sin apoyatura legal. La declaración del presidente obligó a Phillips a redactar una nota en la que se establecía públicamente el embargo moral que imponía Estados Unidos sobre las exportaciones de material bélico a España. La nota, hecha pública el mismo día 11, fue muy favorablemente acogida por la prensa de todo el país.[17]

México al lado de la República

Durante los cinco últimos meses de 1936, el Gobierno de Madrid intentó soslayar el embargo moral sin contravenirlo directamente por miedo a que el Congreso de Estados Unidos votara una legislación especial prohibiendo directamente la exportación de material bélico a España.

Para la consecución de estos fines, el Gobierno republicano utilizó los buenos oficios y la amistad de México.

México fue el único país que se puso abiertamente de parte de la República española y que de forma manifiesta y ostensible cooperó en su esfuerzo bélico. Desde el principio, como dijo el presidente Cárdenas,

específicamente, en el conflicto español, el Gobierno mexicano reconoce que España, Estado miembro de la Sociedad de

17. Traina, p. 58, y Puzzo, p. 152. Bowers, embajador americano en España, había informado el día 8 que Indalecio Prieto se había indignado ante las declaraciones de «neutralidad» de varios países europeos, considerándolas una afrenta a un Gobierno legítimo. El despacho terminaba recomendando que no se hiciera declaración pública alguna (*Foreign Relations of the United States*, 1936, II, pp. 471-472). Cit. Puzzo, p. 152.

Padelford (*International Law and Diplomacy in the Spanish Civil Strife*, pp. 174-175) dice: «...La publicación de la nota en el momento en que se estaban celebrando negociaciones entre los Gobiernos de Francia y Gran Bretaña para la firma de un acuerdo de no intervención... es una coincidencia interesante» y confirma «el argumento de que la política de Estados Unidos consistía en apoyar a Gran Bretaña y Francia y las políticas de ambas respecto de España, más por acciones paralelas y separadas que por una actitud colectiva.»

Naciones, agredido por las potencias totalitarias, Alemania e Italia, tiene derecho a la protección política y diplomática y a la ayuda material de los demás Estados miembros, de acuerdo con las disposiciones expresas del pacto.[18]

El 19 de abril de 1937, el delegado mexicano en la Sociedad de Naciones envió a su secretario general una nota en la que se declaraba que la no intervención tal como se practicaba era una forma indirecta de ayuda al Gobierno nacional, en flagrante contradicción con el espíritu y la letra del pacto. Explicó la ayuda de México a la República española apoyándose en la Convención interamericana de La Habana de 1928:

> Los Estados contratantes se obligan a observar las reglas siguientes respecto a una lucha civil: prohibir el tráfico de armas y material de guerra, salvo cuando fueren destinados al Gobierno y mientras no esté reconocida la beligerancia de los rebeldes...[19]

Toynbee ha dicho que el país «ideológicamente más próximo a la Segunda República española fue México».[20] Tal vez esta afirmación no sea rigurosamente cierta, pero por lo menos ése era el convencimiento de los mexicanos y llevaron su política a ultranza. Cada país puede adoptar la línea política que prefiera ante un conflicto externo, pero México exageró y ha exagerado su posición desde el final de la guerra civil hasta el punto de incurrir en el absurdo de (siendo un país que específicamente acepta la doctrina Estrada de no intervención en los asuntos internos de otras naciones) reconocer, contra toda regla de derecho internacional, a un Gobierno en el exilio.[21]

18. Presidente Cárdenas a Isidro Fabela, remitiendo instrucciones para la sesión anual de la Asamblea de la Sociedad de Naciones en 1936. Citado por José Antonio López Zatón, *España y México. Historia actual* (Memoria de fin de curso de la Escuela Diplomática, Madrid, 1966), pp. 1-2.

19. Ibídem, introducción.

20. A. Toynbee, *Survey of International Affairs*, Oxford University Press, 1938, cit. por López Zatón, introducción.

21. Gobierno que no tiene base territorial, ni manda en la adhesión de más de unos miles de exiliados. La fidelidad de México a la República es sor-

Desde finales de julio de 1936, el Gobierno mexicano se dedicó a comprar aviones en Estados Unidos para enviarlos a España. Todas estas operaciones se llevaban a cabo a través de la embajada española en México, al frente de la cual se encontraba don Félix Gordón Ordás, que llegó a ser tan célebre en el Departamento de Estado norteamericano que los aviones enviados a México eran conocidos en esta ciudad como «la colección privada del embajador de España».[22] Pero el «embargo moral» estorbaba este comercio impidiendo que alcanzara el volumen que hubiera sido de desear para Madrid. Pensando que la política de Estados Unidos respecto de la guerra civil había sido adoptada con reticencia, México intentó buscar una solución alternativa: durante el mes de septiembre, el ministro de Relaciones Exteriores, Eduardo Hay, llamó al embajador norteamericano para proponerle la compra de aviones para el ejército mexicano, que, a su vez, procedería a vender los que ya poseía a la República española. El embajador Daniels indicó que esto era imposible porque contravenía el «embargo moral». Unas semanas después, el embajador mexicano en Washington preguntó si no sería posible enviar aviones a España realizando una operación de venta indirecta a través de su país. Una vez más la respuesta fue negativa.

La ruptura del embargo

Madrid decidió actuar directamente sin intermediarios. A principios de octubre de 1936, Fernando de los Ríos, que acababa de incorporarse a su nuevo puesto como embajador de España en Washington, visitó al secretario de Estado, Cordell Hull, para preguntarle si Estados Unidos estaría dispuesto a conceder facilidades al Gobierno español para ayudarle a salir de «sus complicaciones actuales». Hull le contestó negativamente, indicando que Estados Unidos no podía intervenir allí donde las naciones europeas más interesadas habían acordado abstenerse, subra-

---

prendente, sobre todo cuando se considera que ha establecido íntimas relaciones comerciales y financieras con las instituciones del régimen de Franco.

22. Traina, p. 78.

yando además que la Convención de Montevideo de 1933 establecía un precedente de no injerencia en los asuntos internos de las naciones, precedente que Washington no podía ignorar.[23]

A medida que transcurría el año de 1936 crecía la indignación en Estados Unidos por las constantes ayudas indirectas que desde este país se enviaban a España. El Departamento del Tesoro hacía lo que podía para cortar estas ayudas, pero resultaba difícil especialmente en vista de la ausencia de una legislación apropiada. En diciembre parecía estar claro que el Congreso tomaría las disposiciones pertinentes cuando reanudara sus sesiones en el mes de enero de 1937. El Gobierno de Madrid debió de decidir arriesgar una compra directa en Estados Unidos antes de que se cerraran definitivamente todas las posibilidades.

El 28 de diciembre de 1936, Robert Cuse, presidente de la Vimalert Co., de New Jersey, ignorando los llamamientos al patriotismo, solicitó la concesión de dos licencias de exportación para enviar a Bilbao sendos cargamentos de material militar aeronáutico por valor de 2 777 000 dólares (18 aviones, 441 motores de avión y repuestos en número suficiente para construir otros 150 motores).[24] El Departamento de Estado nada podía hacer: la petición era absolutamente legal y las licencias fueron concedidas. El escándalo en la prensa fue inmediato y, al día siguiente, el presidente Roosevelt deploró públicamente la actitud de Cuse:

> Un noventa por ciento de los negociantes es honesto. Quiero decir éticamente honesto. Siempre hablamos de ese noventa por ciento con orgullo. Y entonces alguien hace algo que es perfectamente antipatriótico. Ese alguien representa al diez por ciento que no responde a los niveles de honestidad del resto.[25]

También encargó a su embajador en Londres que comunicara al Comité de No Intervención que la salida del material sería retrasada durante dos meses. Al parecer, la rígida actitud del Go-

23. *Foreign Relations of the United States*, II, 1936, pp. 536-538.
24. Puzzo, pp. 155-158; Traina, pp. 81 y ss.; Thomas, pp. 337-338.
25. *New York Times*, 30 de diciembre de 1936. Cit. Puzzo, p. 262.

bierno norteamericano evitó que otras empresas violaran inmediatamente el «embargo moral».

Roosevelt, sin embargo, fue más lejos aún: el día 30 se reunió con varios congresistas y les encargó la elaboración y presentación de una enmienda a la Ley de Neutralidad en el sentido de que se extendieran sus disposiciones a la guerra civil española. La enmienda fue aprobada por unanimidad en el Senado, y por una enorme mayoría (406 contra 1) en la Cámara de Representantes, el día 6 de enero de 1937. Quedaba prohibida toda exportación de material de guerra a España.[26]

Por varias dificultades legales, la firma de la enmienda por el presidente fue retrasada hasta el día 8 de enero, lo que dio tiempo a que Cuse embarcara parte del material en el buque español *Mar Cantábrico,* que zarpó de Nueva York el 7 de enero con dirección a Bilbao y que fue capturado por los nacionales el 8 de marzo en el golfo de Vizcaya. El resto del envío no llegó a salir de Estados Unidos.

La única infracción importante a la Ley de Neutralidad que se produjo después de la votación de la enmienda fue la cometida por la Texas Oil Company, que envió con un crédito a largo

26. En el Senado hubo alguna discusión, provocada por el senador Nye, que afirmaba que la neutralidad de Estados Unidos era consecuencia de la influencia de algunos Estados europeos, especialmente Gran Bretaña, en la determinación de la política americana con respecto a España. Aunque este hecho fue negado vehementemente por Pittman, introductor de la enmienda en el Senado, Nye hizo notar ácidamente que, durante la guerra italo-abisinia, Estados Unidos no había pensado seriamente en la posibilidad de un «embargo» sobre el petróleo, lo que hubiera sido considerado como un acto parcial contra Italia. En la Cámara de Representantes, el debate también fue breve, y las aguas se calmaron cuando a las acusaciones de parcialidad pro fascista al especificar el embargo contra un solo Gobierno, el demócrata MacReynolds contestó que el Gobierno de Estados Unidos presentaría en plazo inmediato un proyecto de ley que lo extendiera a «cualquier situación de guerra civil en cualquier país» (*US Congressional Record,* 75th Congress; 1st. Session; 1936, vol. 81, Part. I, pp. 76-79; cit. Puzzo, pp. 155-158).

El 31 de diciembre, De los Ríos protestó contra la actitud tomada por el Gobierno de Estados Unidos. En el Departamento de Estado se le contestó que la política americana era fiel reflejo del deseo de evitar la participación estadounidense en cualquier situación susceptible de provocar una guerra mundial (*Foreign Relations of the United States,* 1936, II, pp. 623-624).

plazo y sin garantía 1 886 000 toneladas de petróleo a zona nacional en los tres años que duró la guerra. La compañía fue multada con 22 000 dólares.[27]

El progreso de la guerra en España

Al mes y medio del estallido de la guerra civil en España, el 3 de septiembre de 1936, debe considerarse cerrado el ciclo de adhesiones a la política de no intervención. No debe perderse la perspectiva y para ello es conveniente repasar brevemente lo que ha sucedido en el teatro de las hostilidades, en donde miles de españoles inician brutalmente una lucha fratricida que ha de durar casi tres años.

El levantamiento, que se consumó entre los días 17 y 20 de julio, tuvo éxito inmediato en Marruecos, algunas capitales de provincias andaluzas (Cádiz, Sevilla, Córdoba y Granada, pero sin dominio territorial apreciable) y la parte norte y occidental de la meseta, Galicia, parte de Aragón, La Rioja, parte de las provincias vascas y Navarra. Los extremos de la dominación nacional en campo republicano son Cáceres, al oeste, y Teruel, al este. Teruel será durante mucho tiempo punto neurálgico de la guerra.

En las cuatro grandes capitales (Madrid, Barcelona, Bilbao y Valencia) el alzamiento fracasa.

El primer movimiento importante de tropas se inicia el 19 desde Pamplona: una columna de 1 600 hombres al mando del

27. Herbert Feis, *The Spanish Story*, Nueva York, 1948, p. 269. Feis asegura que el 18 de julio de 1936, cinco petroleros de la Texaco se dirigían a España con carburante que habían de suministrar a la Campsa en virtud de un contrato firmado el año anterior. El presidente de la Texaco habría dirigido a los capitanes de los buques un telegrama ordenándoles dirigirse a puertos controlados por los nacionales.

Serrano Suñer, *De Hendaya a Gibraltar*, Madrid, 1947, p. 79, dice que había en zona nacional un norteamericano que se encargaba de aprovisionar «sin límites, de carburante al ejército nacional». *Guerra y Revolución en España*, I, p. 230, le identifica como «un embajador de la Standard Oil, mister Middleton».

J. R. Hubbard, «How Franco financed his war», *Journal of Modern History*, Chicago, 1953, p. 404, añade además que Studebaker, Ford y General Motors suministraron 12 000 camiones a Franco.

coronel García Escámez emprende la marcha hacia el sur para intentar ocupar Guadalajara, abriendo así el camino directo de Madrid. El 22, la columna está a las puertas de Guadalajara, ya ocupada por las milicias republicanas, y se tiene que detener por falta de munición (lo que provoca la gestión del general Mola ante Mussolini tal y como queda referida en el tercer capítulo). Ante esta situación, Mola ordena a García Escámez que retroceda hasta Aranda de Duero, al sur de Burgos, y se dirija a estabilizar el frente en Somosierra, al norte de Madrid.

El frente en toda la sierra, apenas a cincuenta kilómetros de Madrid, es escenario de violentísimos combates. Más al norte ha empezado la lucha por la ocupación de Irún, cuya conquista por los nacionales cerraría la frontera terrestre en ese sector.

Al sur, el 19 de julio, dos barcos, el *Churruca* y el *Dato*, consiguen cruzar el Estrecho desde Marruecos llevando algunos contingentes de legionarios y tres aviones Breguet llevan a parte de la Quinta Bandera de la Legión a Sevilla para apoyar el levantamiento atrevido e inimaginable del general Queipo de Llano. Ese mismo día, el Estrecho queda cerrado y ocupado por unidades de la flota española, cuyas tripulaciones se han sublevado y han dado muerte a la oficialidad. El 28 llegan a Marruecos los veinte Junkers enviados por Hitler y el 30, los nueve Savoia de Mussolini; inmediatamente empieza el transporte del Ejército de Marruecos a la Península. El día 2 de agosto (en el mismo momento en que el Gobierno francés ofrecía a los de Gran Bretaña e Italia la firma de un acuerdo de no intervención en los asuntos de España) se acuerda en Sevilla la constitución de la «Columna de Madrid» que sale rumbo al norte en la madrugada del 4. Diez días más tarde la columna conquista Badajoz, consolidando la unión entre las dos zonas rebeldes ya conseguida dos días antes con la toma de Mérida. El día 30 de agosto, la columna conquista Oropesa, a 175 kilómetros de Madrid. A principios de mes, una columna al mando del general Varela emprende la marcha hacia Granada; el 19 de agosto Varela toma Loja y establece contacto con las fuerzas nacionales de Granada. Desde el día 6, Franco se encuentra en la Península.

Finalmente, el 5 de septiembre, las fuerzas nacionales toman Irún, tras el asalto a los fuertes que lo dominan. Parte de los que lo evacuan, tras incendiarlo, constituyen un primer núcleo de refugiados que se dirigen a Francia.

Los dos movimientos más importantes desde el punto de vista republicano son los ataques de las milicias catalanas contra el frente nacional en la línea norte-sur de Jaca, Huesca, Zaragoza y Teruel, y el ataque dirigido por el general Miaja contra Córdoba. La línea aragonesa-catalana, batida por las columnas de Ascaso, Farrás, Durruti y Ortiz, se estabilizó a mediados de agosto y, salvo algunas penetraciones en el norte cerca de Huesca, siguió así durante dieciocho meses. Naturalmente, el carácter de la guerra desde el punto de vista republicano es esencialmente defensivo en los primeros días: como el objetivo principal de los nacionales es la conquista de Madrid con el valor mítico que a este objetivo se asigna, lo más importante para la República es la defensa de la capital y es preciso decir desde ahora que esa defensa fue sólida, encarnizada e inquebrantable durante muchos meses. El frente de la sierra y de Guadalajara no fue roto y la ciudad universitaria en las barriadas del oeste resultó infranqueable.

En el mes de septiembre, el cerco de Madrid quedará prácticamente cerrado con la toma de Toledo el 27, maniobra en la que, sin embargo, los nacionales tuvieron que perder un tiempo precioso, que se justificó por el propósito de levantar el sitio del Alcázar.

En el Gobierno de la República, el 18 de julio dimitió el primer ministro Casares Quiroga. A las cuatro de la madrugada del 19, el presidente Azaña encomendaba a Martínez Barrio la constitución de un Gobierno nacional en el que habrían de estar presentes algunos jefes de la rebelión. Primero el general Miaja, efímero ministro de Guerra en el Gabinete, y después el propio Martínez Barrio llamaron a Pamplona para ofrecer una cartera al general Mola. Era ya demasiado tarde y la aceptación de Mola hubiera sido un gesto inútil. El primer ministro también llamó al general Cabanellas (el decano de los oficiales del ejército) a Zaragoza para ofrecerle un cargo en el Gobierno y el resultado fue igualmente negativo. Ante esta situación, Martínez Barrio dimitió. El presidente Azaña, durante la mañana del 19 celebró urgentes consultas con el primer ministro dimisionario y con los líderes socialistas Prieto y Largo Caballero, quienes insistieron en que ya era imposible retrasar por más tiempo la entrega de armas a los sindicatos en Madrid. Azaña encargó al ministro de Marina, Giral, la formación de un nuevo Gobierno del Frente Popular, compuesto solamente por miembros de los partidos de la izquierda burguesa; los socialistas, anarquistas y comunistas quedaban fuera pero se comprometían a respaldar al Gobierno. En el primer Consejo de Ministros, celebrado durante la mañana del 19, Sánchez Román (que había sido ministro sin cartera relámpago en el Gabinete de Martínez Barrio) propuso un nuevo plan de armisticio con los nacionales consistente en la retirada general a las posiciones de antes del día 19, una amnistía, prohibición de huelgas, disolución de las Cortes y formación de un Gobierno nacional integrado por representantes de todos los partidos. La idea no tuvo éxito alguno y, en cualquier caso, parece difícil pensar que los jefes nacionales la hubiesen aceptado.

La primera decisión de Giral fue armar al pueblo de Madrid, lo que se llevó a cabo en la mañana del mismo 19. La segunda fue enviar un telegrama pidiendo ayuda al Gobierno del Frente Popular de Francia.

Como ya ha sido indicado, el estallido de la guerra civil fue la señal para el comienzo de la revolución proletaria en las zonas dominadas por la República y para la consagración de la autonomía regional. Otra característica cada vez más apreciable fue la disminución de la autoridad del Gobierno y su sustitución por la de los grandes partidos de izquierda y sus sindicatos. En Madrid y en gran parte de Castilla la Nueva, la UGT socialista controló la administración desde los primeros días, especialmente en la capital, en donde era responsable de los suministros de alimentos y servicios más elementales; detrás de la UGT, el pequeño, pero muy activo partido comunista fue tomando con eficacia creciente las riendas del poder. En el centro de España, la revolución no fue tan patente como en otras áreas; hubo, por supuesto, ocupaciones de algunas industrias y de las fincas de los terratenientes que aún no habían sido ocupadas el 18 de julio, pero salvo en la seguridad personal, extremadamente precaria, la actitud de los republicanos puede ser considerada como relativamente moderada en relación a otras zonas (en Madrid, por ejemplo, los bancos no fueron confiscados y siguieron funcionando bajo la estrecha vigilancia del Ministerio de Hacienda). La presencia de una guerra fuera de la capital, el pueblo en armas, produjo naturalmente un caos económico considerable.

En Cataluña, la Generalidad se transformó en República y, el 31 de julio, Companys se proclamó presidente de esa República. Sin embargo, el poder, especialmente en Barcelona, estuvo, desde el principio, en manos del Comité de Milicias Antifascistas, dirigido por la CNT-FAI, el sindicato y su secreta organización anarquista. Sin embargo, los medios financieros, los bancos, estaban controlados por la UGT, lo que obligó a los anarquistas a colaborar con los socialistas, que a su vez, como en el resto de España, se vieron cada vez más dominados por el partido comunista, al igual que el PSUC, el nuevo partido socialista unificado, nominalmente la única organización que apoyó y colaboró con la Generalidad. En Cataluña, la norma revolucionaria fue totalmente distinta que en las provincias del Centro: la regla fue la expropiación y confiscación de cuanta empresa privada existía y su posterior dirección por comités de obreros. El POUM, trotskista, hasta su liquidación por el partido comunista, fue una organización de mucha fuerza e influencia en Cataluña.

En Levante, el Gobierno de la República organizó una junta bajo la presidencia de Martínez Barrio, pero, al igual que en Cataluña, el poder estaba en manos de un comité conjunto de CNT/UGT. La revolución fue similar a la de Cataluña, aunque con un número perceptiblemente menor de expropiaciones. Aquí el partido comunista tuvo menos fuerza que en otras regiones, debido fundamentalmente a su obvio enfrentamiento con la CNT. Los comunistas defendieron en Levante, como en el resto de España, un programa moderado, de distribución de tierras expropiadas, que fue inmediatamente apoyado por los labradores, en contra de las intenciones anarquistas de colectivizar la tierra.

En Andalucía, lejos del control de cualquier autoridad central, los anarquistas dominaron con claridad la situación y llevaron la revolución a sus extremos más insospechados, e incluso, en algunos pueblos, a la consagración de los ideales utópicos de Bakunin.

El norte, completamente separado del resto de la España republicana, se organizó en comités de defensa, controlados mayormente por los nacionalistas vascos y, en menor medida, por la UGT, el partido comunista y la CNT. Esto aseguró, hasta cierto punto, el mantenimiento de un orden social moderadamente burgués. La lejanía y falta de contacto con el Gobierno de Madrid hizo que la autoridad central fuera deslabazándose durante el mes de agosto y al mismo tiempo favoreció la gradual aparición de un nuevo Gobierno vasco independiente. Asturias tuvo un sistema de Gobierno totalmente sui géneris, con el gobernador civil, Belarmino Tomás, presidiendo un comité de guerra en Gijón, integrado por dos comunistas, dos anarquistas, dos socialistas, dos miembros de la FAI, dos de la Juventud Socialista Unificada, dos de la Izquierda Republicana y uno de las Juventudes Libertarias.

En la zona nacional, la desorganización fue completa durante las primeras semanas de la guerra. El 24 de julio fue creada en Burgos, a instancias del general Mola, la Junta de Defensa Nacional, presidida por el general Cabanellas y en la que no estaba el futuro Jefe del Estado, general Franco. Al parecer, la Junta fue creada por Mola sin consultar a Franco, a los carlistas o a los falangistas y, de todos modos, se transformó pronto en un mero aparato burocrático, en una secretaría de coordinación de las fuerzas nacionales. El día 25, la Junta hizo sus nombramientos más significativos: al general Mola le nombró jefe de los ejércitos del Norte, y al general Franco jefe de los ejércitos de Marruecos y sur de España (es preciso recordar que Franco aún no había cruzado a la Península).

IX. El Comité de Londres y la Sociedad de Naciones

El Comité de Londres

Antes de que el Acuerdo de No Intervención hubiera sido perfeccionado, concretamente desde mediados de agosto de 1936, empezó a aparecer claramente su primera falla: no podía ser operativo si no existía un organismo que fungiera como comisión ejecutiva del mismo. Por una parte, como dice Padelford,

> debe subrayarse que no fue un acuerdo internacional formal o un tratado en el sentido de que los signatarios se adhirieran a él mediante firma o ratificación de un solo instrumento escrito. Fue un acuerdo sólo de modo remoto, una serie de *declaraciones unilaterales de intención* respecto de la política nacional a seguir. Las infracciones al acuerdo no pueden ser condenadas como violaciones del derecho internacional o de los tratados. Constituyeron tan sólo desviaciones de una línea de conducta que cada Estado se mostró dispuesto a seguir por el momento. El cumplimiento del acuerdo o su refuerzo en cada Estado dependía enteramente de la buena voluntad y cooperación de las autoridades de ese Estado y de la promulgación de las medidas ejecutivas, legislativas o administrativas que fueran estimadas convenientes.[1]

Parecía indispensable contar con una institución formal capaz de vigilar la aplicación de cualesquiera medidas que los países firmantes hubieran decidido imponer.

Por otra parte, todas las naciones que se habían adherido o

---

1. Padelford, op. cit., p. 60.

que se adhirieron más adelante, prometieron en sus notas de no intervención mantener informados a los demás Gobiernos de las medidas que tomaran para asegurar el embargo de armas. Y esto necesariamente había de crear problemas operativos. Por ejemplo, en Gran Bretaña se pensó que

> deberían tomarse medidas para hacer frente a los numerosos problemas que sin duda surgirán respecto de la aplicación de nuestro propio embargo. Por ejemplo, es altamente probable que las listas de embargo en los diferentes países, sobre la base de las prácticas de esos países, incorporen clasificaciones de munición de guerra ligeramente desemejantes entre sí. Sin duda también surgirán otras cuestiones de carácter complejo, tales como la de las provisiones de fondos [a las partes en guerra].
>
> En estas condiciones podría resultar útil constituir algún comité para la coordinación de las actividades de los departamentos responsables del embargo.[2]

El 24 de agosto, día en que por fin Alemania decidió adherirse al Acuerdo de No Intervención (confirmando para alivio de Francia y Gran Bretaña que el tratado era viable), Corbin, embajador francés en Londres, acudió a visitar al secretario del Foreign Office para decirle que

> si se quería que la no intervención funcionase, su Gobierno era de la opinión de que era esencial constituir algún comité que se ocupara de los muchos detalles técnicos que inevitablemente habían de surgir. La pregunta era: ¿dónde debía crearse ese comité? El Gobierno francés pensaba que definiti-

---

2. *Documents of the Foreign Office*, FO 371/20573, doc. W 9716/9549/41, p. 41. Se citaban como departamentos interesados los de Comercio y Tesoro (como responsables de las Aduanas), el de Exteriores (como directamente afectado por las medidas que se tomaran), el del Aire y el de Gobernación (Home Office, para cuestiones que surgieran respecto de la Ley de Alistamiento en el Extranjero). Se sugería que este comité debía ser dirigido por el secretario de Finanzas del Tesoro, W. S. Morrison, a quien escribió en este sentido Eden el 25 de agosto. Como ha de verse, Morrison no sólo fue el presidente del comité británico, sino también, aunque brevemente, del internacional.

vamente Londres era el lugar idóneo y esperaba que el Gobierno de Su Majestad estuviera de acuerdo... porque francamente creía que Londres era más neutral que cualquier capital de las demás grandes potencias involucradas en este difícil asunto.[3]

Eden, «tras discutirlo algo más», aceptó la idea, a condición de que todos los Gobiernos interesados estuvieran de acuerdo.

En consecuencia, el 27 de agosto, los representantes franceses ante los Gobiernos firmantes del acuerdo, hicieron llegar a éstos una nota en la que se expresaba el interés de Francia porque cada uno de ellos autorizara a su respectivo representante en Londres a tomar parte

en las tareas de un comité encargado de reunir todas las informaciones sobre las medidas adoptadas, así como de examinar y resolver en la práctica los puntos concretos que emanen de la aplicación de las disposiciones convenidas.[4]

Días más tarde, el Foreign Office precisó que las tareas del Gobierno deberían limitarse estrictamente a las «cuestiones referentes al embargo de armas para España», porque se daba perfecta cuenta del peligro que encerraba «la discusión de otros delicados problemas» referentes a la guerra de España. En cualquiera de los casos, sugería una reunión preliminar con el fin de especificar las funciones que habían de ser asignadas al comité.[5]

El 2 de septiembre, *The Times* publicaba, bajo el título «Una laguna que llenar», el siguiente editorial:

Se están realizando esfuerzos para acelerar la constitución del comité internacional propuesto por Francia hace una semana. La finalidad del comité sería actuar como una institución de *clearing*. Mantendría a los Gobiernos miembros del Acuer-

---

3. *Documents of the Foreign Office*, FO 371/20572, doc. W 9550/9549/41. Orden número 1450 de Eden a sir George Clerk (París).

4. *A Nação Portuguesa e a Segunda Guerra Mundial*, loc. cit., p. 202 (también referidos como *Dez Anos de Política Externa*).

5. Ibídem, p. 229.

do de No Intervención mutuamente informados de las medidas adoptadas para impedir el suministro de armas y municiones a cualquiera de los dos bandos españoles en conflicto, y también se ocuparía de los problemas a medida que fueran siendo provocados por ese conflicto. La sugerencia fue bienvenida en todas las capitales en su momento y la mayoría de las potencias interesadas se apresuraron a aceptarla. Desafortunadamente, Alemania y Portugal aún no han contestado y su aceptación es esencial. El retraso es desalentador porque, mientras no exista una maquinaria eficaz de coordinación y control, será inevitable que se produzcan inquietantes rumores acusando de actividades partidistas a los nacionales de uno u otro país. Asimismo será cada vez más patente (como lo ponen de manifiesto las noticias del día sobre Francia y Alemania) la impaciencia creciente en otros países, a los que sólo pudo convencerse de que se adhirieran al tratado asegurándoles que la no intervención sería eficaz universalmente.

El editorial terminaba indicando que, una vez constituido el comité, tales rumores e inquietudes podrían ser pronta y eficazmente examinados por él, y que, para evitar que la situación pasara de «molesta a peligrosa», los representantes británicos en Lisboa y Berlín estaban urgiendo de aquellos Gobiernos una toma de posición rápida. Si el comité empezara a funcionar inmediatamente, existiría

una mayor esperanza de que el Acuerdo de No Intervención facilite la colaboración en el futuro con referencia, en primer lugar, a los problemas emanados del conflicto español y, en última instancia, a asuntos que son motivo de preocupación aún más general.[6]

6. *The Times*, 2 de septiembre de 1936. Sobre *The Times* y su influencia en la Gran Bretaña de los años treinta resulta interesante leer lo que sigue en el ya citado libro del profesor Mowat, *Britain between the Wars*:
«El más constante exponente de esta política del apaciguamiento fue *The Times*, bajo la dirección de Geoffrey Dawson... Los íntimos contactos de Dawson con los ministros conservadores, en especial con Baldwin, Chamberlain y lord Halifax, le condujeron a mostrarse de acuerdo con la sumisión de Baldwin a las conveniencias del partido y con su indiferencia por la seguridad del Estado.

Efectivamente, ni Portugal ni Alemania acogieron con mucho calor la idea del comité.

El mismo día 27, cuando el embajador francés le entregó la nota proponiendo la constitución de un comité en Londres, Dieckhoff, el subsecretario que estaba temporalmente al frente del Ministerio de Asuntos Exteriores alemán, le dijo que no veía la utilidad de complicar el mecanismo de la no intervención con más intermediarios que no harían otra cosa más que entorpecer la eficacia del acuerdo. Informado de ello, el Foreign Office envió instrucciones a su encargado de Negocios en Berlín para que se sumara a las presiones ejercidas por el Gobierno francés, indicando a Dieckhoff que si Alemania no aceptaba la idea del comité, su negativa sería sin duda interpretada por los demás participantes como prueba de reticencia a poner en práctica las prohibiciones del acuerdo.[7] Dieckhoff entonces propuso que fuera el Gobierno británico el que actuara como coordinador, en lugar de una comisión. Pero esta idea no podía ser aceptada por Londres, que no quería de ningún modo transformarse en único responsable y ejecutor de la no intervención. Finalmente, ante las seguridades dadas por el representante inglés de que el comité no tendría autoridad independiente y de que en cualquier caso cada Gobierno retendría su libertad de acción (incluso en contra de los votos de la mayoría absoluta), Dieckhoff el 3 de septiembre dio su aceptación de principio, siempre y cuando existieran seguridades de que

---

Dawson se movió en un círculo muy limitado: Eton, All Souls, la Round Table, los clubs de Londres, los despachos de los ministros en el Parlamento o Downing Street. Asumió que las opiniones de este círculo constituían la "opinión media británica" y las aceptó y estimuló, por más que en otros tiempos *The Times* hubiera reclamado para sí su formación y dirección. Las idiosincrasias del *Times* hubieran tenido poca importancia en otro momento; pero en los años treinta, cuando el Gobierno nacional consideraba el partidismo deleznable y la protesta, trivial, cuando el poder descansaba en un pequeño círculo de políticos conservadores, de cuyas opiniones *The Times* se hacía eco y sostén, la cosa era muy seria» (pp. 536-537).

7. *Documents of the Foreign Office,* FO 371/20574, doc. W 10289/10394 y 10398/9549/41, telegramas 190 a Berlín, 239 de Berlín (y 192 y 286).

las funciones del comité serían limitadas exclusivamente a problemas directamente relacionados con el embargo de armas para España, tales como el intercambio de información sobre las medidas adoptadas para ponerlo en ejecución, la discusión de puntos de vista sobre la puesta en práctica y eficacia de estas medidas y el estudio de sugerencias para la adopción de nuevas medidas, como, por ejemplo, el control de voluntarios.[8]

El 1 de septiembre, Armindo Monteiro, ministro de Asuntos Exteriores portugués, en una larga nota al ministro francés en Lisboa, explicaba que el Gobierno portugués

estima que la formación de un organismo dotado de tales atribuciones para reunir todas las informaciones sobre las medidas adoptadas y examinar y resolver todos los puntos concretos que dimanen de la aplicación del acuerdo no se deduce de la letra o del espíritu del Acuerdo de No Intervención; en efecto, en éste se ha establecido el contacto directo entre los Gobiernos... y no cualquier otro tipo de relación; ningún Estado ha enajenado su competencia para juzgar del modo como cumplirá sus obligaciones y mucho menos ha consentido en dejar a otros la resolución de los puntos particulares referentes a la aplicación de las estipulaciones; el Gobierno portugués se ha adherido al Acuerdo de No Intervención manteniendo unas reservas específicas y bajo unas condiciones que estima esenciales.

Siendo así que no había habido adhesión a un texto previamente discutido, sino que las aceptaciones habían tomado la forma de adhesiones unilaterales y con reservas, Portugal juzgaba que no existía base jurídica para el establecimiento de una comisión conjunta. Sin embargo, teniendo en cuenta que el propio Gobierno portugués había solicitado de Francia que estudiara formas de control más severo, y siempre y cuando la dicha comisión contribuyera a reforzar el acuerdo, Portugal la aceptaría con las siguientes condiciones: 1.ª, que la competencia de la comisión fuera rigurosamente delimitada, debiendo respetarse las

---

8. Ibídem, tel. 286. Como era de esperar, el editorial del *Times* había sentado mal en Berlín, y Dieckhoff no dejó de indicarlo al diplomático británico.

reservas y condiciones impuestas por los diferentes Gobiernos; 2.ª, que la comisión tuviera a su disposición los medios de acción indispensables para el cumplimiento de sus fines, y 3.ª, que se garantizara la imparcialidad de su acción.[9]

El 3 de septiembre, Calheiros, encargado de Negocios de Portugal en Londres, acudió al Foreign Office para entrevistarse con un alto cargo del departamento y pedirle más detalles sobre el comité. La contestación que recibió fue que aún no se había decidido el funcionamiento o la competencia del organismo y que esos problemas quedaban aplazados hasta que se reuniera por primera vez.[10] El día 8, Armindo Monteiro indicaba al embajador británico en Lisboa que su país, definitivamente, no estaría presente en el Comité de Londres hasta tanto no comprobara que el espíritu de los participantes en él era en efecto bienintencionado y hasta tanto no se resolvieran los problemas que se trataban en su nota de 1 de septiembre.[11]

Así, con la excepción de Portugal, se acordaba la celebración de una reunión preliminar el 9 de septiembre y quedaba constituido, con sede en el Foreign Office londinense, el Comité de No Intervención, que en cruel pero justa frase de Hugh Thomas, «había de evolucionar del equívoco a la hipocresía y a la humillación, durante toda la guerra civil».[12]

La primera reunión del comité tuvo lugar, como estaba previsto, el 9 de septiembre en el salón Locarno del Foreign Office. Salvo la de Portugal, estaban presentes las delegaciones de todos los países firmantes del acuerdo. De entre los países directamente interesados, Corbin («embajador de la Gran Breta-

---

9. *Dez Anos de Política Externa*, vol. III, p. 221. Para Portugal, el comité aparecía como un organismo «destinado a violar el Acuerdo de No Intervención, favoreciendo a los Gobiernos de Madrid, Barcelona y Valencia» (ibídem, p. 236). Italia, por el contrario, era de la opinión de que el comité sería inoperante; Ciano dijo al ministro portugués en Roma que el Gobierno italiano se inclinaba «fervorosamente» del lado nacional y que daría su adhesión puramente formal al proyecto del comité, «reputado estéril o de predominante ventaja para los republicanos» (ibídem, p. 233).

10. *Documents of the Foreign Office*, FO 371/20574, W 10398/9549/41.

11. *Dez Anos de Política Externa*, vol. III, p. 248.

12. Thomas, *The Spanish Civil War*, p. 264.

ña en Londres», como le llamaban maliciosamente los que conocían su anglofilia)[13] asumía la representación de Francia; el conde Grandi (uno de los políticos fascistas que llevaron el peso de las acusaciones contra Mussolini en el Gran Consejo del Fascio en 1943), embajador del Duce en Londres, la de Italia; el príncipe Bismarck (descendiente del Canciller de Hierro), consejero de la Embajada alemana, en sustitución del nuevo embajador Von Ribbentrop que aún no había llegado a la capital británica, la de Alemania; Kahan, consejero de la embajada rusa, la de la Unión Soviética, en sustitución del embajador Maiski, que aún se encontraba de vacaciones en su país; W. S. Morrison, asistido de varios altos cargos del Foreign Office, la de Gran Bretaña.

A propuesta de Corbin, fue nombrado presidente del comité W. S. Morrison, secretario de Finanzas del Tesoro británico. Francis Hemming, funcionario del mismo, fue designado secretario.

En esta primera sesión se acordó que las delegaciones proveyeran «lo más pronto posible al comité de informaciones detalladas relativas a las medidas legislativas y otras tomadas por los Gobiernos respectivos a fin de poner en vigor el Acuerdo de No Intervención».[14] Y, en efecto, todos los Gobiernos fueron depositando los instrumentos legales con los cuales habían ido aplicando el acuerdo, y otras informaciones respecto de embargos de armas ya llevados a cabo. Las disposiciones o prohibían absolutamente la exportación de armas y equipo militar fuera del país respectivo o la sometían a la previa aprobación gubernamental.

También se planteó durante la primera sesión la cuestión de la publicidad de las discusiones. La mayoría de los países representados fue de la opinión que convenía mantener el secreto; Morrison declaró: «Naturalmente, ésta es una cuestión que debe ser decidida exclusivamente por el comité... Yo, por mi parte, sugiero que nos entendemos mucho mejor en privado.»[15] Finalmente fue decidido que al final de cada reunión se hiciera pú-

13. Thomas, p. 287 (3.ª ed.).
14. NIS (36), 1st Meeting.
15. NIS (36), 1st Meeting.

blico un comunicado a la prensa, manteniéndose el secreto del detalle. La decisión fue casi unánime;

> la representación soviética fue de la opinión totalmente contraria. Sostuvo que el trabajo del comité debía ser objeto de la mayor publicidad posible, y en consecuencia, después de la primera reunión, informó en detalle a los periodistas británicos de cuanto había pasado. Al día siguiente, junto con el comunicado oficial aparecieron reportajes no oficiales pero muy detallados. Esto irritó a muchos miembros del comité, y Morrison, en la siguiente reunión, el 14 de septiembre, lamentó lo que había sucedido y solicitó una vez más de todos los que integraban el comité que guardaran el secreto de cuanto sucedía en las sesiones.[16]

Resultan interesantes las actitudes tomadas por las diferentes delegaciones, sobre todo si se tiene en cuenta que ésta era la primera vez que se sentaban alrededor de una mesa para discutir la eficacia del acuerdo suscrito.

Para la Unión Soviética, el Comité de Londres no representaba problema alguno. Habiendo anunciado que no tenía control sobre las organizaciones proletarias con sede en Moscú y no habiendo decidido aún apoyar militarmente a la República, podía seguir jugando la carta del pacifismo que llevaba esgrimiendo desde que ingresó en la Sociedad de Naciones en 1934. En consecuencia, el consejero Kahan fue uno de los delegados que más ardientemente defendió la aplicación efectiva de la política de no intervención en Londres, apoyando fervorosamente la propuesta de creación de un subcomité de control de las violaciones del Acuerdo de No Intervención, que fue constituido, como ha de

---

16. Ivan Maiski, *Spanish Notebooks* (Hutchinson & Co., Publishers Ltd., Londres, 1966), p. 35. El libro del embajador Maiski, que contiene muchos errores además de la natural parcialidad, es muy interesante por ser las únicas Memorias publicadas por un miembro del comité sobre la No Intervención. (El secretario del comité, Francis Hemming, también ha dejado unas Memorias y muchos documentos entre sus inéditos papeles legados a la Biblioteca del Corpus Christi College de Oxford. Lamentablemente, sus Memorias no cubren el período sobre el que incide este libro.)

verse, en la segunda reunión del comité, el día 14 de septiembre.

En lo que se refiere a Italia. Ciano había recomendado a Grandi que hiciera todo lo posible por dar a las actividades del comité «un carácter puramente platónico».[17]

Alemania asumió inicialmente una postura negativa, combatiendo cuanta moción restrictiva de la competencia de cada país se presentara: Berlín aún no había decidido del todo si una intervención eficaz ayudaría a los nacionales y, por otra parte, es sabido que la Wilhelmstrasse ignoraba la mayoría de las actuaciones del Ministerio de Guerra alemán, desconociendo, por tanto el verdadero volumen de la ayuda que Hitler prestaba a Franco.

Por lo que respecta a las posiciones de Francia y Gran Bretaña, resulta interesante reseñar la opinión del consejero Bismarck, en el sentido de que

> no se trata tanto de apoyar medidas reales inmediatamente, como de pacificar los alterados sentimientos de los partidos de izquierda en los dos países a través del establecimiento de tal comité.[18]

Esta idea parece estar bastante cerca de la realidad. En Francia, desde el principio de la guerra civil, las izquierdas habían protestado vehementemente contra el trato discriminatorio que recibía la República española y presionaban para que se tomaran medidas que restablecieran un equilibrio en los suministros de ayuda a los dos bandos. Blum, al adoptar la política neutralista del partido radical, se encontró con que estaba perdiendo el apoyo de su propio partido socialista y el de otro aliado del Frente Popular francés, el partido comunista. El 13 de agosto, el partido comunista francés había dirigido una carta abierta a los socialistas, en la que afirmaba que

> es intolerable que contemplemos cómo Alemania e Italia están suministrando ayuda a los rebeldes mientras el Gobierno

---

17. *Documents on German Foreign Policy*, serie D, vol. III, p. 75.

18. *Documents on German Foreign Policy*, ibídem, p. 84. La misma información puede leerse en *Dez Anos de Política Externa*, vol. III, p. 272.

legítimo de España está sometido a un bloqueo... Somos de la opinión que en la situación presente sería útil que nuestros dos partidos hicieran una *démarche* o gestión conjunta en favor de una acción internacional para apoyar al pueblo español en su gloriosa lucha por la libertad y la paz.[19]

Las presiones de la CGT (Confédération Générale du Travail) acabaron de forzar a Blum a defender su política española, lo que hizo en un célebre discurso en el Luna Park, el 6 de septiembre de 1936:

> ... La solución, lo que tal vez permita salvaguardar conjuntamente a España y la paz, es la firma de una convención internacional por la que todas las potencias se obligarían, no a la neutralidad... sino a la abstención, en lo que se refiere a la entrega de armas...
>
> La convención a la que hoy declaro que es imposible que Francia no se adhiera, lleva por ejemplo la firma de la Unión Soviética. No puedo, por tanto, creer que la conducta que hemos adoptado sea contraria a los principios del *Rassemblement Populaire* y a las líneas generales del programa que éste se había trazado.
>
> Pero si uno de los partidos o uno de los grupos que se adhirieron desde su fundación al *Rassemblement Populaire* [se refiere a los comunistas]... piensa que nuestra conducta está en contradicción con las declaraciones comunes, que lo diga... y examinaremos en seguida juntos cuáles consecuencias debemos sacar de esta denuncia del contrato...[20]

Las persuasivas palabras de Blum no hallaron sin embargo eco en los círculos laborales y cada vez con más frecuencia se sucedieron las huelgas y manifestaciones en favor de la República española. La constitución del Comité de Londres apenas si aminoró algo la presión izquierdista, que fue renovada posteriormente, con ataques constantes desde el periódico *L'Humanité*, hasta tal punto que, el 11 de octubre, Paul Faure, secretario general del partido socialista, tuvo que recordar las palabras de

19. *L'Humanité*, 13 de agosto de 1936. Cit. por Cattell, op. cit., p. 23.
20. *L'oeuvre de Léon Blum*, pp. 391-394.

Blum en el Luna Park: «Lo que nos parece más peligroso es la práctica que consiste en disminuir la confianza de las masas en su Gobierno, a través de una crítica sistemática y hostil de los actos de ese Gobierno.»[21]

El embajador británico en París enjuiciaba la crisis de la siguiente manera:

> ... Queda por ver si, en vista de la reiteración de la intención de mantener firmemente la actual política hecha por Blum en su discurso del Luna Park de 6 de septiembre, los comunistas y la CGT cederán.
>
> Según la prensa de esta tarde, el secretario general del comité administrativo permanente del partido socialista ha contestado a la carta que el 4 de septiembre le envió su colega comunista y ha manifestado que piensa convocar una reunión de aquel comité el día 9 para considerar la sugerencia de que una delegación conjunta de los partidos comunista y socialista proteste ante el Gobierno por su política española. Existen muy pocas dudas de que la respuesta de los socialistas será negativa...[22]

En los ambientes políticos, sin embargo, un sutil hecho obligó a los partidos del Frente Popular a inclinarse ante la política de Blum; como la CGT y los comunistas no consiguieron forzar a Blum a que abandonara su política de no intervención, se encontraron ante un serio dilema: la negativa a apoyar al Gobierno de Blum acabaría significando su caída y, muy probablemente, el fin del control del Gobierno por el Frente Popular. El 8 de septiembre, el comité administrativo de la CGT declaró su fidelidad al Frente Popular y su apoyo incondicional a la política del Gobierno.

> Ya sea como resultado de esto o a consecuencia de una orden de Moscú, la actividad del partido comunista también se ha suavizado enormemente y de hecho ahora ya no está muy lejos de la de la CGT...

21. *Dez Anos de Política Externa*, vol. III, p. 440.
22. FO 371/20576, W 10845, telegrama de París 311 de 8 de septiembre. Añade que, al mismo tiempo, también ha sido solicitado de la CGT que defina su posición.

Aunque Thorez ha rehusado endosar la política gubernamental de neutralidad hacia España, no ha dejado de aclarar
que no podía permitirse una escisión en el Frente Popular y
que, en el caso de una votación de confianza en la Cámara, el
Gobierno podía contar con el apoyo de los comunistas.[23]

En Gran Bretaña, que siempre desempeñó un importante
papel en la política de apaciguamiento y neutralidad, el Comité
de No Intervención jamás planteó problemas y fue bienvenido.
Gran Bretaña nunca se inmiscuyó en la guerra civil española; su
único interés fue siempre aislarla y el comité le pareció al Gobierno un buen sistema de conseguirlo. La candidez de Baldwin
en este asunto sólo es comparable a su desinterés por la política
internacional, con la ventaja para él añadida de que, con la creación del comité, se apaciguaron un tanto los sentimientos del
partido laborista, dando, entre otras cosas, satisfacción a su declarado pacifismo.

Tras la primera reunión del comité fue facilitado a la prensa
un comunicado en el que, después de reseñar los miembros presentes, se decía:

Después de un cambio de opiniones sobre la finalidad del
comité, fue propuesto que las respectivas delegaciones le su-
ministraran lo más rápidamente posible todos los detalles relativos a las medidas, legislativas y otras, adoptadas por sus Gobiernos para dar efectividad al Acuerdo de No Intervención.
Se decidió que esta proposición sería sometida a los Gobiernos representados en el seno del comité para que dieran su
opinión. El comité también tomó debida nota de que el texto
de las notas intercambiadas entre el Gobierno francés y los
otros Gobiernos, notas que constituyen el acuerdo, será publicado en francés en cuanto los otros Gobiernos hayan dado su
conformidad.

El comité ha expresado su deseo de reunirse de nuevo lo
más pronto posible...[24]

23. Ibídem, W 11035.
24. NIS (36), 1st Meeting — A. Press communiqué.

La segunda reunión del comité

El 11 de septiembre, el Foreign Office hacía un nuevo esfuerzo por convencer a Portugal de que su presencia era indispensable en el seno del comité. En una entrevista entre Calheiros y Mounsey, éste, en su deseo de hacer desaparecer los recelos de Portugal, le aseguró que el comité no pasaba de ser un organismo libre en el que cada Estado podía adoptar la postura que más le conviniera y que, por tanto, Portugal podía mantener sus condiciones a la vez que colaboraba en pro de la paz mundial.[25] La respuesta portuguesa fue una vez más negativa porque se pensaba ₎n Lisboa que un comité así de nada serviría y porque una postura intransigente sería útil a Portugal a la hora de oponerse a cualquier medida de neutralización de la guerra de España que implicara limitaciones en la soberanía lusa. Al Gobierno portugués la no intervención le parecía, y probablemente no andaba muy descaminado, totalmente absurda. Monteiro «simplemente no comprendía la política inglesa y pensaba que Francia estaba cavando su propia tumba».[26]

El Comité de Londres se reunió por segunda vez el 14 de septiembre.[27]

El presidente, Morrison, empezó dando cuenta de su disgusto porque algunos periódicos británicos hubieran publicado informaciones sobre la primera reunión. No acusó a nadie, pero dijo:

> Apelo a los miembros del comité para que se muestren más discretos respecto de lo que suceda en nuestras reuniones... Necesitamos una buena cantidad de franqueza en este comité

25. *Dez Anos de Política Externa*, vol. III, p. 272-273.

26. *Documents on German Foreign Policy*, loc. cit., doc. 70, cit. por Watkins, op. cit., p. 81.

27. NIS (36), 2nd Meeting. La sesión se inició con una extraña petición de Corbin: Madrid había solicitado de Francia la compra de máscaras antigás; ¿debían considerarse esas máscaras como material de guerra? La pregunta parece ciertamente incongruente con el volumen de ayuda que tanto la República española como los nacionales estaban recibiendo y sorprende que no fuera recibida con más ironía. Los demás representantes en el comité acordaron pedir instrucciones a sus respectivos Gobiernos sobre el particular.

y los que tenemos experiencia sabemos que la franqueza hacia dentro implica discreción hacia afuera.

Una vez más, todos se mostraron de acuerdo. A continuación Morrison hizo una propuesta que, entonces, no parecía tener importancia, pero que con el tiempo habría de hacerse más y más significativa: la creación de un subcomité restringido a unas cuantas representaciones cuyo objeto sería descargar al comité general de rutinarias tareas de control y largos procedimientos administrativos. Probablemente (aunque, dada la tendencia de la política internacional británica, puede parecer dudoso), Morrison hizo la propuesta de buena fe. Pero apenas unos meses después pudo comprobarse que el subcomité había sustituido enteramente al comité y que el control de los efectos internacionales de la guerra española había quedado restringido a unos cuantos países interesados. Los miembros del subcomité habrían de ser los «países limítrofes con España», «los países productores de armamento» y algunos otros; la lista de representantes es, por sí sola, elocuente: Gran Bretaña, Francia, Alemania, Italia, Unión Soviética, Bélgica, Checoslovaquia y Suecia (estos tres últimos, como productores de armamento); se solicitaría la participación de Portugal en cuanto quedara resuelta la cuestión de su ingreso en el comité. También en el número de reuniones es evidente el progresivo aumento de la importancia del subcomité: durante los meses de septiembre y octubre de 1936, el comité se reunió 14 veces y el subcomité, 17; en 1937, el comité se reunió 14 veces y el subcomité, 69; en 1938, el comité se reunió una vez y el subcomité, 17. A partir de 1937, dice Maiski,

los problemas más importantes eran discutidos y resueltos en el subcomité y el pleno del comité fue gradualmente transformado en una especie de máquina de votar que endosaba todas las decisiones tomadas por el subcomité...

...Estaba perfectamente claro que no sólo Alemania e Italia, sino también Gran Bretaña y Francia, intentaban mantener todo lo relacionado con la guerra de España lo más lejos posible de los ojos de la opinión pública mundial.[28]

28. Maiski, op. cit., p. 34.

Al hablar de las tareas que podrían asignarse al subcomité, Morrison sugirió que podría encargarse «de forma más expeditiva de los problemas con los que nos enfrentamos», entre los que naturalmente debían incluirse no sólo la definición de la competencia del Comité de Londres, sino también, y sobre todo, el examen de las acusaciones de violación del embargo de armas. La mayoría de los miembros del comité se mostraron conformes en que las violaciones anteriores a los respectivos decretos de embargo no fueran discutidas, aunque Kahan, que no estaba muy de acuerdo, ya acusó a Grandi de la llegada de 24 aviones italianos a Vigo, solicitando un estudio del alcance del decreto de embargo italiano. Grandi replicó ácidamente que estaba dispuesto a que el caso se discutiera, siempre y cuando se examinaran también los de otros países (en aquellas fechas empezaban desde Odessa los envíos rusos de dinero y material no militar a la República española). La creación del subcomité fue aprobada por unanimidad y se acordó que la primera reunión tuviera lugar al día siguiente, 15 de septiembre.[29]

Primeras reuniones del subcomité

Durante la primera reunión del subcomité, el día 15, el presidente del mismo, Morrison, indicó que era preciso fijar claramente

---

29. NIS (36), 2nd Meeting. Aún hay un punto interesante: el embajador de México había solicitado por carta permiso para que un observador asistiera a las reuniones del comité. Tras alguna discusión, los miembros del comité decidieron rechazar la petición para evitar intrusiones en el secreto de la no intervención y para no sentar un precedente que hubiera dado pie a la entrada de decenas de observadores de países no miembros del Acuerdo. Es ésta una decisión poco comprensible, a menos de que se interprete a la luz de un deseo de secreto muy sospechoso. Durante la segunda reunión del subcomité, el 18 de septiembre, Grandi volvió a suscitar el tema diciendo que no se le alcanzaba claramente el porqué de la negativa a aceptar la presencia de un observador mexicano. Para Grandi, la finalidad del acuerdo era impedir que los efectos de la guerra de España excedieran de las fronteras de este país y, en consecuencia, le parecía que cualquier nación interesada (y, evidentemente, México había demostrado un particular interés) debía no sólo ser invitada como observadora, sino que, probablemente, debía solicitarse de ella la adhesión al acuerdo. Prevaleció, sin embargo, la posición contraria.

sus tareas y que le parecía que éstas eran sustancialmente tres: en primer lugar, colación de las informaciones de los diferentes Gobiernos sobre las medidas que hubieren tomado para poner en funcionamiento el embargo de armas para España (a tal efecto, el secretario, Hemming, ya estaba preparando un documento-resumen sobre el particular); en segundo lugar, unificación de estas medidas para conseguir una aplicación unitaria del acuerdo, y, por fin, examen de las acusaciones de violación:

> Me parece que es importante que tengamos siempre presente la finalidad con que nos reunimos: evitar que las consecuencias derivadas del infortunado conflicto español se extiendan más allá de sus fronteras... No creo que nuestra función más importante sea el examen de las acusaciones de violación... Quiero que nos convirtamos en un organismo que tenga la finalidad indudablemente más positiva de asegurarse de que no haya acusaciones, ahora o más adelante...[30]

Consecuentemente, la primera tarea que tenía el subcomité era fijar un procedimiento para que el comité examinara y decidiera sobre las acusaciones de violación que le fueran planteadas. El procedimiento fue discutido durante dos sesiones del subcomité y adoptado durante la reunión del comité el 21 de septiembre.

Durante esta sesión del subcomité y la siguiente, celebrada el 18, empezaron a ser discutidas dos cuestiones importantes:

1. La de la «intervención indirecta» que Grandi quería fuera incluida dentro de las obligaciones del acuerdo como «prohibición de reclutamiento de voluntarios y de envío de fondos». En opinión del representante de Francia, país que por primera vez había hablado de «intervención indirecta» en la guerra de España en el texto de la Declaración de No Intervención, ese tipo de injerencia era considerado como la ayuda a cualquiera de las dos partes en lucha proveniente de organismos y entidades no estatales, lo que cualificaba el origen pero no el objeto de la asistencia.

2. La venta de armamento a países de los que se sospechaba

---

30. NIC (C) (36), 1st Meeting (FO 841/27).

no darían destino interno a ese material, sino que lo reexportarían a España. Concretamente, el Gobierno sueco quería saber si podía conceder las licencias de exportación necesarias para que una compañía sueca, la Bofors Co., vendiera veinte toneladas de tolita a Portugal, ocupado por aquel entonces en remozar los efectivos de su ejército. La cuestión fue incluida en el orden del día de la segunda reunión del subcomité, inicialmente bajo el título «actitud a adoptar en la cuestión de la exportación de material a Portugal» y, finalmente, bajo la rúbrica más suavizada de «posición de Portugal». Como comunicó Calheiros a Lisboa, no era probable que el comité adoptara medidas contra Portugal, por más que Alemania e Italia no quisieran ser acusadas «de dificultar la acción del comité» y Francia empezara a «atribuir, aunque veladamente, el posible fracaso del comité a nuestra ausencia».[31] De todos modos, como dijo Grandi en el subcomité, «el hecho de que Portugal no esté representado aquí... no nos permite deducir que no esté cumpliendo sus obligaciones».[32] En la reunión del 18, se acordó autorizar la exportación de la tolita a Portugal, siempre y cuando Suecia advirtiera a este Gobierno que se entendía que el material era para uso exclusivo del ejército portugués.

Definición de la competencia

El Comité de No Intervención se reunió por tercera vez el 21 de septiembre para votar, como estaba previsto, el texto en el que se definía su competencia en materia de examen de las acusaciones de violación del acuerdo. Tal y como fue aprobado, incluía los siguientes puntos:[33]

1.º Se manifestaba la esperanza de que llegaran al comité ninguna o muy pocas acusaciones de violación.

2.º Una vez que se hubiera presentado una acusación, ésta debería ser examinada por el comité con el fin de averiguar la veracidad de los hechos objeto de queja.

31. *Dez Anos de Política Externa*, vol. III, p. 281.
32. NIS (C) (36) 1st Meeting.
33. NIS (36), 3rd Meeting.

3.º Una acusación sólo sería tomada en cuenta por el comité cuando:

a) Procediera de fuente responsable.

b) El Gobierno que la presentara la juzgara suficientemente importante y fundamentada.

4.º Sólo se aceptarían acusaciones provenientes de Gobiernos firmantes del Acuerdo de No Intervención.

5.º Las acusaciones deberían ser comunicadas por escrito al secretario del comité y, posteriormente, el presidente se dirigiría al delegado del Gobierno acusado solicitando las explicaciones necesarias para el esclarecimiento de los hechos; recibidas las explicaciones, también por escrito, el comité procedería a «adoptar las medidas pertinentes al esclarecimiento de los hechos en cada caso». (Al final de la reunión se acordó hacer públicos estos puntos, para que cualquier parte interesada pudiera hacer reclamaciones a través de Gobiernos miembros de la No Intervención.)

Se aprecia perfectamente la intención de Gran Bretaña al apoyar la adopción de un sistema procesal tan débil y tan hipotético. Para el Gobierno británico no se trató nunca de crear un tribunal competente para juzgar infracciones del acuerdo. Lo que se perseguía más bien era el establecimiento de un sistema «de conciencia» que apelara a la buena voluntad de los Gobiernos interesados. ¿Cómo hubiera podido establecerse un procedimiento de castigo de los infractores? ¿Qué sanciones hubieran podido preverse y, sobre todo, quién se hubiera atrevido a ejecutarlas? La Sociedad de Naciones estaba ahí como permanente ejemplo de fracaso. Lo que pretendía Gran Bretaña era simplemente dar un toque de atención a los que infringieran el acuerdo, pidiéndoles que reconsideraran su postura y la eficacia de sus decretos de embargo de armas. Lo que no esperaba era que terminara la intervención en España, aunque sí creía que se minimizaría. Como dice Thomas, la intención real de Inglaterra no era

cortar la ayuda a las dos partes en lucha, sino sólo dar la sensación de que se interrumpía. De este modo, tal vez no se detenía el flujo de material bélico, pero ciertamente se evitaba la transformación de la guerra de España en una guerra mundial.[34]

Portugal entra en el comité

En la semana que siguió a esta reunión del comité, Eden hizo en Ginebra todo lo posible para vencer la resistencia de Portugal a hacerse representar en el comité. Después de largas conversaciones y de complicadas aclaraciones, Monteiro dio a Eden su aquiescencia mediante una carta a Morrison, que también había ido a Ginebra para asistir a la Asamblea anual de la Sociedad de Naciones:

> He recibido hoy su carta incluyendo la descripción del procedimiento adoptado por el Comité Internacional de Londres para examinar las acusaciones de violación del Acuerdo de No Intervención en la guerra civil española. Como las reglas de procedimiento adoptadas resuelven todas mis dudas, tengo el gusto de informarle que un representante de mi país estará presente en la próxima reunión del comité. Con este motivo, no quiero dejar de subrayar que las reservas y condiciones que, en nombre del Gobierno portugués, comuniqué a los Gobiernos británico y francés en nota de 21 de agosto pasado, no han sido afectadas por la decisión mencionada y que mi Gobierno las mantiene en su totalidad...[35]

Lord Plymouth, subsecretario parlamentario del Foreign Office y delegado británico que desde la reunión anterior había sido elegido presidente del comité en sustitución de Morrison, y que lo sería hasta la desaparición del organismo, dio lectura a la carta y expresó su bienvenida al representante portugués, Calheiros. Éste aseguró que prestaría al «comité toda la colaboración y buena voluntad que me sea posible», pero recordó, una vez más, que la presencia de Portugal en el comité no implicaba su abandono de las reservas impuestas al sumarse al Acuerdo de No Intervención.

34. Thomas, op. cit., p. 279.
35. NIS (36), 4th Meeting.

Portugal, en efecto, no abandonaba su postura frente al conflicto español. Al poco tiempo de la adhesión al Comité de Londres, Lisboa rompió sus relaciones diplomáticas con el Gobierno de Madrid; el hecho de que no reconociera al Gobierno de Burgos hasta el 11 de mayo de 1938 no es significativo más que de la presión que ejerció Gran Bretaña sobre Salazar para obtener de él un respeto por la neutralidad. Por lo demás, la actitud portuguesa no se alteró ni por un momento: la prensa, la radio (la emisora Radio Club Português se manifestó constantemente a favor de los nacionales, animándoles a la victoria con un entusiasmo sólo comparable al del general Queipo de Llano desde Radio Sevilla) y el mismo Gobierno (Salazar comunicó a Franco que, a pesar de no poder reconocerlos, «Portugal no ayudaría menos a España por todos los medios, porque una España roja tendría como consecuencia un Portugal rojo»)[36] fueron ardientes partidarios del alzamiento nacional. El propio Salazar, en una nota oficiosa de 22 de septiembre de 1936, explicó claramente la posición hacia la que se inclinaba su país:

> No desistimos de que sea respetada nuestra tranquilidad, ni podemos transigir en lo que es indispensable a la defensa de la vida y de la libertad de nuestro pueblo... amenazado por ambiciones alguna vez manifestadas del plan ibérico del comunismo.[37]

La guerra de España en la Sociedad de Naciones

La Sociedad de Naciones jugó un papel poco importante en la guerra civil española porque lo que en condiciones normales

---

36. *Documents on German Foreign Policy*, loc. cit., p. 223.

37. *Dez Anos de Política Externa*, pp. 311-317. Añade: «Todos los países de orden podrán comprobar, si lo examinan con serenidad, que, en el fondo, sólo dos cosas importan; la primera es: el comunismo está empeñado en estos momentos, en la Península, en una formidable batalla, de cuyo éxito dependerá en gran parte la suerte de Europa, razón por la que en ella están interesadas e intentarán intervenir... todas las ideologías afines. La segunda es: para el comunismo ibérico sería más valioso que un cargamento de armas y municiones una transformación política operada en Portugal, que hiciese vulnerable la retaguardia de todo el ejército español.»

hubiera sido su cometido, fue dejado en manos del Comité de Londres. Las razones fueron dos: primero, el Comité de Londres nunca figuró como un organismo ejecutivo y, en consecuencia, sus tareas no podían ser dejadas en manos de la Liga que, al menos nominalmente, era una entidad con poder decisorio; segundo, la presencia de Alemania e Italia en el Acuerdo de No Intervención era esencial para su funcionamiento y ninguno de los dos países era en 1936 miembro de la Sociedad de Naciones.

Pero no debe olvidarse que, más que nunca en 1936, el organismo ginebrino era una tribuna de opinión pública de enormes repercusiones propagandísticas y de un espíritu democrático y pacífico real y fuertemente sentido. La guerra de España tenía que estar presente en Ginebra y, conscientes de ello, los gobernantes de la República española, que no tenían acceso a la no intervención, erigieron en esa pequeña ciudad el estrado de sus protestas y peticiones de auxilio.

Ya el 14 de septiembre, Julio Álvarez del Vayo, ministro de Estado en el nuevo Gobierno que, presidido por Largo Caballero, había sustituido en Madrid al de Giral diez días antes, había manifestado la opinión del Gobierno republicano en una fuerte nota enviada a los embajadores acreditados en Madrid por países miembros del Acuerdo de No Intervención:

> Las cosas han llegado a un punto en que el Gobierno constitucional de España ha creído su deber dirigirse al Gobierno de S. E., como firmante del Acuerdo de No Intervención, para preguntarle si se ha dado cuenta de que el embargo sobre la exportación de armas a un Gobierno legítimo y la tolerancia de hecho de una intervención directa de parte de Italia y Alemania en favor de los facciosos están creando un precedente de gravedad extrema en el orden internacional.
>
> El Gobierno español, convencido de que el Gobierno de S. E. no querría admitir una violación tan inaudita del derecho y de las prácticas internacionales, que serviría de base a una política que introduciría en Europa la ley de violencia sin freno y pondría en grave peligro la paz mundial, dando un golpe mortal al principio de la seguridad colectiva, pide el levantamiento del embargo instituido sobre la exportación de

armas destinadas al Gobierno español y la prohibición rigurosa del suministro de material de guerra a los rebeldes.[38]

Unos días antes, el 8 de septiembre, Álvarez del Vayo ya había
adelantado esta nota al encargado de Negocios británico en Madrid, apelando al sentido del *fair play* inglés y subrayando que «la
amistad con la Gran Bretaña siempre había sido una de las características fundamentales de la política exterior de la izquierda
española».[39]

> Los esfuerzos de España en pro de la paz mundial y su lealtad
> hacia la Sociedad de Naciones eran bien conocidos... El Go-
> bierno era el legítimo de España y el embargo actual sobre las
> municiones afectaba únicamente al Gobierno español. Ellos
> eran las víctimas de la mal llamada neutralidad...[40]

En Londres, los comentarios del Foreign Office a esta nota
del ministerio español indican cierto sentimiento de pudor por
la política de no intervención:

> Es difícil pensar en una respuesta que se pueda dar a este lla-
> mamiento, excepto que si se hubieran dado al Gobierno legí-
> timo las facilidades a que tiene derecho sin duda alguna, las
> consecuencias políticas habrían sido demasiado graves para
> ser deseadas... «No Intervención» implica en este caso la de-
> negación a un Gobierno legal de los medios para combatir
> una rebelión...[41]

Sir Gerald Mounsey, por su parte, indica:

> No creo que debamos dar respuesta individual a este llama-
> miento. Si el Gobierno español cumple con su intención ma-

---

38. Citado en *Guerra y Revolución en España, 1936-1939*, vol. II, p. 99. Sigue
una lista de pruebas de intervención italiana y alemana.
39. FO 371/20575, doc. W 10554/9549/41, telegrama 150 desde Madrid.
40. Ibídem.
41. Ibídem. Comentario del telegrama de Shuckburg, de la Sección de
Europa occidental.

nifiesta de apelar a Ginebra, las contestaciones de las potencias deben darse allí. Es cierto que, desde el punto de vista legal, el Gobierno español tiene un buen argumento... pero no debe olvidar que, mucho antes de que estallara la insurrección, éste era un Gobierno incapaz de gobernar.

Eden añade: «estoy de acuerdo en que no debemos dar una respuesta individual».[42]

En Ginebra, Álvarez del Vayo se negó a aceptar la sugerencia del presidente de la Asamblea, el doctor argentino Saavedra Lamas, que en unión de otros delegados hispanoamericanos intentó convencerle de que no aludiera al tema de la guerra civil; el único punto en que transigió, gracias a las presiones de Eden, fue en el de moderar la posible violencia de sus alegatos. Si bien la cuestión española no estaba en el orden del día, ninguna regla de procedimiento podía impedir que fuera suscitada. El propio Eden, sin embargo, en su alocución inaugural de la Asamblea, intentó marcar la pauta no haciendo referencia al problema.

El 25 de septiembre, el ministro español se levantó para consumir su turno como orador. En su discurso, Álvarez del Vayo solicitó formalmente la intervención de la Sociedad de Naciones en España porque, según afirmó, la guerra civil constituía una amenaza para la paz mundial y la ayuda prestada a los nacionales por algunos Estados cuyo régimen político coincidía «con aquel al que están ligados los rebeldes», implicaba «la negación de los más esenciales principios y reglas de la cooperación internacional». Como prueba de ello, pedía al secretario de la Asamblea la publicación y difusión de unos documentos en los que se contenían acusaciones concretas contra Alemania, Italia y Portugal, por intervenciones a favor de los nacionales.[43]

---

42. Ibídem.

43. Posteriormente, el secretario se negó a ello con el argumento de que distribuir documentos relativos a la política interna de los países excedía del margen de sus atribuciones. El Gobierno de Madrid decidió publicar estos documentos, los mismos que los contenidos en la nota de Álvarez del Vayo del día 15, y la delegación británica en el Comité de Londres los presentó como acusaciones contra Italia, y como tales se encuentran incluidos en los documentos de la No Intervención. Vid. pp. 229 y ss. del texto; infra.

En sus palabras, Álvarez del Vayo denunció

la monstruosidad jurídica de la No Intervención, que en la práctica se traduce en una intervención efectiva, directa y positiva en favor de los rebeldes.

Los campos ensangrentados de España son ya, de hecho, los campos de batalla de la guerra mundial. Esta lucha, una vez comenzada, se transformó en una cuestión internacional. La lucha estaría ya decidida en sus grandes líneas si por las razones que hemos indicado el pueblo español no se hubiese visto obligado a hacer frente a otra agresión de mayor amplitud. Además de las pruebas a que me he referido de la existencia y continuación de la agresión, cada día llegan nuevas pruebas, selladas con nuestra sangre, de la entrada en acción de un inmenso material de guerra extranjero que los rebeldes no poseían en el momento en que se produjo la sublevación.

Cada defensor español de la República y de la libertad que cae en el frente por el fuego de estas armas importadas de la manera más cínica y en cantidad mayor a pesar del Acuerdo de No Intervención, es una demostración irrefutable del crimen que se comete contra el pueblo español.[44]

Para terminar, Álvarez del Vayo dijo que no se podía privar a un Gobierno legítimo del derecho a procurarse las armas necesarias para sofocar una rebelión en su territorio y, en consecuencia, solicitó que se dejara a salvo la libertad de compra de armas.

Aunque Delbos, ministro de Asuntos Exteriores francés, contestó a Álvarez del Vayo diciendo que el Acuerdo de No Intervención había sido puesto en pie para impedir «la movilización ideológica de Europa»,[45] la opinión sobre este punto fue muy dispar. En efecto, Litvinov, comisario soviético para Asuntos Exteriores, explicó que la Unión Soviética se había asociado a la Declaración de No Intervención

sólo porque una nación amiga temía que, en caso contrario, siguiera un conflicto internacional. Y lo hizo a pesar de su opi-

---

44. *Diario de Sesiones de la Sociedad de Naciones*, XVII Asamblea, pp. 48 y ss.
45. También citado en *Dez Anos de Política Externa*, vol. III, p. 380.

nión de que el principio de neutralidad no se aplica en el caso de que unos rebeldes luchen contra un Gobierno legítimo. El Gobierno soviético entiende que la injusta decisión a la que se hace referencia fue impuesta por aquellos países... que han creado una nueva situación... como resultado de la cual se permite ayudar abiertamente a rebeldes que luchan contra su Gobierno legítimo.[46]

Pese a la gravedad del problema, la Asamblea no se pronunció y decidió aceptar la gestión del Comité de Londres, admitiendo tácitamente que éste era una especie de *agencia especializada* para el «caso España».

46. *Diario de Sesiones*, ibídem.

X. Las Brigadas Internacionales

Las Brigadas Internacionales constituyen para muchos el símbolo del apasionamiento del mundo por la lucha española y del entusiasmo por el bando republicano. Símbolo, desde luego, y de enorme repercusión sentimental, favorecida por la trascendencia de la polarización de los intelectuales en torno al conflicto. Pero cuando se considera el volumen de los efectivos humanos comprometidos en la guerra civil por los dos bandos, se comprende que las Brigadas Internacionales (con un número de combatientes que escasamente sobrepasa los 35 000 —apenas un dos por ciento del ejército republicano—, cifra reducida si se la compara con la de los combatientes extranjeros en el lado nacional —10 000 alemanes, cerca de 70 000 italianos y casi 15 000 portugueses—) aunque presentes en casi todas las batallas de importancia de la guerra y, en ocasiones de manera decisiva como en su inicial llegada a Madrid, nunca fueron numéricamente ejemplo trascendental del apasionado tomar partido del mundo y menos aún del de la clase obrera.

La historiografía en torno a la guerra, y especialmente la española, es cada día más crítica de las Brigadas e intenta desmitificarlas como símbolo, negando su cualidad romántica y haciendo hincapié en su mercenarismo, su origen espurio (alimentado en el desempleo europeo) y su carácter comunista.[1] Las Brigadas deben efectivamente ser analizadas a la luz de la situación europea del momento y puestas en su justo lugar, pero no pueden ser descartadas sin más con irónico comentario. Su valor sentimen-

---

1. Ricardo de la Cierva, *Leyenda y tragedia de las Brigadas Internacionales*, Madrid, 1971, se ocupa especialmente de ello, aunque se diría que con poco convencimiento.

tal está presente; no puede olvidarse, como se indica en el primer capítulo de este libro, que a los demócratas del mundo entero en los años treinta les habían enseñado a odiar y temer a Hitler y a Mussolini; de repente descubrieron que había un sitio adonde se podía ir a luchar contra ellos con algo más que manifestaciones y huelgas. Esto es lo que confiere a las Brigadas Internacionales, con todos sus fallos y su mercenarismo, un carácter romántico y simbólico.[2] Hay un entusiasmo innegable que empujó a muchos miles de extranjeros a ir a España con lo que no puede sino considerarse como un compromiso político muy real. Tampoco es lícito olvidar que, con sus muchos defectos, las Brigadas dieron alto ejemplo de valor y tesón.

Dicho cuanto antecede, sin embargo, no deben desdeñarse las acusaciones que se dirigen contra ellas.

La organización, montaje, dirección y armamento de las Brigadas fueron esencialmente de carácter comunista y dirigidos desde Moscú o por el Komintern. Los integrantes, en su mayoría comunistas (el 60 por ciento lo eran en el momento del reclutamiento y a ellos se añadió otro 15 por ciento en el transcurso de la guerra) o socialistas, pueden clasificarse en las cinco categorías siguientes:

1.ª Los líderes, comisarios políticos y dirigentes (claramente la minoría) provenientes de las altas jerarquías de los partidos comunistas y socialistas, especialmente de Francia, Italia, Alemania y la Unión Soviética, y que en gran medida pertenecían a la organización del Komintern. Casi todos los dirigentes de los partidos comunistas europeos de tiempos recientes formaron en ellas.

2.ª Los intelectuales y «luchadores de la libertad», liberales y socialistas, en su mayoría provenientes de países anglosajones (Estados Unidos, Gran Bretaña y Canadá).

3.ª Proletarios y trabajadores (muchos de los cuales estaban sin empleo) de Francia y Bélgica, que formaron el núcleo mayor de las Brigadas; una gran proporción de ellos fueron mercenarios.

4.ª Los sindicalistas y otros miembros activos de partidos políticos de izquierda, huidos a Francia desde Alemania, Italia, Hungría y Polonia.

5.ª Una abigarrada minoría de las más variadas nacionalida-

2. Vid. supra, pp. 40-41.

des, aventureros y sentimentales, malos combatientes, indiscipli-
nados y prestos a desertar a la más mínima ocasión.

En el origen de su reclutamiento pueden distinguirse tres categorías fundamentales:

a)   Los cerca de cuatro mil trabajadores y sindicalistas extranjeros que estaban en España al estallar la insurrección el
17 de julio. El motivo de su presencia era participar en una Olimpiada del Pueblo (en señal de protesta por la Olimpiada que se
celebraba en Alemania) que había de iniciarse el 20 de julio en
Barcelona. A ellos se fueron sumando en las primeras semanas
de la guerra individuos de las más variadas nacionalidades llegados en tropel desde Francia para luchar por la libertad.

b)   Los oficiales, suboficiales y milicianos contratados directamente por la Embajada de España en París y organizaciones de
colaboración desinteresada.

c)   Incluso antes de la fecha de creación oficial de las Brigadas, el 22 de octubre de 1936, los hombres reclutados, también
en París, a través de la organización clandestina y semiencubier-
ta del Komintern.

Voluntarios extranjeros anteriores a las Brigadas

El estallido de la guerra civil el 17 de julio produjo una división
inmediata de las fuerzas militares españolas en dos mitades casi
exactamente iguales; puede estimarse que el ejército republicano y el nacional quedaron con cien mil hombres cada uno.[3]

3. En el Servicio de Estudios sobre la Guerra de Liberación del Ministerio
español de Información y Turismo se conservan todos los datos de la distribución de los militares en los dos bandos. El cuadro queda como sigue (vid. De la
Cierva, op. cit., pp. 24-25):

	Nacionales	*Republicanos*
Oficiales	4 660	4 300
Suboficiales	2 750	4 250
Cuerpo auxiliar subalterno	2 010	2 290
Tropa	14 175	25 800
Ejército de África	24 400	341

Pocas horas después del alzamiento ambos contendientes empezaron a aceptar la militarización de voluntarios, que acabarían constituyendo el núcleo más numeroso de sus ejércitos. Como es sabido, el Gobierno republicano dio, el 19 de julio, órdenes de que se armara al pueblo para constituir con ello una milicia popular («el pueblo en armas») con la que enfrentarse al ejército regular, pasado al bando rebelde, se suponía, en su totalidad. El 20 de julio, el ministro de la Gobernación ordenó a todos los alcaldes que colaboraran con las organizaciones obreras para poner en práctica la idea de la milicia popular. Pronto surgieron en toda la España republicana grupos voluntarios de combate afiliados fundamentalmente a los sindicatos y sometidos a las jerarquías comunista, anarquista y socialista. Los grupos tomaron las más variables denominaciones, como las de «Linces de la República» o «Leones rojos» o «Columna de hierro»; probablemente los más famosos fueron la «columna Durruti» en Cataluña y Aragón, y el «5.º Regimiento», organizado por el partido comunista al mando de Enrique Líster, en Madrid. Más adelante, el 30 de septiembre, se publicaría un decreto por el que las milicias voluntarias quedaban encuadradas en el ejército regular de la República[4] y unificadas en seis brigadas

	Nacionales	Republicanos
Guardia Civil:		
Mandos	700	800
Suboficiales	800	1 400
Carabineros:		
Mandos	290	410
Suboficiales	450	640
Tropa de G. C. y Carabineros	19 500	28 000

De la Cierva añade: «Los 30 000 hombres de las fuerzas de Seguridad y Asalto se distribuyeron de forma parecida. Los jefes y oficiales afectos a Aviación se reparten de forma semejante a los porcentajes generales del ejército. En la Marina el desequilibrio es mucho mayor a favor de los rebeldes en la oficialidad y a favor de los gubernamentales en la marinería.»

4. Para los comunistas (vid. *Guerra y Revolución en España*, II, p. 123-124) aunque el decreto era altamente positivo, «adolecía de un defecto esencial: no creaba un ejército popular regular, sino que se limitaba a militarizar las milicias

mixtas, cuyo cuartel general se situaba en Albacete.[5] Después, varias de las brigadas fueron unidas para formar la XI división, al mando de Líster.

Los cerca de cuatro mil trabajadores extranjeros que estaban en Barcelona para participar en la Olimpiada del Pueblo, se unieron pronto a las primeras milicias populares, especialmente en Aragón. Simultáneamente, muchos de los exiliados políticos italianos, alemanes y polacos y un buen número de franceses entusiastas o sin empleo, empezaron a pasarse desde Francia a territorio republicano para sumarse a las milicias a través de los comités montados en Barcelona como oficinas de reclutamiento. Inmediatamente, los extranjeros empezaron a agruparse por nacionalidades en centurias de combate. La primera de ellas fue el «batallón París», que intervino en la defensa de Irún. Casi al mismo tiempo surgieron el batallón «general Wroblewski» (polacos, el grupo «Dombrowski» (polacos), el «Rakosi» (húngaros), la centuria «Gastone Sozzi» (italianos y suizos) y la «Giustizia e Libertà» (italianos). Un grupo de ocho o nueve ingleses constituyó una compañía de ametralladoras, la centuria «Tom Mann». La que adquirió más celebridad fue la centuria «Ernst Thaelmann» (alemanes), que luchó en el frente de Aragón y que, incrementada con varios centenares de exiliados alemanes, se convirtió pronto en el batallón que se uniría en bloque a la primera Brigada Internacional formada en Albacete.[6]

Este primer movimiento de solidaridad con la República careció como dice Verle Johnston, «de planificación y coordina-

---

voluntarias», en las que debían encuadrarse, si querían, los ciudadanos de veinte a treinta y cinco años de edad. «Los anarquistas pudieron conservar sus unidades propias y actuar con ellas como les pareciera conveniente.»

5. Eran las siguientes: 1.º, jefe, Enrique Líster; cuartel general, Alcalá de Henares (aunque la organización de las mixtas empezó el 10 de octubre, un tercio del 5.º Regimiento seguía encuadrado en éste a finales de diciembre). 2.ª, jefe, José Martínez de Aragón; base, Ciudad Real. 3.ª, jefe, José María Galán; base, Alcázar de San Juan. 4.ª, jefe, Arturo Arellano; base, Albacete. 5.ª, jefe, Sabio; base, Valencia. Y 6.ª, jefe, Miguel Gallo; bases, Murcia, Alcantarilla y Orihuela. Todos los comandantes, a excepción de Líster, eran militares profesionales.

6. Vid. Arnold Krammer, «Germans against Hitler: The Thaelmann Brigade», *Journal of Contemporary History*, vol. 4, núm. 2, abril 1969.

ción». Fue «un movimiento que surgió fundamentalmente de decisiones individuales».[7] Sin embargo, en seguida perdió este carácter espontáneo: en París se inició la organización de grupos voluntarios y se abrió, a principios de agosto, una oficina de reclutamiento en la casa de los Sindicatos de la calle de Mathurin-Moreau. El Komintern, naturalmente, financiaba la operación.

El nacimiento de las Brigadas Internacionales

Las Brigadas tienen un origen específico: la reunión celebrada el 26 de julio en Praga por el Komintern y el Profintern;[8] en ella no es solamente significativo que se decida asignar un fondo de mil millones de francos franceses a la defensa de la causa republicana española, sino sobre todo que sea el partido comunista español el encargado, junto con otras organizaciones comunistas, del control de esos fondos. Desde este momento se aprecia claramente el potente juego de iniciativa a que se van a dedicar los comunistas: en España, sobre todo en el plano militar en la defensa de Madrid, es el partido comunista el que toma el mando; en el extranjero controlará el montaje de la intervención armada en favor de la República.

En la reunión de Praga, uno de los acuerdos había sido el de la creación de una pequeña brigada reclutada entre voluntarios de diferentes partidos comunistas de Europa y compuesta por cinco mil hombres. Sin embargo, mientras el Komintern montaba diversas organizaciones de socorro humanitario o financiero, la idea de la brigada no fue puesta en práctica por tres motivos: de un lado, la Embajada de España en París ya estaba reclutando voluntarios por su cuenta; por otro, muchos entusiastas acudían motu proprio a luchar al lado de las milicias republicanas, y finalmente, se pensaba en Moscú que la rebelión nacional sería pron-

---

7. Verle B. Johnston, *The International Brigades in the Spanish Civil War, Legions of Babel*, Pennsylvania, 1967, p. 31. El libro del profesor Johnston es una de las contribuciones más serias a la historia de las Brigadas. A lo largo de este capítulo he recogido muchas de sus conclusiones.

8. Vid. p. 107, supra.

tamente ahogada. Pero en los primeros días de septiembre (con la caída de Irún y el empuje de la «Columna Madrid» hacia Toledo) se empezó a comprobar que no estaba resultando fácil acabar con los «facciosos».

El 6 de septiembre, Rosenberg, embajador soviético en Madrid desde hacía apenas una semana, envió un despacho a Moscú indicando que le parecía llegada la hora de mandar un verdadero ejército en apoyo de la República: la situación militar empezaba a ser desesperada. Pero, como dice Thomas,

> Stalin aún dudaba. Todo parecía apuntar hacia una intervención. Pero, con Zinoviev y Kamenev recién enterrados, prefirió esperar a comprobar cómo funcionaba el Pacto de No Intervención y cómo influiría en el estado de cosas la ayuda ya acordada por el Komintern. Tal vez, también escuchó los reparos que oponían algunos generales soviéticos, como Tukaschevski, quien, ocupado en crear un gran ejército soviético, debió de oponerse seriamente al envío de un material de guerra precioso tan lejos de la patria.[9]

A principios de septiembre se encontraron en Madrid Maurice Thorez, secretario del partido comunista francés, y Luigi Longo, vicesecretario del italiano. Mientras Longo se dedicaba a ayudar a los comunistas españoles a montar una milicia medianamente organizada para defender la capital contra el avance de las tropas nacionales,[10] Thorez inició conversaciones con Largo Caballero, recientemente nombrado primer ministro, y con Rosenberg, para intentar centralizar seriamente la llegada de material bélico y de voluntarios extranjeros al territorio dominado por la República.[11] También estaba en Madrid el socialista italiano Pacciardi, llegado de París para discutir con Indalecio Prieto la creación de una legión italiana independiente bajo el mando

---

9. Thomas, p. 377. Cuando Stalin se dejó convencer, no debió de ser ajeno a su decisión el hecho de que podía mandar a España a muchos comunistas rusos que le estorbaban en Moscú.

10. Luigi Longo, *Las Brigadas Internacionales en España*, México, 1966, pp. 32 y ss.

11. *The International Brigades*, p. 57.

del Estado Mayor republicano; la idea no cristalizó inmediatamente por la oposición de Largo Caballero, que desconfiaba de toda iniciativa extranjera.[12]

Pocos días después, Thorez emprendió viaje hacia Rusia y el 21 de septiembre llegó a Moscú; al día siguiente leyó un informe sobre la cuestión española ante el Politburó. En el informe se ponía de manifiesto que, primero, era absolutamente necesario ayudar al Frente Popular español con unidades de voluntarios extranjeros; y segundo, las Brigadas Internacionales podían representar el primer paso hacia la organización de un ejército rojo de tipo internacional en varios países de Europa y América. Los voluntarios podían ser reclutados por los diversos partidos comunistas europeos,[13] incluso entre no comunistas, encuadrados en unidades de extranjeros al mando de oficiales comunistas (como queda indicado más arriba, Largo Caballero se había opuesto a la idea de unidades independientes y había exigido que los voluntarios extranjeros fueran encuadrados en unidades del ejército republicano; posteriormente, confrontado con la amenaza de que la ayuda del Komintern sería solamente prestada al partido comunista español, aceptó la idea). El informe terminaba diciendo que las Brigadas Internacionales podían ser las únicas destinatarias de la ayuda soviética, lo que era una garantía económica puesto que si el Gobieno español se negaba a pagar por la ayuda, ésta siempre podía ser retirada. Parece claro que lo que acabó de decidir a Stalin a intervenir en España fue la presión de los comunistas no españoles: la actuación de Thorez lo confirma. El interés de éste en el asunto es explicado por Broué

12. Posteriormente (vid. Johnston, pp. 44-45), una vez superados los obstáculos opuestos por Largo, la Legión Italiana fue creada en París por acuerdo firmado el 27 de octubre entre los partidos comunista, socialista y republicano italianos (intervinieron en las negociaciones y firma, Pacciardi, Nenni y Nicoletti); la legión organizada independientemente al mando de Pacciardi fue puesta a las órdenes del Estado Mayor y fue uno de los primeros grupos de las Brigadas (vid. infra, p. 207). «Este acuerdo fue importante sobre todo porque puso al frente de la que iba a ser una de las mejores Brigadas Internacionales a un ardiente demócrata, no a un comunista», Johnston, loc. cit.

13. En estos puntos y los siguientes coinciden sustancialmente Thomas (pp. 379 y ss.) y *The International Brigades* (pp. 57 y ss.).

y Témime con el argumento de que los dirigentes comunistas franceses temían que, si no se ayudaba a la República española, los miembros del partido se irritarían, lo que podía resultar muy nocivo para el Frente Popular de París.[14]

El informe fue aprobado por el Politburó y Thorez volvió a París a finales de septiembre con el encargo específico de montar centros de reclutamiento. Allí se le unió momentáneamente Longo, llegado de Madrid trayendo la inquietud y la angustia de los camaradas españoles. Thorez, con la colaboración de André Marty (que habría de ser comisario general de las Brigadas en Albacete) y de un comunista polaco, Karol Swierczewski (conocido más tarde en las filas republicanas españolas como el «general Walter»), montó en París, en la calle Lafayette, la primera oficina de las Brigadas. Una oficina técnica fue establecida en la calle Chabrol; su primer dirigente fue precisamente el «general Walter». En la avenida Mathurin-Moreau ya funcionaba el centro de reclutamiento, dirigido por los comunistas italianos Nino Nanetti y Giuseppe di Vittorio (conocido luego en España como «Mario Nicoletti»; significativamente, en esta misma dirección estaba la Casa de los Sindicatos. En los arrabales de París, en las delegaciones sindicales, también fueron abiertos centros de reclutamiento. Igualmente fue creado uno en Lille. Togliatti se encargaba del reclutamiento y envío de los voluntarios italianos y Josef Broz (el futuro Tito) del de los yugoslavos. Otros centros surgieron en Perpiñán y Marsella (que asimismo servían como base final antes de la entrada en España), Lyon y Orán.

Luigi Longo recuerda con cierto sentimentalismo no exento de emoción aquellos momentos:

> Cada noche salen de París grupos de treinta o cuarenta voluntarios con dirección a los Pirineos. Yo mismo encabezo un grupo de voluntarios italianos. Los viajeros llegan a la Casa del Pueblo en parejas, o en grupos de tres. Algunos llegan acompañados de su mujer, de sus hijos, hermanos y hermanas. Llevan maletas y pequeños bultos... Otros, al contrario, llegan so-

---

14. Pierre Broué y Émile Témime, *La Révolution et la Guerre d'Espagne*, París, 1961, p. 339.

los, sin nada, como si fueran al café para la acostumbrada partida de cartas o para charlar... En una atmósfera vibrante de valor y patriotismo, el voluntario abandona a sus seres queridos. Se despide de su patrimonio, de sus afectos y esperanzas, para ir al encuentro de un amor más grande y de una esperanza mayor: la libertad de los pueblos, la victoria de la libertad...[15]

Pocos días después, Stalin, en una carta a José Díaz, dio el espaldarazo a las Brigadas Internacionales:

Los trabajadores de la Unión Soviética, al ayudar en la medida de lo posible a las masas revolucionarias de España, no hacen más que cumplir con su deber. Se dan cuenta de que liberar a España de la opresión de los rebeldes fascistas no es un asunto privado de los españoles, sino la causa común de toda la humanidad avanzada y progresiva...[16]

En los primeros días de octubre, es posible que hacia el 8 o 9 de ese mes, Longo llegó de nuevo a España. En Figueras visitó a los primeros voluntarios extranjeros que habían sido concentrados en la fortaleza de la población. Los planes de crear las Brigadas habían sido ya discutidos en Madrid por el propio Longo y por Thorez con José Díaz y las demás jerarquías del partido comunista español a principios de septiembre. Cuando fue organizado el 5.º Regimiento, se decidió que cuanto extranjero fuera a luchar a España quedaría encuadrado en él y que la base de concentración sería el acuartelamiento de Albacete. Ahora, con la idea formal de las Brigadas en mente, Longo y Díaz decidieron mantener el punto de reunión en esa ciudad.

El 10 de octubre había quinientos voluntarios en Figueras; otros quinientos estaban a punto de embarcar en Marsella. Longo, con la ayuda de los dirigentes del PSUC, intentó conseguir de las autoridades de Barcelona la organización de trenes especiales para el transporte de estos hombres a Albacete. No fue fácil. La CNT los reclamaba para el frente de Aragón, pero Líster

15. Longo, pp. 42-43.
16. *Historia de España*, tomo VI, Carlos Seco, «Época contemporánea», Editorial Gallach, Barcelona, 1962, p. 198. La carta es del 16 de octubre.

(comandante del 5.° Regimiento) y José Díaz lo consiguieron desde Madrid. El día 12, Líster dio una carta de recomendación a Longo para el cuartel del 5.° Regimiento en Albacete, adonde aquél llegó de madrugada. A partir de ese momento, Longo se dedicó febrilmente a organizar el alojamiento y la instalación de los primeros voluntarios, que llegaron a Albacete el 14.

> Después de haber hecho estos cálculos comprobamos que falta espacio, que no hay agua, que más allá es imposible construir una cocina...[17]

Poco a poco y mal que bien fueron siendo albergados los primeros voluntarios. A ellos se añadieron, en los primeros días, extranjeros que ya estaban en España combatiendo, como los componentes de la centuria Thaelmann, la Gastone Sozzi y el batallón París, ya citados.

Los quinientos milicianos embarcados en Marsella llegaron el 13 a Alicante, donde un grupo de franceses ya habían montado un pequeño cuartel general.

> Una vez que han llegado los primeros voluntarios, y que se han instalado aunque sea deficientemente, es el momento de seguir el consejo de José Díaz en el sentido de presentarnos oficialmente al Gobierno español.[18]

Longo, Rébiere («un voluntario francés») y el polaco Wisnievski se dirigen a Madrid, en donde el 18 de octubre los recibe el presidente Azaña. La visita es puramente protocolaria y transcurre brevemente en un ambiente de cordialidad. Inmediatamente después se dirigen al despacho del presidente del Consejo:

> Largo Caballero nos recibe de pie, en la esquina de una mesa, donde lo abordamos mientras va de un despacho a otro. Con él, nuestra exposición es más precisa y detallada. Primero le expresamos nuestra intención de ponernos cabalmente a dis-

17. Longo, p. 48.
18. Longo, pp. 50-51.

LA INTERNACIONALIZACIÓN DE LA GUERRA CIVIL ESPAÑOLA – 213

posición del Gobierno republicano y a las órdenes de su Estado Mayor, para batirnos contra los generales rebeldes y el fascismo español e internacional. Precisamos que entre nosotros hay hombres de todas las nacionalidades y opiniones políticas, pero que todos estamos comprometidos a no militar, en España, en ninguna corriente, sino sólo en la causa republicana y antifascista que nos une.

La frialdad de Largo es manifiesta. «¿Temperamento de la persona? ¿Sorda hostilidad hacia los voluntarios? Una y otra cosa, nos explican nuestros interlocutores.»

... Le pormenorizo nuestras necesidades más urgentes; aclaro que por lo que se refiere a víveres, vestidos, medios de transporte, medios sanitarios y quirúrgicos, contamos con la ayuda internacional.

Efectivamente, el Socorro Rojo Internacional ha creado un cuerpo de médicos y enfermeras, envía ambulancias, uniformes, medicinas y dinero.

... para lo esencial, sobre todo para el armamento y acuartelamiento, debemos contar con el apoyo del Gobierno...
A una pregunta más precisa, el jefe del Gobierno se digna al fin comunicarnos que, para todo lo que necesitemos, debemos dirigirnos al señor Martínez Barrio, presidente de las Cortes Españolas, y que en Albacete es el delegado general del Gobierno para la organización de las primeras seis brigadas del nuevo ejército regular, que se están formando sobre la base del decreto del 16 de octubre: No logramos obtener más.[19]

El 21 de octubre, Longo se entrevistó en Madrid con Martínez Barrio («burgués y republicano, pero dotado de un notable

19. Ibídem. En realidad, Martínez Barrio (vid. p. 158 del texto) era más que eso: había sido nombrado presidente de la Junta de Gobierno de las provincias levantinas y en esa calidad estaba encargado de supervisar la creación de las seis brigadas mixtas a que se refiere Longo.

espíritu práctico»). El acuerdo fue inmediato: el Gobierno español se comprometía con el Komintern a ayudar a las Brigadas en cuanto fuera preciso. El 22 de octubre, de modo formal y solemne, nacieron las Brigadas Internacionales.

«Todos los caminos llevan a Albacete»[20]

En Albacete ya estaban instalados los mandos superiores de las Brigadas. Éstas quedaban a las órdenes de un triunvirato formado por André Marty, como comandante en jefe, Luigi Longo («Gallo»), como inspector general, y Giuseppe di Vittorio («Nicoletti»), como comisario político.

Marty, también conocido con el nombre de «Carnicero de Albacete» era un viejo revolucionario, miembro de la Secretaría del Komintern. Muchos le han considerado incompetente y cruel (de ahí su apodo) y es, en general, tratado con antipatía hasta por los historiadores más favorables a la causa republicana. Longo y Di Vittorio, ambos altas jerarquías del partido comunista italiano, «eran hombres de reconocida habilidad y humanitarismo».[21]

Vital Gayman, un concejal del Ayuntamiento de París, fue nombrado jefe administrativo de la base de Albacete. Durante la guerra se le conoció comúnmente como «Vidal».

> Un comandante de artillería francés, Hagar, estableció escuelas para especialistas de artillería, observadores, comisarías y cartografía. El capitán Alocca, un sastre italiano de Lyon, fue nombrado jefe de la base de caballería en la cercana población de La Roda, mientras que un checo, el capitán Miktsche, montó una base de artillería en Chinchilla. André Malraux organizó el escuadrón aéreo de la Brigada Internacional en Alcantarilla y técnicos soviéticos establecieron un aeropuerto de entrenamiento en Los Alcázares, en el que eran preparados para el combate aéreo tanto pilotos españoles como internacionales.[22]

20. Título de epígrafe utilizado por Longo, p. 46.
21. Thomas, p. 384.
22. Thomas, p. 385.

Como Albacete se había quedado pequeño, algunas unidades de las Brigadas se establecieron en poblaciones cercanas: los italianos en Madrigueras, los eslavos en Tarazona, los franceses en La Roda, los alemanes en Mahora.

La organización sanitaria quedó a cargo de un médico noruego, el doctor Telge. El comunista checo Gottwald actuó durante un tiempo como asesor político. El dirigente alemán Ulbricht creó una sección de la NKVD para investigación de los desafectos. El rumano Lazar Stern (que se hizo famoso como «general Emilio Kleber») fue uno de los primeros jefes militares de las Brigadas.[23]

Estructura de las Brigadas

El 22 de octubre se formaron en Albacete los primeros tres batallones de las Brigadas Internacionales: el «Comuna de París» (derivado del inicial batallón «París»), el batallón «Hans» (originariamente la centuria «Ernst Thaelmann», incluyendo ahora un fuerte número de húngaros procedentes del grupo «Rakosi») y el «batallón Italiano» (compuesto por miembros de las unidades originarias «Gastone Sozzi» y «Giustizia e Libertà»), cuyo nombre fue cambiado inmediatamente al de batallón «Garibaldi».[24] Estos tres grupos constituyeron la IX Brigada mixta,[25] a la que se unió una cuarta unidad, el batallón «Dombrowski» (compuesto fundamentalmente por polacos y eslavos procedentes de los batallones voluntarios «Dombrowski» y «general Wroblewski»).

El día 1 de noviembre, la IX Brigada fue disuelta y sustituida, con los mismos efectivos, por la primera Brigada Internacional, la XI Brigada móvil.

El 4 de noviembre, cuando la XI Brigada se disponía a emprender la marcha para acudir en defensa de Madrid, le fue re-

---

23. Ibídem.
24. Vid. supra, p. 209, nota 12.
25. «Mixta» en este caso significa «multinacional», mientras que en otros supuestos, como en el de las seis brigadas mixtas españolas, quería decir «compuestas por unidades móviles, artillería y otros servicios».

tirado el batallón «Garibaldi», con el que se quería crear una segunda Brigada Internacional, y el batallón «Hans» cambió su nombre al de «Edgar André», en honor del comunista alemán ejecutado unos días antes por la Gestapo en Berlín. La XI Brigada, con 1 900 hombres, llegó a Madrid el 7 de noviembre, al mando del general «Kléber».

El mismo día 7 salió para la capital la segunda Brigada, la XII, que se componía de 1 550 hombres al mando del general Lukacz, con Luigi Longo como comisario. La integraban el batallón «Garibaldi», el «Thaelmann» (al que se había añadido la centuria «Tom Mann») y el franco-belga, también conocido con el nombre de «André Marty».

En parecidas fechas fueron montados los primeros grupos de artillería internacionales: el «Thaelmann» (alemán), el «Anna Pauker» (franco-belga), el «Skoda» (checo) y el «Dahler» (francés). Su armamento comprendía fundamentalmente baterías alemanas de 105 mm.

La Brigada XIII fue organizada el 11 de noviembre, al mando del comunista alemán Wilhelm Zeisser («general Gómez»). Inicialmente se compuso de los batallones 7, 8, 9, 10 y 11 (unos 2 500 hombres); sin embargo, los batallaones 7 y 9 fueron retirados para que sus efectivos reemplazaran bajas en las Brigadas XI y XII, aunque un nuevo batallón 9 fue integrado después en la XIV Brigada. El 8, que recibió el nombre de «Tschapaiev», se componía de unos 700 alemanes y polacos y de una minoría de otras nacionalidades, divididos en cuatro compañías: la columna «Storm» (alemanes, suizos, checos y palestinos), la «Mickiewicz» (polacos y una escuadra «Gottwald» de checos), la «Internacional» y el grupo de ametralladoras, integrado esencialmente por asturianos. Los batallones 10 y 11, compuestos predominantemente por franceses, fueron unidos tras sufrir grandes bajas en combate y recibieron el nombre común de batallón «Henri Vuillemin».

La Brigada XIV fue organizada el 20 de diciembre, con 3 000 hombres al mando del polaco general «Walter». Se componía de cuatro batallones: el «Nueve Naciones 9.°» (italianos, eslavos, polacos y alemanes), el 10 (inicialmente llamado «Marsellesa», integrado por franceses y algunos argelinos), el 12

«Henri Barbusse» (franceses y 150 ingleses e irlandeses, recién llegados a España o procedentes de las Brigadas XI y XII) y el 13 «Pierre Brachet» (franceses). Posteriormente se les añadió un batallón español de juventud anarquista, el «Domingo Germinal».

En enero de 1937 fue creado un nuevo grupo de artillería, el «Gramsci», compuesto por italianos.

El 8 de febrero fue constituida la Brigada XV, inicialmente con 2 200 hombres al mando del croata general Copic. La integraban el 6.º batallón «Británico» (600 ingleses), el 14 «Dimitrov» (800 checos, rusos, polacos e italianos) y el 15 «6 de febrero» (800 franceses). El día 15 le fue añadido el batallón «Abraham Lincoln» (inicialmente 428 norteamericanos, canadienses, cubanos e irlandeses).

En abril fue creada la unidad artillera americana «John Brown».

El 20 de abril, tras una orden del Estado Mayor republicano, las Brigadas fueron sumadas al ejército regular, con lo que se fue favoreciendo la interpenetración de unidades extranjeras y españolas. Las cinco Brigadas Internacionales (cada una con 700 hombres y equipos auxiliares) fueron reunidas en dos divisiones internacionales: la 35 (con las Brigadas XI, XIII y XV) al mando del general Gall y la 45 (XII y XIV) al mando de los generales Lukacz y Kléber sucesivamente.

En mayo de 1937, los batallones Dombrowski y franco-belga, junto con un nuevo batallón húngaro «Rakosi» y dos grupos anarquistas españoles, el «Rojo y Negro» y el «Muerte», formaron la Brigada 150, que luchó brevemente en Huesca y Brunete en junio y julio, para ser luego disuelta.

En julio se creó la Brigada 129 compuesta por tres nuevos batallones: el «Mazaryk» (checos), el «Djachovich» (búlgaros) y el «Dimitrov» (yugoslavos y albaneses).

A lo largo de estos meses son constantes los cambios de batallones de una brigada a otra y las fusiones de unidades. Las bajas eran muy elevadas y muchas veces no eran reemplazadas o lo eran con efectivos españoles. Apareció un batallón «12 de febrero» compuesto por austríacos procedentes de las Brigadas XI y XII. La Brigada XII quedó reducida a unidades italianas con nuevos batallones 45, 46, 47 y 48. Otros batallones de la XIII (49, 50, 51 y 52) fueron constituidos con restos de varias unidades («Rakosi», «Dimitrov», «Tschapaiev», «Djachovich»).

Un cuadro esquemático de la estructura inicial de las Brigadas podría ser el siguiente (con los nombres de sus comandantes entre paréntesis):

Brigadas	Batallones	Compañías	Composición inicial
(IX Mixta formada oct. 1936)	(Italiano) (Pacciardi)		(italianos procedentes de «G. Sozzi» y «Giustizia e Libertà»)
	(Comuna de París) (Dumont)		(franceses procedentes del batallón «París»)
	(Hans) (H. Kahle)		(alemanes procedentes del batallón «París»)
	(Dombrowski) (Oppman)	Rakosi	(polacos y otro eslavos procedentes de las «Dombrowski» y «General Wroblewski»)
Disuelta			
XI Móvil (1.ª B.I.) formada 1 nov. 1936 (Kleber)	1. Edgar André (H. Kahle) 2. Comuna de París (Dumont) (trasladado a la XIV) 3. Dombrowski (Oppman) (trasladado a la XII, XIII y 150)		alemanes: batallón «Hans» franceses polacos
XII formada 6 nov. 1936 (Lukacz)	4. Garibaldi (Pacciardi) 5. Thaelmann (L. Renn) (trasladado a la XI) 6. Franco-belga «André Marty» (trasladado a la 150, XII y XIV)	Tom Mann	batallón Italiano de la no-nata IX alemanes ingleses franceses belgas
XIII formada 11 nov. 1936 («General Gómez»)	7. (pasado a la XI) 8. Tschapaiev	Storm	alemanes, suizos, checos, palestinos

Brigadas	Batallones	Compañías	Composición inicial
		Mickiewicz	polacos y una escuadra de checos «Gottwald»
		Internacional Ametralladoras	asturianos
	9. (pasado a la XI y reorganizado en la XIV)		
	10⎫ 11⎭Henri Vuillemin		franceses
XIV formada 20 dic. 36 (General Walter)	9. Nueve Naciones		italianos, eslavos, alemanes, polacos
	10. Marsellesa		franceses, argelinos
	12. Henri Barbusse		franceses, ingleses, irlandeses
	13. Pierre Brachet		franceses
	Domingo Germinal		españoles
XV formada 8 feb. 1937 (General Copic)	6. Británico		ingleses
	14. Dimitrov (trasladado a la 150 y XIII)		checos, rusos, polacos, italianos
	15. «6 de febrero» (trasladado a la XIV)		franceses
	Abraham Lincoln (Merriman)		estadounidenses, canadienses, cubanos, irlandeses
		Washington ⎫ Mackenzie- ⎬ Papineau ⎭	(constituidas con voluntarios nuevos en la primavera de 1937)
150 formada mayo 1937	Dombrowski Franco-belga Rakosi		
	Rojo y Negro		españoles
	Muerte		españoles
129 formada julio 1937	Mazaryk		checos
	Djachovich		búlgaros
	Dimitrov		yugoslavos, albaneses

También existe un batallón internacional al mando del coronel Morandi, intergrado en la Brigada 86 del ejército republicano.

Desde el principio se intentó agrupar a las diferentes nacionalidades por batallones para evitar las dificultades de comunicación mutua. Como puede comprobarse, y ya se ha indicado más arriba, fueron extraordinariamente frecuentes las reorganizaciones y transferencias de batallones de una Brigada a otra: las bajas eran elavadísimas; el batallón «Comuna de París», por ejemplo, perdió dos secciones enteras en noviembre de 1936 en la defensa de Madrid; y en el frente de Teruel, durante el invierno de 1937, la Brigada XII perdió la mitad de sus hombres. Esto naturalmente se debía a la constante presencia de las Brigadas Internacionales en los frentes más peligrosos. Su participación en la guerra fue muy activa y valerosa.

Desde marzo de 1937, muchos combatientes internacionales fueron incorporados al ejército regular de la República en otras unidades y muchos reclutas españoles fueron integrados en las Brigadas. Como dicen Broué y Témime,

> así aparece claramente el doble papel que desempeñaron las Brigadas en el ejército republicano. Por su valentía y entusiasmo, constituyeron un cuerpo selecto dispuesto a lanzarse a los combates más difíciles. Por su capacidad de resistencia y su combatividad, fueron un ejemplo y, en ciertos aspectos, crearon escuela. Sin embargo, su número reducido no permitió su intervención más que en frentes restringidos. Sus esfuerzos fueron vanos, sobre todo después de la caída del norte. Además, el gran impulso internacional de 1936 y 1937 en favor de la República no se renovó: a partir de 1937, los partidarios comunistas renunciaron a la movilización en nombre del «antifascismo».[26]

¿Cuántos fueron los integrantes de las Brigadas Internacionales? Esto resulta muy difícil de precisar; no se han guardado archivos o fichas personales, no hay rastro formal del número de combatientes que cruzaron las fronteras españolas porque en la mayoría de los casos entraron sin control de ningún tipo. Hay algunas cifras concretas, como las referentes a la Brigada Lincoln americana o al número de milicianos repatriados al amparo de la Comisión especial de la Sociedad de Naciones. Pero, por lo demás, todo o casi todo es puramente especulativo. Por ambas par-

---

26. Broué y Témime, op. cit., p. 359.

tes ha habido tendencia a exagerar el número de combatientes de las Brigadas: los historiadores nacionales han aumentado la cifra para intentar demostrar el enorme volumen de la ayuda extranjera a la República; los historiadores pro-republicanos la han desmesurado para poner de manifiesto el entusiasmo extranjero por la «lucha de la libertad».

Parece ser que las investigaciones de Ramón Salas le hacen pensar en una cifra de unos 100 000 brigadistas.[27] Se entiende que no estuvieron todos simultáneamente en España, sino que se repartieron a lo largo de los tres años de guerra y que no todos estuvieron en el frente. Uno de los historiadores más documentados de la época española de los años treinta, Ricardo de la Cierva, aventura una cifra de aproximadamente 70 000 combatientes, de los que sugiere que no más de 30 000 estuvieron simultáneamente en combate.[28] Estas cifras, como todas, tienen poca apoyatura documental.

Las estadísticas más aproximadas son las dos siguientes: la composición inicial de las Brigadas es de unos 11 500 hombres[29] y el recuento hecho por la Comisión especial de la Sociedad de Naciones en enero de 1939 arrojó una cifra de 12 673 soldados. Cuántos hombres estuvieron presentes en España, cuántos lucharon, cuántos murieron, cuántos regresaron a sus patrias antes de terminar la guerra, son cuestiones para las que casi no caben más que respuestas hipotéticas. Parece difícil que hubiera en cada momento en los frentes más de 15 000 extranjeros.

Para el folleto pro-nacional *Las Brigadas Internacionales*, de acuerdo con una estimación del Cuartel General nacional, 125 000 hombres habrían cruzado la frontera para unirse a las Brigadas, renovando el número de combatientes reales «considerablemente disminuido en las batallas» y «por las tremendas purgas de Marty, así como por las deserciones y enfermedades»,

27. R. Salas, *Historia del Ejército Popular*, aún inédito, cit. De la Cierva, op. cit., p. 33.

28. De la Cierva, op. cit., pp. 34-35, estima que hubo 35 000 franceses, unos 10 000 alemanes, 6 000 o 7 000 eslavos, 5 000 italianos, 5 000 belgas, 4 000 americanos, 2 000 británicos, 2 000 escandinavos y algún millar más de otras nacionalidades.

29. Johnston, op. cit.

unas tres o cuatro veces. En el mismo folleto se habla de un informe fechado el 16 de mayo de 1938, que indicaría que las Brigadas tenían en ese momento un número de 37 351 hombres.[30]

Hugh Thomas es el autor que da cifras más precisas, basadas en estudios específicos de historiadores especializados o ex combatientes de las Brigadas: para él el número total de brigadistas nunca excedió los 40 000, sin que hubiera más de 18 000 en los frentes en cada momento; otros 5 000 habrían luchado en unidades regulares del ejército republicano. La división por grupos sería la siguiente: 10 000 franceses (de los que 3 000 resultaron muertos); 5 000 alemanes y austríacos (2 000 muertos); 2 800 norteamericanos (900 muertos); 3 350 italianos; 2 000 británicos (500 muertos y 1 200 heridos).

> También hubo unos 1 000 canadienses, 1 500 yugoslavos, 1 000 húngaros, 1 500 checos, 1 000 escandinavos, de los cuales aparentemente 500 eran suecos. 76 suizos resultaron muertos. Los otros 3 000 voluntarios provinieron, se dice, de otras cincuenta y tres naciones. Es posible que 3 000 miembros de las Brigadas fueran de origen judío. La historia soviética oficial de la segunda guerra mundial indica que los voluntarios soviéticos (aunque muy pocos estuvieron encuadrados en las Brigadas Internacionales) fueron 557, de los cuales 23 consejeros militares, 49 instructores, 29 servidores de baterías, 141 pilotos, 107 tanquistas, 29 marineros, 73 intérpretes y 106 técnicos, soldados de comunicaciones y médicos.[31]

30. *The International Brigades*, p. 156. Estas frases se repiten, casi palabra por palabra, en un artículo de Juan Priego López, «Para una historia de la guerra de liberación. La intervención extranjera», *Revista Ejército*, Madrid, abril-septiembre de 1956.

31. Thomas, pp. 796-797. Togliatti, añade Thomas, en su *Historia del Partido comunista italiano*, asegura que la cifra de voluntarios italianos fue de 3 354, de los que 3 108 fueron combatientes, 1 819 pertenecían al partido comunista, 310 al partido socialista, al republicano o al grupo «Justicia y Libertad», y 1 096 no estaban adscritos a ninguna ideología, aunque «habían sido reclutados en su mayoría de entre nuestras organizaciones». Unos 600 italianos resultaron muertos. También es interesante comprobar la composición social que cita el propio Togliatti: 1 471 trabajadores, 25 estudiantes, 69 «empleados», 78 de profesiones liberales, entre otros (Thomas, p. 799).

Luigi Longo en sus Memorias no menciona número de combatientes. Sólo indica que provinieron de 53 naciones[32] y que

> en la madrugada del 14 de octubre llegan a la estación de Albacete los primeros 500 voluntarios, que inician la gran epopeya de las Brigadas Internacionales en España. Al día siguiente arriban los que han partido de Figueras [otros 500]; en lo sucesivo, casi a diario llegarán nuevos convoyes trayendo entre 200 y 300 hombres cada vez.[33]

Nada dice de cuándo cesan esos convoyes.

Arthur H. Landis, en su libro *The Abraham Lincoln Brigade*, cifra el número de componentes de esta unidad en 1 600.[34]

Para Víctor Alba, las Brigadas cuentan en junio de 1937 con 25 000 franceses, 5 000 polacos, 5 000 ingleses y norteamericanos, 3 000 belgas, un millar de sudamericanos, 2 000 balcánicos y unos 5 000 antifascistas alemanes e italianos.[35]

Broué y Témime hacen algunas indicaciones interesantes:

> Si se tiene en cuenta el continuo ir y venir y el hecho de que, aunque en pequeño número, no dejaron de llegar voluntarios hasta principios de 1938, no debería estimarse el número global en menos de 50 000 hombres; de hecho, probablemente, esta cifra es superior al número real de combatientes. Si se evalúan los efectivos de una brigada en 3 500 hombres, lo que es una cifra tope puesto que las Brigadas raramente estuvieron completas, se llega a una estimación de unos 30 000. Y sin duda ni siquiera esta cifra fue nunca alcanzada. La opinión de Malraux es que el número total de voluntarios nunca sobrepasó los 25 000. Ésta es también la opinión, ciertamente autorizada, de Vital Gayman, según quien nunca hubo más de 15 000 hombres simultáneamente en acción, de los que unos 10 000 eran combatientes, y ello en el momento en que las Brigadas estuvieron en su punto álgido, en primavera y verano

32. Longo, op. cit., p. 45.
33. Ibídem, p. 49.
34. A. H. Landis, *The Abraham Lincoln Brigade*, Nueva York, 1967, dedicatoria.
35. Víctor Alba, *La Segunda República española*, México, 1960, pp. 220-221.

de 1937. Este número decreció posteriormente: las pérdidas fueron grandes —unos 2 000 muertos— y muchos voluntarios, heridos, cansados o desanimados, se marcharon 'sin ser reemplazados.[36]

En efecto, parece claro que el desánimo cundió entre los internacionales hacia mediados de 1938 y que, en número creciente, fueron abandonando España.

Y, a finales de 1938, las Brigadas fueron oficialmente retiradas de España. En la sesión de septiembre de la Asamblea General de la Sociedad de Naciones, el Gobierno republicano propuso la salida de todos los voluntarios que luchaban en España y como prueba de su buena fe (y de la antipatía que Negrín sentía por el Comité de Londres) ofreció la retirada de los voluntarios pro republicanos bajo la supervisión de un organismo internacional. El 1 de octubre, la Sociedad de Naciones votó favorablemente la propuesta: fue constituida una comisión presidida por el general finlandés Jalander, el brigadier británico Molesworth y el coronel francés Homo. Se negoció con los países interesados la repatriación de los voluntarios de las respectivas nacionalidades. En el caso de los italianos, alemanes y austríacos, como evidentemente no podían volver a sus patrias, se concertó su repatriación a varios países hispanoamericanos; México, por ejemplo, ofreció recibir a 2 000 brigadistas. El 14 de enero de 1939, la comisión había contado 12 673 soldados de cuarenta nacionalidades distintas; 7 102, encuadrados en las Brigadas XI, XII, XIII, XIV y XV, habían intervenido en la batalla del Ebro en el noviembre anterior, 3 160 estaban hospitalizados, y el resto se encontraba asignado a varios otros servicios. 4 640 habían salido ya de España.[37]

Unos seis mil internacionales se quedaron en territorio español sumándose a las unidades regulares o irregulares del

36. Broué y Témime, op. cit., p. 351. Los autores añaden un dato importante: «Al día siguiente de una crisis económica que ha trastornado a Europa y cuyas secuelas aún se hacen notar pese a una recuperación económica favorecida por la industria de guerra, existe todavía en Francia un *lumpenproletariat* que se enrolará en España por motivos no siempre desinteresados» (p. 352).

37. Johnston, p. 141.

maltrecho ejército republicano y uniéndose, en una desesperada lucha final, a los patéticos esfuerzos por ganar una guerra perdida.

El 15 de noviembre de 1938, el mismo día en que los nacionales cruzaban el Ebro en lo que iba a ser el empujón final hacia la victoria, se celebró en Barcelona un desfile de despedida de las Brigadas. Fue un desfile lleno de espíritu de hermandad. Con su sacrificio y su entusiasmo, los extranjeros habían despertado la admiración de los españoles a quienes habían ayudado; en un discurso pronunciado en aquella ocasión, la Pasionaria dijo:

> Podéis iros con orgullo. Sois historia. Sois leyenda. Sois el ejemplo heroico de la solidaridad y universalidad de la democracia. No os olvidaremos. Y cuando en el olivo de la paz vuelvan a crecer las hojas entremezcladas con los laureles de la victoria de la República española, ¡volved![38]

38. Thomas, p. 702. Herbert Matthews cuenta que el 7 de febrero de 1939 estaba en Le Perthus, en el puente internacional, esperando la llegada de los últimos voluntarios. Un gran grupo llegó, no batiéndose desordenadamente en retirada, sino desfilando marcialmente «puño en alto, cantando y con las banderas al aire». En el puente fueron revistados por última vez por Marty, Longo y Nenni. Marty les dijo: «Recordad que, de ahora en adelante, sois los huéspedes de Francia y que no debéis meteros en jaleos. Debéis mantener la disciplina. Se acabaron los puños en alto y el cantar la Internacional» (cit. Johnston, pp. 142-143).

XI. El Comité de Londres, otoño de 1936

Un ultimátum soviético

El 7 de octubre, Kahan, delegado soviético en el Comité de No Intervención en sustitución del embajador Maiski, envió una carta al presidente del comité en la que se hacía a Portugal objeto de graves acusaciones. Kahan advertía que

> El Gobierno soviético no puede en ningún caso acceder a que se convierta el Acuerdo de No Intervención en una pantalla que esconda la ayuda militar prestada a los rebeldes contra el Gobierno legítimo de España por algunos de los participantes en el acuerdo. Por tanto, el Gobierno soviético se ve en la obligación de declarar que si las violaciones no cesan inmediatamente, se considerará desligado de las obligaciones que emanan del acuerdo.[1]

Se unía, como anejo, un largo documento con acusaciones concretas contra Portugal. Entre ellas destacaban la llegada a Sevilla, el 7 de septiembre, de un tren que transportaba catorce aviones de combate; el envío, el 19 de agosto, desde la fábrica portuguesa de Barcarena, de material militar por valor de trescientos mil escudos, y el envío a través de Portugal, el 29 de septiembre, de material bélico de origen italiano. El documento concluía con la propuesta soviética de que

1. NIS (36).

a) sea enviada a la frontera hispano-portuguesa una comisión imparcial con objeto de investigar sobre el terreno la situación real, y

b) que esta comisión deje allí a algunos de sus miembros para que controlen el cumplimiento del Acuerdo de No Intervención en el futuro.

La prensa de derechas, y en Francia incluso la de izquierdas, acogió con frialdad la carta de Kahan. El *Petit Parisien* del 9 de octubre estimaba que las frases del delegado soviético eran «particularmente ácidas y amenazadoras», mientras que *Le Matin*, en un despacho desde Londres, aseguraba que lo más probable era que las delegaciones acusadas devolvieran el golpe a la Unión Soviética, cosa para la que había, escribía el *Daily Mail*, sobradas razones. Por su parte, el *Daily Telegraph* era de la opinión de que el gesto soviético no pasaba de ser

> un «bluff», porque jamás se arriesgaría Rusia a un conflicto con Alemania por causa de España, siendo posible que el representante de los Soviets se retire del Comité de Londres para que no se pueda acusar a su país de colaborar, aun indirectamente, en la destrucción del partido comunista español y para dar satisfacción a ciertos medios moscovitas que vieron con antipatía la adhesión rusa al proyecto francés.[2]

Le Temps del día anterior decía:

> Es posible que el Gobierno soviético esté sobre todo interesado en no dejar que peligre la experiencia del Frente Popular español, de la que parece esperar grandes beneficios para la causa de la revolución social en Europa. Pero hay otros Gobiernos que no están desde luego dispuestos a dejar que la crisis española degenere en una crisis internacional, lo que sería inevitable si la política de no intervención hubiera de ser abandonada.[3]

Por su parte, el *New York Times* hacía más bien hincapié en la indelicadeza de la carta:

2. *Daily Telegraph*, 9 de octubre de 1936.
3. *Le Temps*, 8 de octubre de 1936.

...cualesquiera que hayan sido las razones de Rusia, su amenaza ha irritado al Gobierno británico más que ninguno de los documentos procedentes de Moscú lo ha hecho en años. Los sentimientos que contiene la nota son comprensibles, pero su tono perentorio y la brusquedad de su entrega hacen que se la considere aquí como uno de los errores más garrafales de la diplomacia soviética.

Los funcionarios de aquí apenas si podían contenerse al discutir la nota rusa. ¿Qué puede esperar Rusia, se preguntaban, de su denuncia de la neutralidad en este momento? ¿No ven claramente los rusos que en cualquier competición al descubierto para entregar armas a España, los alemanes y los italianos podrían suministrar el doble y en la mitad de tiempo? ¿Y de qué modo ha de ayudar esto a los amigos de Rusia en Madrid?[4]

Las razones oficiales dadas en Moscú señalaban que la Unión Soviética estaba cansada de ver que la labor del comité era excesivamente lenta y que, mientras el delegado italiano bloqueaba sistemáticamente cualquier propuesta rusa y el presidente del comité se había puesto de parte de Italia, el delegado francés insistía una y otra vez cerca del representante soviético para que éste redujera el tono de sus alegatos. Mientras tanto, Portugal, Italia y Alemania se dedicaban a ayudar descaradamente a los rebeldes.[5]

La realidad era muy otra. Como indica Cattell,

la Unión Soviética tenía varias razones para forzar la mano en aquel momento. Se daba cuenta de la hipocresía de Hitler y de Mussolini y de la reticencia de Francia e Inglaterra a encararse con la verdadera situación en España. A través de su amenaza velada, probablemente esperó forzar a Francia y a Gran Bretaña a tomar una postura decidida antes de que fuera demasiado tarde. Además, los acontecimientos de España no

4. *New York Times*, 9 de octubre de 1936, cit. Cattell, p. 159.
5. Encargado de Negocios norteamericano en Moscú al secretario de Estado, 9 de octubre (*Foreign Relations of the United States*, 1936, II, pp. 535-536. Cit. Cattell, p. 146).

podían esperar indefinidamente a que el Comité de No Intervención despertara a la necesidad de un sistema de control adecuado. También es posible que el Gobierno soviético esperara ganarse las voluntades del partido laborista británico y de la izquierda francesa, cuyo apoyo al Acuerdo de No Intervención parecía estar desvaneciéndose. Sin embargo, probablemente, la consideración más importante que se hizo la Unión Soviética fue que necesitaba justificar ante el comité y ante el mundo su propia intervención en España.[6]

Al tiempo que todo esto sucedía, la delegación británica en el comité, a través del presidente, lord Plymouth, entregaba a las delegaciones de Alemania e Italia el texto de las acusaciones dirigidas por el Gobierno de Madrid contra estos dos países. Estas acusaciones ya habían sido objeto de una comunicación del ministro Álvarez del Vayo a la Sociedad de Naciones.[7] El Gobierno republicano español acusaba a los nacionales de «hacer de Portugal una de sus principales bases de operaciones y aprovisionamiento»:

Junto a la ayuda armada prestada a los rebeldes, han gozado éstos de todos los beneficios de un tránsito sin restricciones a través del territorio portugués... En el muelle de Santa Polonia, en el mismo corazón de Lisboa, descargó rápidamente sus mercancías el vapor alemán *Kamerun*. Entre el armamento transportado por dicho barco y por otros de la misma nacionalidad, figuraban tanques ligeros, aviones desmontados, bombas y granadas de mano. Los camiones situados en el muelle se encargaban de trasladar la mercancía a Badajoz y Salamanca. Por otra parte, en duro contraste con tal actitud hacia los rebeldes, se ha permitido, contra todos los principios del derecho de gentes, la entrega a los generales facciosos de refugiados políticos españoles...[8]

En el documento dirigido al delegado alemán, se acusaba a su país fundamentalmente de suministrar a los nacionales uni-

6. Cattell, op. cit., p. 44.
7. Vid. p. 199, supra.
8. NIS (36), doc. 75.

dades aéreas, entre las que destacaban doce aviones de caza Gerhard Fieseler y un número indeterminado de Junkers 52. También se achacaba al Reich el envío de material militar a bordo de los cargueros *Kamerun* y *Visberg*. En el documento correspondiente, se acusaba a Italia de suministrar a los nacionales aviones Savoia Marchetti, Caproni y Fiat C.R. 32, amén de otros materiales, como municiones y gasolina.

El 8 de octubre, Grandi acudió a visitar a Eden en el Foreign Office. En el curso de la conversación, el embajador italiano dijo que temía que la intención del Gobierno británico de presentar las acusaciones de Rusia y del Gobierno español contra Italia, en la reunión del día siguiente del comité, sería

> interpretada en Italia como un acto de parcialidad, por el que el Gobierno de Su Majestad se estaría poniendo de parte de la Rusia Soviética y de la España comunista contra Italia.[9]

Eden contestó que

> tal interpretación era totalmente injustificada... El Gobierno de Su Majestad solamente está cumpliendo con su deber tal y como prevé el acuerdo... Grandi opinó que esta maniobra soviética es un intento deliberado de desmontar el acuerdo; a lo que respondí que, si éste era el caso, tal intención era exactamente contraria a la del Gobierno de Su Majestad.[10]

El 9 de octubre se celebró la reunión del Comité de Londres para discutir todas estas acusaciones y la propuesta soviética de creación de una comisión de control en Portugal. Naturalmente, los delegados de Rusia, Alemania, Italia y Portugal negaron categóricamente las acusaciones, y, además, el representante de Lisboa optó por retirarse de la reunión en señal de protesta.

Finalmente, aunque se decidió esperar a que los diferentes Gobiernos contestaran por escrito —como preveía el reglamento— a las acusaciones, los delegados de Alemania e Italia no de-

9. *Documents of the Foreign Office*, FO 371/20580, W 13312/9549/41, telegrama a Roma 372 de 8 de octubre.

10. Ibídem.

jaron de aprovechar en su favor la mala impresión causada por el ultimátum soviético. Como dijo Grandi:

> El Gobierno soviético quiere sabotear el comité y hacer imposible su funcionamiento. El Gobierno comunista de Rusia ha encontrado que los recientes acontecimientos de España no son satisfactorios para sus deseos.[11]

Curiosamente, la Unión Soviética llevó la peor parte en este juego de acusaciones mutuas. Como afirma Cattell,

> ... el Gobierno soviético, que poseía una organización mundial, el Komintern, y un completísimo servicio de policía secreta, no los utilizó para conseguir pruebas contra Alemania e Italia. Los soviéticos basaron sus acusaciones en la prueba suministrada por el Gobierno español, incompleta y poco precisa, y en informes periodísticos. La mayoría de las acusaciones fue fácilmente combatida por falta de pruebas de que el material hubiera sido enviado después de que el Acuerdo de No Intervención entrara en vigor el 28 de agosto. Como resultado, Alemania, Italia y Portugal salieron casi indemnes del ataque.[12]

Por otra parte, Rusia tuvo enormes dificultades en defenderse de las acusaciones dirigidas contra ella, entre otras cosas, porque el material era enviado a España por el Mediterráneo, lo que hacía facilísimo el control.

Lo cierto es que el comité estaba confuso en cuanto a la actitud a tomar. Nadie sabía a quién creer, si a acusadores o a acusados, y se pensaba ya en crear una comisión de investigación neutral para que averiguara la veracidad de los hechos. Pero si las acusaciones resultaban ser verdaderas, ¿qué debía hacerse? Debe recordarse que el cumplimiento del acuerdo dependía en principio solamente de la buena voluntad de los Gobiernos interesados. Como dijo el delegado francés Corbin,

> permítanme recordarles, en primer lugar, que el principal requisito del Acuerdo de No Intervención es su ejecución estric-

---

11. NIS (36), 6th Meeting.
12. Cattell, p. 48.

ta por todos los miembros del comité aquí reunido. Sólo si este principio es rigurosamente mantenido y si su espíritu es universalmente respetado, el acuerdo cumplirá su cometido.[13]

La práctica acababa de demostrar que esto era impensable y que resultaba aún más hipotética la voluntad de las partes de subsanar sus culpas o incluso de reconocerlas. Por primera vez aparecía claramente lo que nadie se atrevía a confesar: el Comité de Londres y el Acuerdo de No Intervención eran un estrepitoso fracaso. La actitud soviética había causado muy mala impresión. En París, *L'Oeuvre*, pese a sus simpatías pro rusas, reconocía que la actuación soviética había sido inoportuna y, refiriéndose a la reunión del comité del día 9, aseguraba que, al menos en lo que hacía referencia a la iniciativa de Kahan, no se corría el riesgo de perjudicar la política de no intervención, puesto que el comité había decidido aplazar el examen de la cuestión a la hipotética recepción de las contestaciones de los diferentes Gobiernos interesados. *Le Jour* aseguraba que Eden, de paso por París,

no había ocultado la sorpresa de Londres por la actitud de Rusia. El tono de la nota soviética y su publicidad ostentosa son juzgados muy severamente por los británicos.[14]

Estas manifestaciones habían sido hechas por Eden a Blum y a Delbos en una comida en París y, según *Le Jour*,

parece que la conversación ha causado en Blum una fuerte decepción, tanto mayor cuanto que él contaba con dar al Gobierno ruso al menos una satisfacción ejemplar, asociándose pública y oficialmente a la petición de encuesta.

Según Eden, sin embargo, la conversación tuvo otro final:

Hice un resumen de lo que había sucedido aquella mañana en el Comité de Londres. Le dije al señor Blum que, en mi

---

13. NIS (36), 6th Meeting.
14. *Le Jour*, 10 de octubre de 1936.

opinión, la intervención del Gobierno soviético en este momento había sido muy desafortunada. Todos teníamos, claro está, ciertas protestas sometidas por el Gobierno español y habíamos tenido la intención de plantear la cuestión en el comité... Sin embargo, ahora que el Gobierno soviético había tomado esta iniciativa contraria a las reglas de procedimiento acordadas en el comité, había complicado las cosas innecesariamente, sin que yo pudiera prever el efecto que esto tendría sobre el comité.

El señor Blum me dijo que compartía mis preocupaciones por entero. La presión ejercida sobre él en Francia crece de forma continua. En cuanto a la iniciativa soviética, le habían comunicado desde Ginebra que el señor Litvinov había dicho que todo esto había ocurrido sin su consentimiento. El señor Blum estuvo de acuerdo en la falta de oportunidad del Gobierno soviético...[15]

Le Temps consagraba un nuevo artículo a la cuestión, diciendo que

es posible que haya habido de un lado o de otro falta de cumplimiento de la obligación de neutralidad estricta y todos los hechos apuntados deberán ser observados por el Comité de Londres en el espíritu en que fue negociado y acordado el Pacto de No Intervención; pero por encima de los hechos alegados... deberá tenerse en cuenta la repercusión que tales incidentes pueden tener sobre la política general de Europa... Es necesario que esta obra realizada con el firme apoyo del Gabinete de St. James no pueda ser comprometida por aquello que, bajo el disfraz de un llamamiento al acuerdo de no intervención, no es más que una vasta maniobra política de inspiración revolucionaria que querría llevar a Inglaterra y a Francia al abandono de la doctrina de neutralidad y a oponerse resueltamente, junto con Rusia, a Alemania y a Italia en el terreno tan peligroso de la guerra de las dos místicas.[16]

15. *Documents of the Foreign Office*, FO 371/20580, W 13351.
16. *Le Temps*, 10 de octubre de 1936.

En Londres, para el *Daily Telegraph*, la amenaza soviética estaba sobre todo destinada

> a confundir al Gabinete Blum y al Gabinete Baldwin y a atraerse a los elementos izquierdistas del mundo entero. Semejante maniobra no debe prevalecer en ningún caso sobre la voluntad de los Gobiernos conscientes de su responsabilidad de mantener y consolidar la paz.[17]

Consecuencias de las maniobras soviéticas

Los ecos de la reunión del comité del día 9 de octubre fueron duraderos y provocaron muchos sentimientos contradictorios.

En los medios diplomáticos de Londres, asegura el encargado de Negocios portugués, había gran satisfacción porque, se decía, a pesar de su frágil estructura, el comité había sido capaz de resistir la tempestad de la última sesión sin merma sensible. La prensa británica de aquellos días ponía de manifiesto que el hecho de que Gran Bretaña entendiera que el comité debía tomar conocimiento de la nota soviética, averiguando la veracidad de los hechos alegados, no significaba que su Gobierno aceptara responsabilidad alguna respecto de la autenticidad de las acusaciones. El redactor diplomático del *Excelsior* hizo notar, el 11 de octubre, que las mismas reservas podían ser hechas del lado francés, insistiendo en que el revés que la diplomacia rusa acababa de sufrir en Londres debía convencerla de la inutilidad de sus tentativas de dividir a Europa en dos campos hostiles y arrastrar a Francia y a Gran Bretaña a una lucha ideológica contra su voluntad.[18] Para el Gobierno británico, ciertamente, era tan poco deseable, en ese momento, una victoria comunista en España como un triunfo nacional (si no menos). Si el Acuerdo de No Intervención había sido concebido inicialmente como un neutralizador de la intervención italo-alemana y si la injerencia soviética en la guerra podía dar a Hitler más motivos de los que ya tenía

---

17. *Daily Telegraph*, 9 de octubre de 1936.
18. *Dez Anos de Política Externa*, vol. III, p. 436.

para intervenir no podía más que haber ventajas en el fortalecimiento del acuerdo.

Cattell, al comparar las posiciones de Rusia y Gran Bretaña
en este momento, indica:

> A excepción del deseo común a ambos países de ver a Hitler y
> a Mussolini fuera del área, había muy pocos puntos sobre los
> que pudieran estar o ponerse de acuerdo ambos Gobiernos.
> El Kremlin buscaba el inmediato y vigoroso refuerzo del
> Acuerdo de No Intervención, el apoyo directo al Gobierno
> leal o algún ultimátum colectivo que obligara a Alemania y a
> Italia a desentenderse del conflicto... El Gobierno británico...
> aparentemente se oponía a cualquier plan o ultimátum que
> pudiera irritar a Hitler y a Mussolini. Si la no intervención de-
> bía ser abandonada, los indicios sugieren que los británicos
> pensaban adoptar una política de apoyo no a los leales, sino
> más bien a los rebeldes,[19]

tal vez con la idea de que así podía hacerse la competencia a Hitler y a Mussolini, de tal modo que Franco, ganada la guerra, no
se sintiera solamente en deuda con los dictadores europeos.

Sin embargo, el Gobierno soviético, a pesar de que *Pravda* insistía constantemente en que debía abandonar el comité, no podía permitirse dar un paso en falso, porque se daba cuenta de
que el peligro estaba en la posibilidad de que Rusia quedara aislada frente a una *entente* de Gran Bretaña y Francia con Italia y
Alemania —posibilidad que asustaba realmente a sus dirigentes—.
Consecuentemente, decidió no apartarse del comité e insistir en
sus acusaciones.

El día 12 de octubre, Kahan escribió a lord Plymouth una
nueva carta en la que aseguraba que la mayor parte «de las entregas de armamento a los rebeldes pasa a través de Portugal y de sus
puertos» y que la medida que aparecía como indispensable era
«el inmediato establecimiento de un control sobre los puertos
portugueses», control que debía ser «encomendado a barcos británicos o franceses, o a ambos». Kahan sugería la pronta reunión

---

19. Cattell, p. 46.

del comité para discutir el asunto. Dos días más tarde recibió la fría respuesta del presidente del comité:

> ... todas las acusaciones específicas de violación del Acuerdo que han sido dirigidas contra el Gobierno portugués, fueron sometidas y discutidas por el comité en su reunión del 9 de octubre y se ha solicitado del Gobierno portugués, de conformidad con las reglas de procedimiento, que suministre, tan pronto como le sea posible, «las explicaciones necesarias para el esclarecimiento de los hechos». Como la respuesta del Gobierno portugués aún no ha sido recibida y como además su carta de 12 de octubre no contiene indicios suplementarios de violaciones del acuerdo, no creo que sea adecuada la convocatoria de una nueva reunión para discutir el asunto.[20]

El despechado comentario de *Pravda* a este nuevo revés fue que

> la posición del presidente del Comité de Londres muestra claramente que algunos Estados se han unido al acuerdo solamente para justificar ante la opinión pública su negativa a entregar al Gobierno legítimo de España las armas que le son necesarias para reprimir la revuelta organizada por los reaccionarios españoles de acuerdo con el fascismo internacional.[21]

Al parecer, en un Consejo de Ministros soviético celebrado el 15 de octubre, los comisarios opuestos a la no intervención insistieron de nuevo en que la Unión Soviética debía abandonar el comité. Sólo la ardorosa defensa de Litvinov, quien como es sabido temía enormemente las repercusiones internacionales de una salida de Rusia del seno del acuerdo, fue capaz de convencer a Stalin de la conveniencia de no dar el paso.[22]

Por el contrario, *Le Temps* del día 19 aplaudía la actitud del comité diciendo que su papel

20. NIS (36), doc. 92, anexos A y B.
21. *Pravda*, 18 de octubre de 1936, cit. Cattell, pp. 147-148.
22. Cattell, pp. 148-149.

no es suscitar controversias peligrosas para la paz general a propósito de tales o cuales acusaciones dirigidas contra determinadas potencias, acusaciones que tiene el deber de verificar concienzudamente con vistas a poner término a todas las infracciones del acuerdo, sino coordinar las medidas adoptadas para hacer de la no intervención en los asuntos de España una realidad. Hasta aquí el Comité de Londres ha cumplido lealmente la misión que le ha sido encomendada.[23]

Nueva nota soviética. Alemania contesta

La Unión Soviética, sin embargo, no podía conformarse con las respuestas negativas que repetidamente recibía de las democracias. Y así, en la siguiente reunión del comité, el 23 de octubre, y antes de que se iniciara la discusión en torno a la respuesta alemana a las acusaciones de Álvarez del Vayo, Maiski, que acababa de tomar su puesto en el comité, pidió la palabra para leer una comunicación de su Gobierno al comité. En la carta, el Gobierno ruso decía, entre otras cosas, que

no queriendo permanecer en la situación de personas que apoyan sin saberlo y sin quererlo una causa injusta, ... no ve más que una salida: devolver al Gobierno español el derecho y las facilidades de compra de armas de que gozan los demás países del mundo; y extender a los participantes en el Acuerdo el derecho de vender o no armas a España. En cualquier caso, el Gobierno soviético, que no está dispuesto a seguir incurriendo en responsabilidad por la injusta situación creada al Gobierno y al pueblo de España, se ve ahora en la obligación de declarar que... no puede considerarse más ligado a las estipulaciones del acuerdo que cualquiera de los demás participantes.[24]

La nota añadía, finalmente, que la culpa de esta actitud soviética la tenía Portugal con sus constantes violaciones del acuer-

23. *Le Temps*, 19 de octubre de 1936.
24. NIS (36), doc. 109.

do. Lord Plymouth, una vez más, contestó que no veía ningún argumento de base en la carta y postergó su discusión hasta la siguiente reunión del subcomité.

El resto de la sesión fue empleado en considerar la respuesta alemana a las acusaciones de Álvarez del Vayo. En ella, el Gobierno alemán manifestaba su extrañeza por la actitud de los Gobiernos inglés y ruso, al tomar sobre sí la responsabilidad de acusaciones sin fundamento y no comprobadas, y refutaba todos los cargos que se le hacían. Sin embargo, se aprovechaba la ocasión para indicar que el Gobierno alemán tenía en su poder dossiers relativos a violaciones del embargo de armas por otros países y que, aunque su intención había sido no esgrimirlos ante el comité, en vista del precedente, Alemania seguiría la misma pauta que el Gobierno soviético. En consecuencia, el mismo documento ya contenía acusaciones contra Rusia, que abarcaban remesas de armas, municiones, aeroplanos, tanques y personal especializado, llevados a España por los buques *Bramhill, Neva, Kuban* y *Komsomol*.[25]

Como era de esperar, Maiski encontró que la nota alemana no era satisfactoria y en la discusión subsiguiente no se llegó a resultado práctico alguno; el delegado soviético aprovechó la ocasión para volver a plantear la cuestión del bloqueo de los puertos portugueses, aportando como argumento el caso del buque *Kamerun*, que, como se recuerda, había desembarcado en Lisboa material militar para los nacionales. A esta acusación, Bismarck contestó que el *Kamerun* había transportado efectivamente armas, pero con destino a Portugal.

Terminada la sesión sin ningún acuerdo concreto, se decidió proseguir el examen de estas cuestiones y el de la posición general de los Estados respecto del comité en el ámbito más restringido del subcomité, que había de reunirse al día siguiente.

Efectivamente, como estaba previsto, el subcomité abrió sus puertas de nuevo el día 24 de octubre. Uno de los asuntos del orden del día era averiguar el alcance de la nota soviética del día anterior, o en otras palabras, como diría lord Plymovth días más tarde,

25. NIS (36), doc. 101, 23 de octubre de 1936.

si el Gobierno soviético, hasta tanto no se cumplan las condiciones que exige, se considera o no ligado por el acuerdo o si tiene la intención de juzgar ante sí del estado de las cosas y si piensa, en el caso de que opine que está siendo importado material militar para los generales rebeldes, considerarse autoexcluido del acuerdo, actuando, como resultado, en la forma en que sugiere su declaración.[26]

Maiski no quiso, o más bien, no pudo contestar a esta pregunta, pero prometió pedir instrucciones a su Gobierno para dar una respuesta concreta en la siguiente reunión. De hecho, Grandi afirmó perentoriamente que no permitiría que su nota de respuesta a las acusaciones fuera discutida por Maiski hasta tanto no se supiera si Rusia continuaba o no en el seno del comité.

Como había sido sugerido por Corbin y Plymouth en la anterior reunión del comité, se discutió la posibilidad de constituir un mecanismo de control para vigilar in situ el fiel cumplimiento de las obligaciones del acuerdo y se aprobó solicitar de los diferentes países su opinión sobre este punto. El acuerdo fue tomado por unanimidad, decidiéndose proponer al comité en su reunión del 28 de octubre,

el establecimiento, sujeto a la aprobación por las dos partes españolas, de un cuerpo imparcial de personas que se sitúen en territorio español, en los principales puertos de entrada (por mar y tierra), con objeto de informar, cuando se lo pida el comité, de los casos de violación del acuerdo.[27]

La reunión del 28 de octubre

El día 28 se celebró la octava reunión del comité. El primer punto del orden del día era la respuesta portuguesa a las acusaciones de Álvarez del Vayo y del Gobierno soviético. Se contenía en dos

---

26. NIS (36), 8th Meeting.
27. NIS (36), 8th Meeting.

largas notas de Monteiro, en las que se refutaban todas las acusaciones y se atacaba violentamente a la Unión Soviética, responsabilizándola por actos de mucha mayor gravedad, tales como «la preparación de la subversión política» en España. Respecto de las acusaciones de la República española, el Gobierno portugués las rechazaba como maliciosas e infundadas, afirmando que los hechos alegados se habían producido antes de que llegara a Londres la adhesión de Portugal al acuerdo y desde luego antes de que Salazar firmara el decreto de embargo de armas,[28] escapando en consecuencia del ámbito de la competencia del comité:

> Los nacionales dominan casi todos los grandes puertos de España, al tiempo que los ferrocarriles y las carreteras; utilizar los puertos y el territorio portugués para abastecerse... sería complicar inútilmente sus servicios... ¿Por qué habrían de hacerlo, si disponen de todos los elementos precisos para poder prescindir de intermediarios?

Por otro lado, a las acusaciones de ser Portugal un territorio de libre tránsito para los nacionales, que habían encontrado allí facilidades para planear la insurrección y para comprar armas, y de haber el Gobierno portugués maltratado a los refugiados políticos republicanos, entregándolos posteriormente a las autoridades nacionales, contestaba diciendo que eran hechos que no podían ser examinados por el comité, cuya competencia sólo alcanzaba al embargo de armas y que, en cualquiera de los casos, su veracidad no era demostrada con pruebas concretas, sencillamente, decía la nota, porque no las había.

Por supuesto, Maiski no estuvo conforme con las notas portuguesas, que habían sido consideradas satisfactorias por los demás miembros del comité. El delegado soviético leyó una declaración refutando las acusaciones contra su Gobierno y asegurando que Rusia luchaba por la paz de Europa contra «los rebeldes que representan las fuerzas de la guerra»; la Unión Soviética pugnaba, no por el comunismo en España, sino por la conservación de un

28. *Dez Anos de Política Externa*, vol. III, pp. 463 y ss.

régimen democrático. Calheiros contestó una vez más con otra serie de acusaciones, a las que añadió la comunicación del Gobierno de Lisboa de que, en caso de que se acordara el establecimiento de un control sobre sus puertos, Portugal se consideraría desligado del Acuerdo de No Intervención. También comunicó oficialmente que su país había suspendido las relaciones diplomáticas con la República española el día 23 de octubre.

Resulta interesante consignar la opinión del embajador soviético, Maiski, sobre esta reunión del comité, porque es fiel reflejo de la actitud rusa frente a lo que llama la «hipocresía capitalista»:

> Una vez más me encontré solo frente a todos ellos y no porque los 26 representantes de los países capitalistas realmente consideraran satisfactorias las respuestas de Alemania, Italia y Portugal. ¡En absoluto! El embajador sueco Palmstierna, que se sentaba a mi izquierda, hizo, durante la discusión, más de un comentario en voz baja, como «¡Repugnante!», «¡Vergonzoso!», «¡Su descaro no tiene límites!», refiriéndose a los representantes de los países fascistas. Y el delegado checo, Jan Masaryk, en una conversación conmigo después de la reunión, empleó términos aún más fuertes al enjuiciar la posición de Alemania e Italia... Pero durante las reuniones, todos guardaban silencio... petrificados de terror frente a las grandes potencias, frente a la Alemania nazi...[29]

Terminada esta serie de acusaciones, el comité pasó a discutir el proyecto de establecimiento de un sistema de control de las fronteras marítimas y terrestres de España, tal y como había sido ideado en la reunión del Subcomité de cuatro días antes.

La idea fue acogida con calor por casi todos los delegados. La satisfacción de Maiski se expresaba en términos suavizadores, al aclarar que su nota de 23 de octubre sólo quería poner de relieve

> que aquellos Gobiernos que consideran que la ayuda al Gobierno legítimo de España es justa conforme al derecho, al or-

29. Maiski, op. cit., p. 58.

den y a la justicia internacional se encuentran moralmente justificados al no considerarse más ligados por el acuerdo que aquellos Gobiernos que ayudan a los rebeldes, contraviniendo el acuerdo.[30]

Refiriéndose a la idea del control, Maiski dijo:

Una situación diferente sólo será posible desde el momento en que se establezca un control de la ejecución del acuerdo. El Gobierno soviético había propuesto con este fin el establecimiento de un control sobre los puertos portugueses y está dispuesto a discutir la sugerencia del presidente del comité...[31]

El delegado portugués, por su parte, hizo notar las enormes dificultades que el proyecto encerraba para las naciones que se hicieran cargo del control en el que Portugal no habría de intervenir. Grandi y Bismarck se mostraron aún más reticentes que su colega.

Pero por fin se había llegado a un punto en que podía contemplarse con cierto optimismo la acción futura del comité. Como ya ha sido explicado, el procedimiento del acuerdo no preveía ninguna sanción o acción una vez que un Estado hubiera negado las acusaciones de violación dirigidas contra él por otro miembro del comité. No había manera de contrastar la evidencia, ni de encontrar al verdadero culpable si éste existía y esto colocaba al comité en una situación bastante incómoda. Como expresó lord Plymouth,

esto no hace más que poner en evidencia... la necesidad de que persigamos con toda la energía posible el cumplimiento de nuestra propuesta de establecimiento de algún sistema de supervisión en el territorio español, que nos permita disponer de datos fidedignos.[32]

---

30. NIS (36), 8th Meeting, p. 4.
31. Ibídem.
32. NIS (36), 10th Meeting.

Durante todo el mes de noviembre se discutió el proyecto prolijamente. Las polémicas eran constantes y los puntos de vista, encontrados. Pero poco a poco las aristas fueron siendo limadas y Maiski pudo al fin decir, en la reunión del comité del 12 de noviembre, que

> después de semanas de trabajo sin rumbo, nuestro comité... ha elaborado un esquema para el control más o menos eficaz del Acuerdo de No Intervención... lo que constituye un acontecimiento muy consolador.[33]

En su reunión del 2 de noviembre, el subcomité consideró la necesidad de que se propusiera el plan a los dos contendientes. Pero, para ello, era antes preciso ponerse de acuerdo sobre el plan a proponer. La idea consistía fundamentalmente, como ya se ha dicho, en el establecimiento de observadores en las fronteras españolas y en determinados puertos nacionales y republicanos, para vigilar la ejecución del Acuerdo. En consecuencia, se solicitó de las diferentes delegaciones que consultaran a sus respectivos Gobiernos para averiguar si daban su aquiescencia a la idea y si estaban conformes en que los observadores fueran nombrados por el propio comité, que aseguraría de este modo el carácter absolutamente neutral del plan de control.[34]

Italia y Alemania reconocen a Franco[35]

Sin embargo, debe ser tenida en cuenta una cuestión muy importante. Durante el mes de noviembre Alemania, Italia y la Unión Soviética intensificaron notablemente la ayuda a una y otra parte de España. Los nacionales estaban a las puertas de Madrid y la caída de la capital parecía inminente. Sin esperar a que se confirmara la victoria nacional, Hitler y Mussolini, el 18 de noviembre,

33. NIS (36), 11th Meeting.
34. NIS (36), 9th Meeting.
35. Las relaciones de estos países con los nacionales, así como las de Rusia con la República, son estudiadas ampliamente en el capítulo siguiente.

reconocieron al régimen de Franco, lo que para la República constituía un acto puro y simple de agresión. El 27 de noviembre, Álvarez del Vayo envió un telegrama al secretario general de la Sociedad de Naciones protestando contra el reconocimiento en los siguientes términos:

> ... Los rebeldes han sido reconocidos por Alemania e Italia, las cuales, y en especial una de ellas, se disponen a cooperar con ellos en cuestiones navales como ya lo han hecho en cuestiones aéreas y militares. Precisamente a causa de su simultaneidad, estos hechos constituyen para el Gobierno español circunstancias que pueden afectar a las relaciones internacionales y que amenazan con alterar la paz o el buen entendimiento entre naciones, del que depende la paz. En consecuencia, en nombre del Gobierno español, en el interés supremo de la paz y en virtud del artículo XI del Pacto, ruego a vuestra excelencia tome las medidas necesarias para que el Consejo pueda proceder a la mayor brevedad posible al examen de la situación indicada.[36]

Stalin, por su lado, seguía enviando ayuda a Madrid; como dijo Eden con cierta exageración el 15 de noviembre en la Cámara de los Comunes, «hay países más censurables por sus violaciones de la no intervención que Alemania, Italia o Portugal».[37] Resultaba, por tanto, natural que ni Hitler, ni Mussolini, ni Stalin desearan un control eficaz del cumplimiento del Acuerdo hasta tanto no cesara el grueso de sus envíos; y esto no sucedió hasta meses más tarde. Pero, por otro lado, ninguno de los tres podía permitirse violar de manera abierta el Acuerdo. Por esa razón, la única política viable era la de oponer dificultades de todo tipo al establecimiento del control. Como subrayó Calheiros en un despacho de Lisboa,

> Alemania e Italia no quieren ninguno de los controles propuestos... y procuran que el control abarque también los puertos secundarios y las carreteras de España, con el fin de hacer de él algo tan extenso y costoso que resulte impracticable.[38]

36. *Diario Oficial*, 95 Sesión, anejo 1628, doc. C 515 M. 327.1936. VII.
37. Thomas, p. 332.
38. *Dez Anos de Política Externa*, vol. III, p. 572.

Trabajos preparatorios del plan de control

Por esta razón, cuando Maiski, en la reunión del 2 de noviembre, propuso que se estableciera también un control aéreo, para de este modo evitar el desembarco de aviones en Portugal y su traslado por aire a la zona nacional, Bismarck y Grandi acogieron la idea con interés porque implicaba un cierto freno en la acelerada marcha que estaban tomando los acontecimientos.

La propuesta de Maiski fue tomada en consideración por el comité e incluida en el programa de estudio del plan de control, a pesar de que todos se daban cuenta de que su viabilidad era muy dudosa. Fue nombrada una comisión de especialistas (que recibió el nombre de subcomité técnico primero), compuesta por los agregados aéreos de Bélgica, Francia, Alemania e Italia, Suecia y Unión Soviética y el director adjunto de Aviación Civil del Ministerio del Aire británico. Estudiaron la cuestión durante la tercera semana de noviembre (en los días 13, 17, 18 y 19) y finalmente propusieron al comité cuatro posibles soluciones: 1.ª, control de los países productores o detentadores de un gran *stock* de aviones; 2.ª, control de todos los países situados en un radio de 1 500 millas en torno a España, lo cual incluiría a toda Europa, con excepción de Finlandia, y a todo el norte de África, con excepción de Egipto; 3.ª, control terrestre de todos los países situados en el radio de alcance de un avión volando sin escalas a España; 4.ª, control dentro de España. La comisión recomendaba la segunda solución como la más practicable, aunque, como se ha de ver, cuando el plan de control entró en vigor en el mes de marzo de 1937, el control aéreo sólo fue ejercido en algunos aeropuertos cercanos a las fronteras de España.[39]

Los trabajos del comité prosiguieron con bastante rapidez durante el mes de noviembre y apenas si hubo incidentes. Los participantes en el acuerdo se habían dado probablemente cuenta de que era inútil que el comité continuara su investigación sobre las violaciones alegadas y se acordó tácitamente que no se examina-

---

39. NIS (36), 167 revise, *First Report: The supervision of aircraft entering Spain by air* (Nov. 20, 1936) (NIS) (T.A.) (36), (1), (2) y (4).

ran más acusaciones hasta tanto no entrara en vigor el control. De hecho, el 5 de noviembre fue el último día en que se examinó uno de estos asuntos, al discutirse la respuesta soviética a las alegaciones alemanas; como de costumbre, no se llegó a conclusión alguna.

Por fin, en su reunión del 2 de diciembre, el comité acordó, con la abstención de Portugal, someter el plan de control a los dos Gobiernos de Madrid y Burgos, cosa que se hizo inmediatamente.[40]

El proyecto franco-británico de mediación

Mientras se discutía en Londres el programa de control, Eden y Delbos decidieron intentar poner fin a la guerra de España proponiendo a las potencias interesadas que se unieran a Francia y a Gran Bretaña para ofrecer a nacionales y republicanos la mediación en el conflicto. Al mismo tiempo, recomendaron a sus delegados en el comité que plantearan la cuestión de la retirada de los voluntarios extranjeros que luchaban en tierras españolas, para así dejar a las fuerzas en combate tan desasistidas que no se sintieran con mucha fuerza para oponerse a la idea de una pronta paz de compromiso.

El 5 de diciembre, los embajadores de Francia y Gran Bretaña visitaron a los ministros de Asuntos Exteriores de Alemania, Italia, Unión Soviética y Portugal para entregarles una nota en la que se afirmaba que

> en interés de la paz... las potencias más afectadas deben ponerse de acuerdo con el fin de salvar a Europa de los peligros que emanan de cualquier injerencia política extranjera en la lucha interna española. Con este objeto, deben buscar juntos nuevos medios para contribuir más activamente a la solución de la presente crisis.[41]

---

40. NIS (36), 12th Meeting.

41. *Dez anos de Política Externa*, vol. III, pp. 591-592. El embajador de la República en Londres, don Pablo de Azcárate, fue visitado el 29 de octubre por el rector de la Universidad de Barcelona, doctor Bosch Gimpera, que era portador de una carta de Azaña dándole autoridad para gestionar con el Gobierno británico una mediación en el conflicto («le hablará a usted de algunos asuntos

Este «acuerdo entre caballeros» debía tener como fundamento, por una parte,

> la firme resolución de renunciar inmediatamente a toda acción, directa o indirecta, que pueda de cualquier modo provocar una intervención extranjera en la guerra de España.

En este sentido se daban instrucciones a los delegados respectivos en el Comité de Londres para que aceleraran en lo posible la adopción del plan de control. Por otro lado, se invitaba a los Gobiernos interesados a unirse a Francia y a Gran Bretaña «en un esfuerzo por poner término a la lucha armada en España, mediante un ofrecimiento de mediación» a las dos partes en la lucha.[42] Ello suponía que, una vez celebrado el armisticio, se en-

---

interesantes por encargo mío»). Bosch Gimpera le dijo a Azcárate que el presidente Azaña consideraba la guerra perdida y que, para evitar más derramamiento de sangre, era conveniente ponerse en contacto con Eden y solicitar la mediación del Gobierno conservador. Azaña había tomado esta decisión por sí solo, sin informar de ella al Gobierno de la República. Azcárate se negó a realizar la gestión. (Azcárate, *Memorias inéditas*.) El presidente estaba convencido de que ésa era la única forma de llevar la guerra a feliz término y no cejó en su empeño: con ocasión de la visita de Besteiro a Londres para asistir a la ceremonia de coronación de Jorge VI, en mayo de 1937, Azaña le encargó se entrevistara con Eden para estudiar una fórmula de mediación.

42. Ibídem. En este sentido es interesante reseñar la opinión del secretario del Comité de Londres, Francis Hemming. En su Diario, el 13 de noviembre de 1938, aparece la siguiente anotación, hecha en París de paso para Salamanca y Burgos, en donde se entrevistaría con el general Franco: «Nada resultaría más peligroso y menos útil que una mediación... que parecía, por encima de todo, absolutamente inaceptable desde el punto de vista del Gobierno nacional español...
»Le dije [al marqués de Castellane, del Ministerio francés de Asuntos Exteriores], que había ciertas personalidades de la Administración republicana de España que, en mi opinión, nunca estarían dispuestas a llegar a un acuerdo con el general Franco, y que, además, eran totalmente inaceptables como negociadores para el general Franco. Si estas dos personalidades, y de hecho sólo eran dos, podían ser eliminadas del Gobierno de Barcelona merced a los buenos oficios del Gobierno francés y si sus puestos podían ser cubiertos por personas más moderadas y de temperamento más idóneo, podía, creo yo, esperarse que los españoles llegarían a un acuerdo razonable...» (Las dos personas a que se refiere Hemming son Negrín y Álvarez del Vayo, y las que sugiere como hipotéticos sustitutos, Besteiro y Martínez Barrio.)

248 – FERNANDO SCHWARTZ

viaría una comisión a España que, tras un plebiscito, entregaría el Gobierno de la nación española a hombres que se habían mantenido fuera de la lucha civil, como por ejemplo, se apuntó, don Salvador de Madariaga.[43]

Pravda, el 11 de diciembre, afirmaba el deseo soviético de cooperar plenamente con Francia y Gran Bretaña, pero se mostraba escéptico en cuanto a la viabilidad del proyecto de mediación:

> La Unión Soviética no cree que la propuesta anglo-francesa suministre la forma correcta de salir de la situación extremadamente amenazadora que existe como consecuencia de la intervención fascista en España... Sin embargo, gracias a su inmutable deseo de paz y tomando en cuenta la posición de Francia y Gran Bretaña, así como la de otras naciones, el Gobierno soviético ha aceptado la proposición.[44]

Para Italia y Alemania, la situación era completamente distinta, puesto que, como ya ha sido indicado, habían reconocido al Gobierno nacional. Por ello, como dijo Ciano, la adhesión al proyecto anglo-francés había de ser «puramente teórica» y subordinada a un control total de la intervención, tanto directa como indirecta. Así fue puesto de relieve en la nota de contestación italiana, hecha pública el día 12 de diciembre:

> El Gobierno italiano tiene especial interés en recordar que, desde el principio, ha sostenido que para que la no intervención sea eficaz, debe comprender, además de la prohibición de exportación de armamento a España, la voluntad de impedir el envío de voluntarios y agitadores políticos y cortar cualquier forma de suscripción monetaria y de propaganda.

No se oponía ningún reparo a la adopción de tales medidas por el comité «siempre y cuando sean aceptadas contemporáneamente en su totalidad». En cuanto a la idea de mediación,

---

43. *Documents on German Foreign Policy*, series D, vol. III, pp. 158-159. Cit. Thomas, p. 422.

44. Cit. Cattell, p. 56.

el Gobierno italiano no puede más que acogerla con calor... pero se pregunta si en las actuales circunstancias... entra en el campo de las posibilidades prácticas... Una reconciliación de las dos partes en conflicto aparece, además, como singularmente difícil.[45]

Hitler tampoco consideró la adhesión al proyecto más que como un acto puramente formal. En su nota de 12 de diciembre, Von Neurath decía que, a pesar de que la mediación «tiene ciertamente todas nuestras simpatías», el Gobierno alemán

ya mostró con su reconocimiento del Gobierno nacional que... no cree que haya otro en España que pueda reclamar el privilegio de representar al pueblo español... Una reconciliación parece difícilmente posible,

al igual que la promoción de «un plebiscito digno de confianza». Tampoco Portugal mostró excesivo entusiasmo por la mediación, sobre la que Salazar opinó, en nota de 11 de diciembre, que

aparece como un servicio útil si se reduce el problema de España a una lucha armada de dos partidos políticos por el poder, y como un servicio incomprensible si, como suponemos, allí se asiste a la lucha de dos civilizaciones.[46]

En España, la idea fue mal acogida por la prensa, tanto nacional como republicana.

La retirada de los voluntarios extranjeros

Mientras que las dos primeras iniciativas (la mediación y el control) progresaban lentamente, la una hacia el fracaso y la otra hacia el éxito, se jugaba en Londres la tercera carta de la baraja anglo-francesa: la de la retirada de los voluntarios extranjeros que luchaban en España.

45. *Dez Anos de Política Externa*, vol. III, pp. 596, 611-612.
46. Ibídem, pp. 597-598, 607 y 619.

Maiski, en una carta dirigida al comité el 11 de noviembre, había vuelto a plantear la cuestión, con la inmediata aquiescencia de Francia y Gran Bretaña.[47] La Unión Soviética deseaba que el problema de los voluntarios quedara incluido dentro del ámbito de aplicación del acuerdo y que, consecuentemente, formara parte del plan de control. Por su parte, lord Plymouth, siguiendo las instrucciones que le había dado Eden unos días antes de hacer pública la nota franco-inglesa de 5 de diciembre, propuso en la reunión del Comité del día 2 que, antes de seguir adelante, se debatiera la cuestión de los combatientes extranjeros.[48]

La idea, cuando aún no habían sido hecho públicas las respuestas de Alemania, Italia, Portugal y Rusia a la nota franco-inglesa, fue muy mal recibida por Grandi y Bismarck. Es preciso recordar que la llegada de las Brigadas Internacionales y su entrada en combate durante los primeros días de noviembre había puesto en un compromiso al ejército nacional y había retrasado una victoria que hasta entonces había parecido inminente. Hitler y Mussolini se proponían ayudar a Franco con tropas y material. Por esta razón, la idea de retirar a los voluntarios de España resultaba inoportuna para el bloque germano-italiano. Las razones de Rusia al proponerla son poco claras, a menos que se expliquen por una decisión de Stalin de jugar al doble juego decididamente, sin preocuparse de la opinión contraria. Ni Hitler ni Mussolini podían claro está oponerse a la inclusión de los voluntarios dentro de las estipulaciones del plan de control. Alemania e Italia sentían una gran prevención ante la posibilidad de una *entente* franco-anglo-soviética, que no dejaría de surgir si Bismarck y Grandi adoptaban una actitud negativa. La única posibilidad era obstaculizar la acción del comité hasta tanto no llegara el momento de suspender los envíos a Franco.

En consecuencia, Grandi, en la reunión del día 2, hizo notar a lord Plymouth que ya en agosto Alemania e Italia habían sugerido que se incluyera en el acuerdo alguna disposición respecto de los voluntarios y que la idea no había sido atendida. Por supuesto, no podían aceptar que la cuestión volviera a ser plantea-

47. NIS (36), doc. 177.
48. NIS (36), 12th Meeting.

da de un modo abstracto y exigían que quedara incluida dentro de una discusión global respecto de la prohibición de la asistencia indirecta tal y como Ciano lo había sugerido a Chambrun en Roma el 6 de agosto.[49] Con ello, Italia esperaba que las discusiones respecto a la naturaleza de la intervención indirecta fueran interminables y retrasaran la toma de cualquier decisión. Y como para Bismarck y Grandi, siguiendo la letra de las declaraciones de sus respectivas Cancillerías, «intervención indirecta» quería decir «voluntarios, agitadores políticos y remesas de fondos», ello no dejaría de crear graves dificultades a las democracias, que en ningún caso podían ejercer legalmente un control severo sobre todas las actuaciones de sus ciudadanos.[50]

En la última reunión del subcomité antes de fin de año, celebrada el 23 de diciembre, Bismarck y Grandi propusieron que se crearan dos comisiones técnicas para el estudio más especializado de la cuestión: la una dictaminaría sobre los métodos de hacer extensivo el plan de control al problema de los voluntarios y habría de indicar las medidas a adoptar para este fin por los países interesados; la otra estudiaría la inclusión en el plan de las ayudas financieras.[51] El resultado de sus trabajos debía ser comunicado al subcomité en su reunión del 5 de enero de 1937.

En su sesión de 9 de diciembre, el comité resolvió proponer a las partes interesadas un cuestionario referente a la posibilidad de que en cada país se promulgara la legislación necesaria para suprimir las salidas de voluntarios con destino a España.[52]

Apenas diez días más tarde se recibió la respuesta afirmativa de la Unión Soviética. En ella se aseguraba que Rusia estaba

en principio conforme con la extensión del acuerdo a la intervención tanto directa como indirecta, hasta donde esto sea posible; y acepta como primer paso... la prohibición del reclu-

49. Vid. p. 125, supra.
50. *Dez Anos de Política Externa*, vol. III, p. 590.
51. Llamados, respectivamente, Comités Técnicos 3 y 4, evacuaron sus informes el 1 de enero de 1937 [NIS (36) doc. 259] y el 7 de enero [NIS (36), doc. 261]. El C. T. 3 también estudió la forma de imponer el plan de control sin la aquiescencia de las partes en lucha [NIS (36), 285, de 25 de enero de 1937].
52. NIS (36), 13th Meeting (Doc. NIS (36), 179).

tamiento, envío o paso a través de los territorios de las partes contratantes de personas que se dispongan a tomar parte en la guerra civil de España.[53]

Lo cierto es que la Unión Soviética no enviaba voluntarios a España, sino sólo técnicos y material; de lo demás se encargaba el comintern y afectaba más bien a los demás países de la No Intervención. No le costaba, por tanto, ningún trabajo aceptar la iniciativa del comité.

Al mismo tiempo que la contestación soviética, se recibía en Londres la de Portugal, que era asimismo afirmativa:

> Desde que el acuerdo entró en vigor, el Gobierno portugués ha impedido rigurosamente cualquier forma de intervención indirecta, pese a no haber promulgado ley especial alguna a tal efecto.[54]

Portugal no había enviado aún contingentes de hombres a luchar en España, al menos en cantidades apreciables, y no le causaba esfuerzo el sumarse a la prohibición.

Para Italia, por el contrario, de la que ya salían con bastante frecuencia cuerpos militares con dirección a España, el problema seguía siendo el mismo: obstaculizar la acción del Comité de Londres. Por ello, en su respuesta, que no llegó hasta el 24 de diciembre, seguía poniendo las mismas condiciones: no habría prohibición de salida de voluntarios hasta tanto no se alcanzara una decisión respecto de los agitadores y de las remesas de fondos.[55]

Hitler se pronunció en el mismo sentido. Pero, en el fondo, para él, el problema no resultaba relevante mientras no se estableciera la *retirada* de voluntarios; prohibir las nuevas salidas era una medida tardía, puesto que ya había entre los contendientes un crecido número de extranjeros.[56]

---

53. NIS (36), doc. 190.
54. NIS (36), doc. 191.
55. NIS (36), doc. 220.
56. NIS (36), doc. 236. *Dez Anos de Política Externa,* vol. III, p. 597.

Madrid y Burgos contestan

El 16 de diciembre se recibió en Londres la contestación del Gobierno republicano a la propuesta del plan de control. En ella, Madrid protestaba por el rango de beligerante que se concedía al Gobierno de Burgos, al reconocer a éste como «autoridad» cuando

> la República tiene un Gobierno legítimo que se originó en las elecciones del 16 de febrero de este año, elecciones tan recientes que no puede haber duda de la voluntad de la nación.

Después de acusar a Alemania, Italia y Portugal de ser responsables de la prolongación de la guerra sin recatarse en esconder sus violaciones del Acuerdo de No Intervención, el Gobierno de la República insistía en que

> un Gobierno legítimo tiene pleno derecho a procurarse a la luz del día todos los medios y todo el material bélico necesarios para reprimir una rebelión en su propio territorio... El hecho de armar desde el extranjero a los adversarios del Gobierno constituye una violación de todos los principios internacionales.

Por ello, cualquiera de los hechos mencionados bastaría, sigue la nota, para

> justificar el rechazo por el Gobierno español al esquema del proyecto de control... Sin embargo... el Gobierno español, fiel a lo que hasta ahora ha mantenido, poniendo el supremo interés del país por encima de cualquier otra cosa y a fin de que el Comité de Londres no pueda decir en el futuro que no ha obtenido todas las facilidades necesarias que le permitieran descubrir quién es el violador del acuerdo, consiente en aceptar en principio el esquema del proyecto de control.[57]

---

57. NIS (36), doc. 217. Vid. Díaz-Plaja, *La historia de España en sus documentos.*

Por el contrario, la respuesta del Gobierno nacional, llegada a Londres el día 19, se reservaba la aceptación hasta tanto no hubiera recibido aclaración sobre algunos puntos concretos de la nota en que se le comunicaba el proyecto. Por ejemplo, preguntaba el sentido que daba el comité a la expresión «principales puntos de entrada por tierra y por mar» y si esto significaba «que los puntos considerados secundarios, como lo son muchos de la frontera franco-española en la zona de Cataluña y los pequeños puertos, playas y muelles, deben permanecer excluidos de todo control». También preguntaba el Gobierno de Burgos si el comité había pensado establecer controles en Marsella, Perpiñán, Burdeos, Bayona y otros puertos y ciudades «que en la actualidad se han convertido en bases de aprovisionamiento... y centros de reclutamiento» para el Gobierno de la República y si la misión de los observadores se limitaba a impedir la entrada de material de guerra en España o si, por el contrario, alcanzaba a retirar de los frentes los stocks de armamento.[58] De hecho, como pudo comprobarse más tarde, el general Franco tenía la intención de rechazar el control con el argumento de que constituía «una intolerable limitación de la soberanía nacional».[59]

Éstas eran, más o menos, las respuestas que se esperaban en Londres.

The Times del día 23 de diciembre, en un artículo remitido desde París por su corresponsal, refiriéndose a las reivindicaciones coloniales alemanas, sugería la posibilidad de que Francia hiciera concesiones en ese terreno siempre y cuando mudara de signo la política de Alemania para con ella, transformando las amenazas en garantías y el colosal rearme en reducción, limitación y control de armamentos. Según el mismo corresponsal, la importancia de la intervención alemana en España comprometía seriamente la paz mundial y, en días anteriores Delbos había comunicado al Gobierno alemán que si el apoyo dado al general Franco tomaba proporciones más sustanciales, no debería esperar de Francia la continuación de la política de no intervención. La información terminaba diciendo que había motivos para

58. NIS (36), doc. 260.
59. Thomas, p. 430.

creer que Delbos daría instrucciones al embajador Corbin para que éste sugiriera una gestión común, informando a Berlín que Francia y Gran Bretaña no tolerarían una virtual invasión de España por los ejércitos alemanes.[60]

La gravedad de la situación provocó efectivamente una gestión común en un nuevo esfuerzo franco-británico para el mantenimiento de la paz: el 24 de diciembre, los embajadores franceses e ingleses en Moscú, Roma, Berlín y Lisboa visitaron a los respectivos ministros de Asuntos Exteriores para rogarles que reconsiderasen la cuestión de la prohibición de salidas de voluntarios, «que es el problema más importante y más urgente».[61]

La Unión Soviética contestó el día 27, asegurando que cooperaría en el plan de supresión de voluntarios y solicitando que todas las medidas de control fueran tomadas «tan rápidamente como sea posible e independientemente de su aceptación por los generales rebeldes».[62] *Pravda*, en un editorial del 31 de diciembre, explicaba la posición soviética del siguiente modo:

> Es una nueva prueba del carácter invariablemente pacífico de la política exterior soviética. Está perfectamente claro que el acuerdo propuesto por Inglaterra y Francia puede dar frutos positivos sólo en el caso de que se den las condiciones expresadas en la nota del camarada Litvinov. En el supuesto contrario, este acuerdo no tendría mayor significado que el conocido Acuerdo de No Intervención, que ha sido convertido en papel mojado por los intervencionistas fascistas. Esperemos que esta lección sea tomada en cuenta.[63]

La misma respuesta afirmativa provino de Portugal el 5 de enero. Alemania e Italia, en sendas notas del día 7, aceptaban la iniciativa en principio, pero criticando el hecho de que la cues-

---

60. *The Times*, 23 de diciembre de 1936.
61. *Dez Anos de Política Externa*, vol. III, pp. 629-630, 632-633.
62. NIS (36), doc. 267, anexo C.
63. Cit. en Cattell, p. 152. Sin embargo, el 1 de enero, 17 pilotos rusos eran condecorados en Moscú como héroes de la Unión Soviética por difíciles «servicios prestados al Gobierno» (Thomas, p. 337), esto es, presumiblemente, por servicios prestados en España.

tión de los voluntarios no formara parte, como era de suponer, de las deliberaciones del comité, y especificaban la condición de que había de discutirse juntamente con las otras formas de intervención indirecta, aplicándose la legislación pertinente tan sólo en el caso de que «todos los Gobiernos participantes» se mostraran «de acuerdo con un control efectivo y completo». También sugerían se estudiara una forma de retirar a los voluntarios que ya luchaban en España; en este sentido, el Gobierno alemán se preguntaba si no era injusto establecer la prohibición de reclutamiento de voluntarios ahora que la República contaba con tantos luchando en sus filas.[64]

Una vez más, por tanto, los esfuerzos de Gran Bretaña se enfrentaban con la pasividad de los gobiernos europeos.

64. NIS (36), doc. 267.

Las Brigadas Internacionales tienen un origen específico: la reunión celebrada el 26 de julio de 1936 en Praga por el Comintern y el Profintern. Uno de los acuerdos había sido el de la creación de una pequeña brigada, reclutada entre voluntarios de diferentes partidos comunistas de Europa y compuesta por cinco mil hombres. (En la foto, desfilando por Barcelona.)

Thorez (en la foto, junto a Antonio Mije), *con la colaboración de André Marty y de un comunista polaco, Karol Świerczewski, montó en París, en la calle Lafayette, la primera oficina de las Brigadas.*

Togliatti (a la izquierda, con los hijos de Gramsci) *se encargaba del reclutamiento y envío de los voluntarios italianos y Josef Broz* (el futuro Tito, a la derecha) *del de los yugoslavos.*

Las bajas en las Brigadas Internacionales eran elevadísimas a causa de su constante presencia en los frentes más peligrosos. Su participación en la guerra fue extraordinariamente activa y valerosa. (Cementerio de las Brigadas Internacionales en Fuencarral.)

El 15 de noviembre de 1938, el mismo día en que los nacionales cruzaban el Ebro, se celebró en Barcelona un desfile de despedida de las Brigadas. Fue un desfile lleno de espíritu de hermandad. Con su sacrificio y su entusiasmo, los extranjeros habían despertado la admiración de los españoles a quienes habían ayudado.

En un Consejo de Ministros soviético celebrado el 15 de octubre, los comisarios opuestos a la no intervención insistieron de nuevo en que la Unión Soviética debía abandonar el comité. Sólo la ardorosa defensa de Litvinov fue capaz de convencer a Stalin de la conveniencia de no dar el paso.

En la reunión del comité del 23 de octubre de 1936 el delegado soviético, Maiski, volvió a plantear la cuestión del bloqueo de los puertos portugueses, aportando como argumento el caso del buque Kamerun, que había desembarcado en Lisboa material para los nacionales.

La llegada de las Brigadas Internacionales y su entrada en combate durante los primeros días de noviembre había puesto en un compromiso al ejército nacional y había retrasado una victoria que hasta entonces parecía inminente.

Desde mediados de octubre de 1936 hasta marzo de 1937 salen mensualmente de Odessa entre treinta y cuarenta barcos de tonelaje variable con destino a España. (En la foto, llegada del *Zirianin* a Barcelona.)

El abandono de la República por Stalin a partir de 1938, precisamente cuando el partido comunista español adquiría mayor fuerza, parece demostrar claramente que le importaba poco tener en España un gobierno satélite.

La decisión final de enviar el oro a Rusia fue tomada por unanimidad en un Consejo de Ministros celebrado en Madrid el 23 de octubre de 1936, a propuesta del entonces titular de la cartera de Hacienda, doctor Negrín.

El 21 de octubre de 1936 se reunieron en Berlín Von Neurath y Ciano. El ministro italiano dijo a su colega alemán que su país pensaba «realizar un esfuerzo militar decisivo para provocar el colapso del Gobierno de Madrid». (En la foto, ambos con Hitler.)

El 18 de noviembre de 1936, Alemania anunció que reconocía oficialmente a la España nacional. Ese mismo día, Hitler había recibido al teniente general Wilhelm Faupel (en la foto, junto a Franco) para decirle que le enviaba a Burgos en calidad de encargado de Negocios.

La Legión Cóndor fue la parte más sustancial de la ayuda alemana. Creada oficialmente en Sevilla el 6 de noviembre de 1936 bajo el mando del general Hugo von Sperrle (en la foto), *comprendió inicialmente cuatro escuadrones de bombarderos, cuatro escuadrones de aviones de caza y un escuadrón de reconocimiento.*

El total de alemanes que estuvieron en España puede calcularse en unos dieciséis mil, muchos de los cuales fueron civiles e instructores. La Legión Cóndor nunca sobrepasó los seis mil hombres. (En la foto, homenaje a la Legión Cóndor en Berlín, junio de 1938.)

Al contrario de lo que sucede con Alemania, existen estimaciones bastante precisas del volumen de la ayuda italiana a los nacionales. Se calcula que el número de soldados italianos en España en su punto culminante, en julio de 1937, oscilaba alrededor de los cincuenta mil hombres. (En la foto, tropas italianas en la carretera de Guadalajara.)

El Gobierno conservador de Baldwin y, más aún,
el de Chamberlain fueron la sublimación de la política
de apaciguamiento, que puede ser definida, con justicia
y con no excesivo rigor, como la política constante
de ceder a todas las imposiciones de las dictaduras
fascistas. (En la foto, Chamberlain visita a Hitler,
1938.)

Anthony Eden, ministro de Estado británico durante
casi toda esta etapa de máxima gravedad, es acreedor a
parte importante de responsabilidad.

Después de la
remilitarización
de la Renania, fue
Eden quien se negó a
que se aplicaran
las disposiciones de
seguridad previstas
en el Pacto de
Locarno contra
Alemania; poco
tiempo después, Hitler
confesó que si
los ejércitos franceses
hubieran marchado
contra el Rin,
Alemania se habría
tenido que replegar
«con el rabo entre
las piernas».

Los motivos que tuvo Hitler para ayudar a los nacionales son claros y sencillos de comprender. Su máquina militar estaba necesitada de experiencia y de materias primas. (En la foto, Guernica tras el bombardeo realizado por los alemanes.)

Mussolini pensó que una victoria nacional en España ponía en sus manos la totalidad del Mediterráneo, en detrimento de Gran Bretaña; y es conocida la importancia que, en sus planes imperiales, tenía para Mussolini el mare nostrum. (En la foto, acto de solidaridad con la España nacionalista en Roma, 1938.)

Oliveira Salazar se dio cuenta de que la misma existencia de su régimen político en Portugal dependía de la victoria de Franco y, sin reservas, apoyó a los nacionales. (En la foto, Salazar y Nicolás Franco firman el acuerdo de amistad entre España y Portugal, 1939.)

XII. La intervención extranjera en España

I. La intervención soviética

En varias ocasiones a lo largo del texto se ha insistido en que la ayuda soviética a la España republicana fue la única asistencia material de verdadera importancia que ésta recibió durante toda la guerra. Que ello sea parte o no de un plan preconcebido por Stalin para el establecimiento de un satélite ruso en la península Ibérica es cuestión que no puede dilucidarse porque no existen pruebas patentes que aboguen en favor de una u otra tesis. Hay más bien indicios que sugerirían una contestación negativa. Aunque ello ha sido ya tratado en capítulos anteriores,[1] conviene recordar que la postura inicial de neutralidad frente a la guerra de España sugiere que Stalin no se sintió muy satisfecho de ver que estallaba un problema del calibre que pronto adquirió el español cuando la posición internacional de la Unión Soviética era más bien incierta. La actitud primera del dictador ruso indicaría que tenía la vista más puesta en la paz de Europa que en el desarrollo del comunismo en nuestra Península. Rusia era un país débil en 1936, con graves problemas económicos y políticos, y no debe olvidarse que la preocupación más importante de Moscú era, en aquel momento, defender la subsistencia del socialismo en su propio país, seriamente amenazado por Alemania. No hay razón para dudar de que Stalin fuera un abogado del equilibrio continental por lo menos tan ferviente como la Gran Bretaña.

Es más; el *leitmotiv* soviético en los primeros meses de la guerra fue siempre el de la defensa del statu quo frente a «la agresión

1. Vid. pp. 35 y ss.; 151 y ss.

fascista» en España y la intervención rusa fue constantemente presentada como el aguijón con el que se empujaba a las democracias a tomar conciencia del problema y a defenderse en el continente. *L'Humanité*, especialmente, se hizo eco de ello: «con España, por la seguridad de Francia».[2] El propio Rosenberg, embajador ruso en Madrid, lo expresó claramente en su discurso en el cine Monumental de la capital española, el 30 de octubre: «Se trata solamente de hacer que las democracias que luchan por la paz, se concierten y se unan.»[3] Naturalmente, Rusia había dado muy pocos motivos de credibilidad en sus invocaciones a la democracia; pero, en este caso, es difícil pensar que no fuera sincera en interés propio. El abandono de la República por Stalin a partir de 1938, precisamente cuando el partido comunista español adquiría mayor fuerza, parece demostrar claramente que le importaba poco tener en España un Gobierno satélite y que cuando comprendió que tenía perdida la guerra, decidió dar marcha atrás para ocuparse más directamente de otros acontecimientos que, como la crisis de Munich, presentaban un aspecto más amenazador para sus intereses.

La ayuda militar soviética a la República no empezó en serio hasta el mes de octubre de 1936. Las colectas de fondos, el envío de algún técnico, de algunos pilotos, no son significativos más que de que Stalin no podía desentenderse de lo que ocurría en España sin quedar al descubierto frente al movimiento revolucionario mundial. Y, cuando se produjo la ayuda rusa, nada fue más natural que encauzarla a través del partido comunista español que, por lo menos, era una organización fiel a Moscú. Ello es un poco la causa de la creciente influencia del partido en España y, claro está, Stalin no debía de estar en principio contra cualquier situación que favoreciera el desarrollo del comunismo en la Península.

¿Qué impulsó entonces a Stalin a intervenir en España? La tesis que parece más sensata es la de que, al principio por lo menos, le forzaron a ello dos circunstancias:

La primera es de orden interior: como señalan Broué y Témime, el conflicto español «distrae la atención de una parte de

---

2. *L'Humanité*, 7 de agosto de 1936. Cit. Broué y Témime, p. 340.
3. Broué y Témime, p. 340, n. 2.

la opinión militante de las purgas que en la Unión Soviética empiezan a castigar a los adversarios de Stalin»[4] y, además, so pretexto de una ayuda a la República española, puede exigirse de los trabajadores rusos «un esfuerzo de producción suplementario que no dejará de contribuir a la consecución de los objetivos fijados por el Plan Quinquenal de 1933».[5]

La segunda es una razón de prestigio ya apuntada: el dictador soviético no podía permitir que se dijera que el país socialista por excelencia abandonaba a los proletarios españoles en su lucha contra el fascismo y el capitalismo.

¿Cuáles son las gestiones que dieron lugar a la ayuda soviética? En principio, y sin que esto sea absolutamente demostrable, puede establecerse la siguiente secuencia de acontecimientos:

1. Al principio de la guerra, durante la segunda quincena de julio, los sindicatos soviéticos se dedicaron a realizar colectas en favor de los españoles.[6] Durante este tiempo, y por las razones indicadas, Stalin decidió guardar una neutralidad total, limitándose a señalar a las democracias los peligros de la situación.

2. El 26 de julio, el Komintern decidió en Praga socorrer a los españoles con alimentos, ropas y donativos e, hipotéticamente, con una brigada de cinco mil hombres, cuya constitución dependía naturalmente de la aquiescencia de Stalin. En esta reunión aparece claramente el impulso dado por los comunistas no rusos a la idea de ayudar a la República y cabe suponer que los comunistas españoles tuvieran en ella una participación muy activa, especialmente a través de Thorez. Sin duda ello debió de influir en el ánimo de Stalin.

3. Durante todo el mes de agosto la Unión Soviética permaneció neutral.

4. El 6 de septiembre, Rosenberg, embajador soviético en

---

4. Ibídem. Y añaden: «La existencia de la revolución española, la ayuda que le presta la Unión Soviética, serán, en efecto, para muchos militantes unas razones imperiosas para la aceptación silenciosa de las sangrientas depuraciones de Moscú... "Compañeros de ruta" como André Malraux y Louis Fischer justificaban su silencio sobre los procesos de Moscú por la necesidad de no romper el frente de los defensores de España.»

5. Ibídem.

6. Vid. p. 106, supra.

Madrid desde hacía una semana, envió un despacho a Moscú diciendo que, a menos de que se produjera una ayuda masiva, la República estaba perdida. Aquí es previsible que respondiera a una gestión del Gobierno de Madrid, aunque es más lógico que este impulso proviniera de los comunistas. Stalin, que aún dudaba de la conveniencia de intervenir en España,[7] empezó no obstante a moverse lentamente: el día 14 convocó una reunión en Moscú y ordenó que se montaran organizaciones clandestinas de compra de armas, encareciendo sigilo respecto de la intervención rusa.[8]

5. El 22 de septiembre, Thorez por fin convenció a Stalin de que autorizara la constitución de las Brigadas Internacionales: la Unión Soviética seguía sin involucrarse directamente, pero el dictador ruso había comprendido que sin él la República, enfrentada con los nacionales que ya recibían asistencia alemana e italiana, estaba perdida.

La iniciativa aún parecía estar en manos de los comunistas no rusos, y especialmente de los españoles.

6. Después de esta fecha, probablemente a principios de octubre, Largo Caballero, jefe del Gobierno desde el 4 de septiembre, ante la amenazadora marcha de los nacionales hacia Madrid y enfrentado con el hecho de la No Intervención, debió de decidir solicitar formalmente la ayuda de Stalin. La ostensible antipatía demostrada inicialmente hacia los jefes de las Brigadas Internacionales sugiere que Largo Caballero al principio no estaba completamente al tanto de la absoluta dependencia de éstas hacia Moscú.

7. A principios de octubre, la Unión Soviética decidió intervenir directamente y empezaron los envíos de material militar desde Odessa. Es posible que Rosenberg acabara de decidir a Stalin sugiriéndole la posibilidad de llevar el oro español a Moscú.

8. Existe una correspondencia entre Stalin y Largo Caballero que es mucho más tardía (21 de diciembre). Estas cartas tienen cierto interés y dan a entender la existencia de contactos anteriores y, desde luego, una solicitud por el jefe del Gobierno republicano de envío de técnicos y asesores.[9]

7. Vid. p. 209, supra.
8. Vid. infra, p. 261.
9. Vid. infra, pp. 275 y ss.

El montaje de la ayuda

Mientras el Komintern montaba y organizaba su ayuda en material y hombres, a principios de septiembre de 1936 se celebró en la Lubianka de Moscú una reunión de altos jefes soviéticos, asistiendo también Orlov, que había de ser representante principal de la NKVD en España. En la reunión fue decidido que Rusia ayudaría a la República española con armamento y con técnicos y oficiales. Para ello, y con la salvedad de que debía evitarse «a cualquier precio que el Gobierno soviético apareciera inmiscuido en el tráfico de armas»,[10] un tal capitán Oulanski fue encargado de crear en Rusia un sindicato para la compra y exportación de armamento a España, un eufemismo evidente, puesto que en Rusia no podía adquirirse armamento si no era al Gobierno. Oulanski fue a Odessa para supervisar los envíos en unión de tres españoles llegados desde España.

Por otra parte, el Gobierno soviético decidió montar una organización semejante en Europa. Walter Krivitski, jefe del Servicio Secreto soviético en Europa occidental desde 1934, fue encargado de ello. El 21 de septiembre se reunieron en París Krivitski y tres agentes soviéticos (los de Londres, Estocolmo y Suiza) con un alto cargo de la NKVD, «experto en municiones», Zimin, llegado especialmente desde Moscú.

De acuerdo con las instrucciones de Zimin, el primer paso fue la organización de una cadena de entidades comerciales para la importación y exportación de armamento.[11] En sus Memorias, Krivitski señala:

Hubimos de escoger hombres con experiencia en esta clase de trabajo. Y los teníamos. Algunos pertenecían a asociaciones extranjeras y centros de simpatizantes soviéticos... No todos eran comunistas; también había aventureros (cuyo único interés era hacer dinero), simpatizantes y fanáticos.[12]

10. Walter Krivitski, *In Stalin's Secret Service*, Harper & Bros., Nueva York, 1939, p. 103.
11. Krivitski, loc. cit.
12. Ibídem.

Thomas dice que algunos de estos agentes parecían personajes surgidos de las novelas de Phillips Oppenheim: un misterioso griego, el doctor Milanos; otro griego, Fuat Baban, arrestado años después en París por contrabando de drogas; un turco de origen judío, Ventura, perseguido por estafa en Austria, etc.[13]

A finales de septiembre, las entidades comerciales fueron surgiendo en París, Londres, Copenhague, Amsterdam, Zurich, Varsovia, Praga, Bruselas y otras capitales europeas.

> Nosotros suministrábamos el capital, montábamos las oficinas, garantizábamos beneficios... En todas ellas había un agente de la NKVD como socio silencioso: él suministraba el capital y controlaba las transacciones.[14]

El modo de operar de estas compañías era triple. Adquiridas las armas, se fletaba un barco que, con ellas a bordo, navegaba directamente hasta Bilbao, Alicante o Barcelona.[15] Alternativamente, las armas eran desembarcadas en Francia y seguían viaje por tren hasta la frontera de Cerbère. Por fin, el tercer método era la venta de las armas a la Comisión del Gobierno republicano que funcionaba en la Embajada española en París.[16]

13. Thomas, p. 378. En *The International Brigades* (pp. 40 y ss.) se citan algunos datos interesantes que corroboran las opiniones de Thomas, que a su vez ha tomado del libro de Fischer, *Men and Politics:* Fuat Baban era representante en Turquía de la Skoda, de la Schneider y de la Hotchkiss; junto con un griego, Mavrocartado, y un turco de origen judío, Tarik, fundó una compañía para la exportación de armamento a España desde Constantinopla. La compañía compraba armas, generalmente en Checoslovaquia, a través de una Société de Transports, que las enviaba a Hamburgo o a Constantinopla; desde allí eran embarcadas y el buque fletado hacía una escala en un puerto de Francia «para proceder a reparaciones». El material era desembarcado y enviado a España por tren.

14. Krivitski, p. 101.

15. En Londres he recogido una información interesante de fuente absolutamente fidedigna: un comerciante griego, que ya ha fallecido, se hizo millonario en estas operaciones, vendiendo armas al Gobierno republicano y enviándolas en barcos fletados a Bilbao. Cuando el dinero había sido depositado y el barco estaba en alta mar, el comerciante referido informaba a las autoridades nacionales y les vendía a su vez las armas; los nacionales capturaban el barco antes de que éste llegara a puerto.

16. Vid. p. 69. Araquistain fue su presidente hasta el mes de diciembre de

El armamento así adquirido era muchas veces viejo y excesivamente caro, pero poco a poco se fue estableciendo un tráfico continuo y paulatinamente creciente, cuyo destino era el ejército republicano. De este comercio se tienen pocas cifras, pero puede asegurarse que fue voluminoso. El Cuartel General de los nacionales publicó una estimación del material bélico entrado en España por la frontera catalana entre octubre de 1936 y julio de 1938: 198 cañones, 200 tanques, 3 247 ametralladoras, 4 000 camiones, 47 unidades artilleras, 4 565 toneladas de munición y explosivos, 9 579 vehículos de diferentes clases y 14 899 toneladas de gasolina.[17] A esta estimación había que agregar el material llegado directamente a los puertos españoles.

Los envíos desde la Unión Soviética no empezaron, probablemente, hasta mediados de octubre. A partir de entonces y hasta marzo de 1937, salen mensualmente de Odessa entre treinta y cuarenta barcos de tonelaje variable con destino a España. Broué y Témime, siguiendo a Cattell, dicen:

> Los envíos de vestimenta y aprovisionamientos no militares, ya importantes antes de octubre, aumentan con la ampliación de la actividad del «Comité interior de ayuda al pueblo español». La URSS envía camiones y gasolina, lo que no está prohibido por el Acuerdo de No Intervención, pero sobre todo envía armas y aviones. Más del cincuenta por ciento de los aviones utilizados por los republicanos entre agosto de 1936 y abril de 1937 eran de procedencia soviética. Según un documento del Departamento de Estado norteamericano, el 25 de marzo de 1937, de 460 aparatos republicanos, 200 cazas, 150 bombarderos y 70 aviones de reconocimiento son

---

1936, momento en que le sustituyó el socialista Alejandro Otero. Otero parece haber vivido espléndidamente a costa de la compra de armamento. Prieto le destituyó en diciembre de 1937, pero Otero siguió vendiendo armas privadamente hasta abril de 1938, cuando fue nombrado subsecretario del Ministerio de Guerra republicano (Thomas, p. 378, n. 4). El anarquista Peirats, en su libro *La CNT en la revolución española* (Toulouse, 1951-1953), vol. II, p. 147, compara este nombramiento con una hipotética designación de Al Capone para la presidencia del Banco de España (también cit. por Thomas, loc. cit.).

17. *The International Brigades*, p. 33.

rusos... La casi totalidad de los tanques también es de origen ruso...[18]

Aunque es difícil evaluar el volumen de la ayuda soviética directamente llegada desde Rusia, existe un documento bastante revelador enviado por el agregado militar alemán en Ankara, en el que se hace un balance del material transportado por barcos soviéticos a través de los Dardanelos con destino a España. El informe cubre el período que va de octubre de 1936 a marzo de 1938. Durante estos dieciocho meses, 164 barcos (de los que 34 eran rusos y 71 españoles) transportaron: 920 oficiales y soldados, 242 aviones, 730 cañones, 731 tanques, 1 386 camiones, 500 morteros, 100 ametralladoras, 187 tractores, 69 200 toneladas de material de guerra, 29 125 toneladas de municiones, 28 049 toneladas de gasolina, 32 278 toneladas de crudos, 4 650 toneladas de lubricantes, 450 toneladas de ropa y 325 toneladas de medicinas.[19]

El oro español

El 8 de enero de 1939 se celebró en Barcelona una Junta General extraordinaria de accionistas del Banco de España. A esta junta fue presentado un informe sobre la evolución de las principales cuentas del banco entre julio de 1936 y abril de 1938. Entre las partidas del activo figura la siguiente relativa al oro:

		Millones de pesetas
Existencia en 30 de junio de 1936		2 202,30
Existencia en 30 de abril de 1938		
custodiado por el ministerio	1 592,85	
Otro oro en las cajas	13,37	
Total en 30 de abril de 1938	1 606,22	1 606,22
Diferencia		596,08[20]

18. Broué y Témime, p. 341.

19. Publicado por el profesor Watt en la edición de junio de 1960 de la revista *Slavonic and East European Review.* Cit. por Thomas, pp. 800 y ss.

20. Archivo del Banco de España, consultado por mí en su parte no reservada por amabilidad del Servicio de Estudios de la entidad.

Este informe contiene lo que, a primera vista, si es cierto cuanto se dice sobre el destino del oro español, es una partida fraudulenta. En efecto, el apartado «existencia en 30 de abril de 1938 custodiado por el ministerio» corresponde al oro depositado en la Unión Soviética por un monto exacto de 1 592 851 910 pesetas oro, con un peso de algo más de 510 toneladas de oro de aleación; hay serias dudas sobre la existencia de esta cantidad el 30 de abril de 1938: todo parece indicar que se había gastado en su casi totalidad para pagos de armamento, merced a sucesivas órdenes de venta dadas por el ministro de Hacienda de la República, don Juan Negrín (que fue además primer ministro desde el 18 de mayo de 1937 hasta el final de la guerra), a la Unión Soviética.

Comprendidos en la partida «existencia en 30 de junio de 1936» se encontraban 257 millones de pesetas oro que integraban el total del depósito constituido por el Estado español en Mont de Marsan en garantía de una operación concertada con el Banco de Francia en 1931, mediante la que se obtuvo un crédito de seis millones de libras esterlinas. Esta operación fue liquidada en agosto de 1937 con importante beneficio por haberse hecho en francos devaluados, liberando una parte del oro depositado. El sobrante fue reclamado por el Gobierno español al terminar la guerra civil y se entregó al Banco de España reunificado en julio de 1939.

En la *diferencia* de 596,08 millones existente entre las partidas al 30 de junio de 1936 y al 30 de abril de 1938 debe contabilizarse el saldo de la cuenta «Tesoro público por préstamos en oro», que era, en esta última fecha, de 321,44 millones, entregados al Estado para suministrarle oro en virtud de lo convenido por la Ley de 2 de junio de 1936. Este oro fue utilizado en parte por el Banco de España (mediante sucesivas autorizaciones del Ministerio de Hacienda) para su venta a través del de Francia, a efectos de intervención en la regulación de los cambios internacionales. Estas operaciones se hacían por mitades por el Banco de España y por el Tesoro, y la parte de este último se contribuía con cargo a los préstamos otorgados por el banco (es decir, por el «Tesoro público por préstamos en oro»). Por este concepto el Tesoro abonó durante la guerra 100 883 000 pesetas oro y la misma cantidad fue desembolsada por el banco, lo que hace una suma total de 201 766 000 pesetas oro que se invirtieron en tres operaciones: septiembre (25 220 000) y octubre de 1936 (75 666 000) y enero de 1937 (100 880 000). Dentro de la *diferencia* de 596,08 millones deben ser incluidos asimismo los 100 883 000 contribuidos por el Banco de España. Es de suponer que también tenga cabida en ella la remesa hecha por el Gobierno de Madrid al de París, a través del Banco de París y de los Países Bajos, a finales de julio de 1936, para pagar una compra inicial de armamento (vid. supra, p. 64).

El 13 de septiembre de 1936, cuando las tropas nacionales avanzaban con celeridad hacia Madrid, en lo que parecía iban a ser los últimos días republicanos de la capital, el Ministerio de Hacienda de la República promulgó un decreto reservado en cuya exposición de motivos explicaba que

> la anormalidad que en el país ha producido la sublevación militar, aconseja al Gobierno a tomar aquellas medidas precautorias que considere necesarias para mejor salvaguardar las reservas metálicas del Banco de España, base del crédito público...

En el artículo primero se autorizaba al Ministerio de Hacienda a que

> en el momento en que lo considere oportuno ordene el transporte con las mayores garantías, al lugar que estime de más seguridad, de las existencias que en oro, plata y billetes hubiese en aquel momento en el establecimiento central del Banco de España.[21]

Al día siguiente, 14 de septiembre, se reunió en el banco su Consejo General, integrado, en aquel momento, por el gobernador, señor Nicolau d'Olwer, los subgobernadores, señores Carabias y Suárez Figueroa, los consejeros representantes del Estado, señores Viñuales y Rodríguez Mata, y los representantes de los accionistas, señores Álvarez Guerra y Martínez Fresneda. El gobernador explicó a los asistentes el alcance del decreto reservado del día anterior y, sabiendo que se preparaba un envío para una fecha muy próxima, indicó que, aunque le parecía que las cámaras del banco eran de máxima seguridad, no había más remedio que seguir las instrucciones que dictara el Gobierno. Los subgobernadores y los representantes del Estado, naturalmente, aceptaron la idea. Por el contrario, los consejeros representantes

---

21. Citado y fotocopiado en *Celebridades, Colección Popular de Biografías*, «Dr. Juan Negrín», por J. Álvarez Sierra y J. Gutiérrez Ravé. El original del decreto estaba entre los documentos cedidos por el señor Negrín al Estado español.

de los accionistas se opusieron a la medida absolutamente y presentaron la dimisión.[22]

Desde el principio, las autoridades nacionales se opusieron públicamente a cualquier traslado del oro fuera de las cámaras del banco en Madrid. El 24 de agosto de 1936 se habían reunido los consejeros del Banco de España que se encontraban en zona nacional para anunciar que consideraban ilegal cualquier salida del oro de territorio nacional y que, en caso de que así sucediera, el Gobierno de Burgos se reservaba el derecho de ejercitar las acciones a que hubiere lugar.[23]

El 18 de diciembre de 1938, el Gobierno de Burgos autorizó una Junta General extraordinaria de accionistas del banco, que se celebró en Santander. Entre otros varios acuerdos para la gestión de recuperación de fondos en oro depositados por la República en el extranjero, figura uno en el que se manifiesta que es ilegal proceder a la exportación de las reservas de oro sin que ésta fuera precedida de una ley votada al efecto.[24]

El día 15 de septiembre de 1936 las reservas (un total de 510 079 529,3 gramos de oro de aleación, en los que se incluye una pequeña parte de oro fino) empezaron a ser enviadas a Cartagena, en donde fueron siendo depositadas en el polvorín del Algameca perteneciente a la base naval. El transporte se hizo por ferrocarril.[25]

El 15 de octubre, el primer ministro Largo Caballero escribió

---

22. Acta de la sesión del Consejo General del Banco de España, 14 de septiembre de 1936. Archivo del Banco de España.

23. Cit. en José Luis Herrero, «El "oro de Moscú", ¿nuestro o de ellos?», *Actualidad Económica*, 24 de enero de 1970.

24. Este punto no era correcto, puesto que según la Ley de Ordenación Bancaria era suficiente un decreto. Se acordó la reclamación del oro de Mont de Marsan, que fue parcialmente atendida, como se ha visto en el texto, después de la guerra, en la parte no reintegrada a la República; también se acordaron varias reclamaciones contra otros bancos franceses por los depósitos de valores y oro provenientes de las sucursales del Banco en San Sebastián, Bilbao, Santander y Gijón, y contra bancos holandeses, americanos y británicos por el mismo motivo. Estas reclamaciones fueron atendidas terminada la guerra.

25. Marcelino Pascua, «Oro Español en Moscú», en *Cuadernos para el Diálogo*, junio-julio de 1970, Madrid. El señor Pascua era a la sazón embajador de la República en Moscú; a partir de agosto de 1938 fue nombrado en la misma capacidad en París.

una carta al embajador soviético en Madrid, Rosenberg, proponién-
dole la constitución en Rusia de un depósito de oro de un peso
aproximado de quinientas toneladas. Aunque esto es difícil de asegurar en principio, es lógico pensar que esta idea fue sugerida por
Orlov a Negrín y que, naturalmente, la carta de Largo Caballero fue
contestada positivamente. Dos días después, el 17, el primer ministro
volvió a escribir a Rosenberg, esta vez en tono mucho más directo:

> ... pensamos efectuar —con cargo a la cuenta de oro que su Go-
> bierno ha consentido en admitir en depósito— *algunos pagos* de
> órdenes de compra en el extranjero y... transferencias en divisas.[26]

No parece que hubiera en ese momento ni después disposición
reglamentaria que autorizara al primer ministro o al ministro de
Hacienda a disponer del oro depositado en Moscú.

La decisión final de enviar el oro a Rusia fue tomada por unanimidad en un Consejo de Ministros celebrado en Madrid el 23 de
octubre, a propuesta del entonces titular de la Cartera de Hacienda, doctor Negrín, que sugirió que, para evitar que el oro cayera en
manos nacionales, lo que habría implicado la derrota de la República, debía ser depositado en un país amigo. Largo Caballero recuerda en sus Memorias que se discutió acerca del país adonde era
más conveniente mandar el oro, lo que, cuando menos, resulta significativo si se recuerda que una semana antes ya había acordado
enviarlo a Rusia. Francia y Gran Bretaña fueron descartadas por temor a que, siendo miembros patrocinadores de la no intervención, tomaran la decisión de congelar el depósito, no permitiendo
su uso a la República, tan necesitada de armas. Por el contexto de
las Memorias,[27] parece claro que todos los ministros estaban ente-
rados de que el oro iba a ser utilizado en compra de armamento;
pero ello resulta difícilmente creíble: Prieto niega vehementemente haber sabido nada de la proyectada utilización del oro y lo
mismo asegura Zugazagoitia. Parece más verosímil que lo que se
discutiera fuera la posibilidad de que el oro cayera en manos na-

---

26. Ambas cartas se citan en Pascua, loc. cit. El subrayado es mío.
27. F. Largo Caballero, *Mis recuerdos: Cartas a un amigo*, México, 1954, pp.
203-204.

cionales, lo que parecía más probable en un país occidental que en la Unión Soviética. México también fue descartado (aunque algunas cajas de oro fueron enviadas a este país, constituyendo posteriormente el célebre tesoro del yate *Vita*) en razón a la distancia que había de cruzarse por mar y al hecho de que el paso previo era el estrecho de Gibraltar, dominado por la Armada nacional.[28]

> No había otro lugar que Rusia. Y a Rusia se entregó. Me consta que llegó íntegro y sin dificultad. Nos pareció algo milagroso que pasara el Mediterráneo, el estrecho de Sicilia, el Bósforo y llegara a Odessa en el mar Negro y a Moscú sin novedad.[29]

Thomas cita las declaraciones de Orlov al Subcomité del Senado de los Estados Unidos para la Seguridad Interna en 1957, reproducidas en libro del propio Orlov, *The Secret History of Stalin's Crimes*. El 20 de octubre de 1936, el delegado de la NKVD recibió un telegrama cuyo texto, según él, decía:

> De acuerdo con el embajador Rosenberg, tome las medidas necesarias con el jefe del Gobierno español... para el envío de las reservas de oro de España a la Unión Soviética... Esta operación debe ser llevaba a cabo en el mayor secreto. Si los españoles le piden un recibo del cargamento, rehúse darlo. Repito, niéguese a firmar nada y diga que... el recibo será firmado en Moscú.[30]

Iniciativa bastante prudente puesto que no existía garantía alguna de que el oro consiguiera atravesar el Mediterráneo sin incidentes.

Las cajas conteniendo el oro fueron embarcadas en Cartagena a bordo de cuatro buques soviéticos el 25 de octubre de 1936, zarpando esa misma noche. A bordo de cada uno de los barcos iba un custodio español.[31] El embarque se hizo en presencia del

---

28. Pascua, loc. cit.
29. Largo Caballero, loc. cit.
30. Thomas, op. cit., p. 395, n. 3.
31. Pascua, loc. cit. Los cuatro buques y el número de cajas que fueron embarcadas en cada uno de ellos fueron: *Jruso* (2 020 cajas), *Neva* (2 696), *Kim* (2 100) y *Volgores* (983).

ministro sin cartera don José Giral, el primer vicepresidente de las Cortes, señor Fernández Clérigo, y de un presidente de Sala del Tribunal Supremo, señor Granados.[32]

El viaje se hizo sin escolta y, entre los días 6 y 9 de noviembre, todo el cargamento, que había llegado a Odessa el día 2, fue trasladado a Moscú. En la capital soviética fueron firmados unos recibos provisionales el mismo día 9. Luego, hecho un minucioso recuento, el 5 de febrero de 1937 se firmó la nota final de recepción del oro español. Según esta nota, el «depósito español» comprendía 7 800 cajas (conteniendo piezas de oro acuñado, lingotes y trozos) con un peso total de 510 079 529,3 gramos de oro de aleación.[33] El acta final fue firmada por el embajador español en Moscú, don Marcelino Pascua, por el comisario del Pueblo

32. La presencia de estas tres personalidades es citada como prueba de que se mantuvo constantemente al tanto de cuanto iba sucediendo a los tres poderes del Estado. El propio Granados lo declara así en un artículo publicado en el diario *Novedades* de México el 25 de noviembre de 1967, bajo el título de «España y Rusia» (cit. Pascua, loc. cit.).

33. La descripción completa del tesoro es como sigue:

Pesetas españolas	313 265 255	
Francos franceses	294 299 270	
Dólares americanos	136 285 348	
Marcos alemanes	401 090	
Libras esterlinas	10 274 580,10	
Francos belgas	4 300 000	
Liras italianas	3 600 020	
Escudos portugueses	19 998	
Piezas portuguesas antiguas	318 003,30	
Rublos rusos	75 000	
Francos austríacos	799 990	
Pesos mexicanos	105 705	
Pesos argentinos	4 155	
Pesos chilenos	100	
Florines holandeses	10	
Francos suizos	300 000	
Lingotes (oro puro)		792 332 g
Oro		13 g
TOTALES EN GRAMOS	509 287 184,3	792,345

Total: 510 079 529,3 gramos. (Fuente: Archivo del Banco de España.)

para Hacienda de la Unión Soviética, G. F. Grinko, y por el comisario adjunto para Asuntos Exteriores, N. M. Krestinski.[34] Como queda dicho, el valor de este depósito era de 1 592 851 910 pesetas oro a la paridad establecida en 1868 de 0,290032 gramos de oro fino por peseta (unos 500 millones de dólares 1934).

El oro había sido enviado tras acuerdo formal con el departamento de metales preciosos del Comisariado del Pueblo para las Finanzas (*Gokhran*):

> No quedaba otra alternativa que la de usar el único banco estatal —el de la Rusia soviética— que estaba dispuesto a dar todas las facilidades y garantías, cuando fuera necesario, para servir de intermediario para la conservación del oro y divisas... Una vez aceptado el principio para el uso del Gosbank (*sic*), el primer ministro Largo Caballero negoció con el Gobierno ruso, el cual, a su vez, tenía que autorizar la actuación del banco. El acuerdo entre los dos Gobiernos lo firmaron Largo Caballero y el señor Rosengolz, comisario de Finanzas del Gobierno soviético... (*sic*).
>
> La operación para transferir parte del oro al Gosbank, *así como para pagar los costos de la guerra*, fue hecha estrictamente de acuerdo con la Ley de Ordenación Bancaria...[35]

34. Cit. Pascua, loc. cit. Se hicieron y firmaron seis copias del documento, tres en francés y tres en ruso, de las cuales dos fueron entregadas al representante español. Pascua, siguiendo órdenes de Largo Caballero, conservó la copia en ruso y entregó la francesa a Negrín.

El recibo y prácticamente toda la documentación relativa al envío del oro e, hipotéticamente, a las órdenes posteriores de venta, quedaron en poder de Negrín. A su muerte en 1956, Negrín ordenó a sus hijos hicieran entrega de ellos al Gobierno español. La entrega fue hecha mediante acta notarial ante el cónsul adjunto de España en París, Enrique Pérez Hernández, el 18 de diciembre de 1956. En cuanto tuvo la documentación en su poder, el Gobierno español empezó a hacer gestiones para la recuperación del oro. Moscú contestó secamente con una nota en *Pravda* el día 5 de abril de 1957, en la que se aseguraba que el Gobierno español no sólo había gastado la totalidad de la reserva depositada en la URSS, sino que además debía aún a este Gobierno la suma de 50 millones de dólares.

35. Álvarez del Vayo, *The Last Optimist*, Nueva York, 1950, pp. 283-285. El subrayado es mío.

Negrín insistió en que se informara al presidente de la República. Azaña, al parecer, se mostró encantado y exclamó: «Han quitado ustedes un gran peso de mi corazón.»[36]

¿Qué sucedió realmente con el oro español? Las hipótesis son dos: 1. Se constituyó una cuenta de almacén que fue utilizada por la República española para la compra de armas, lo que sería verosímil si se consideran las enormes sumas gastadas por el Gobierno de Madrid durante la guerra, siempre y cuando se piense que la ayuda prestada por la URSS y el Komintern no fue desinteresada. 2. El oro fue constituido en depósito para proteger la reserva española y nunca fue gastado por el Gobierno republicano; como consecuencia de ello, la Unión Soviética se cobró a posteriori la ayuda prestada a la República cuando ésta perdió la guerra y quedó impecune.

En favor de la primera posibilidad abogan muchos de los documentos hoy disponibles tal y como han sido publicados por la prensa española. Los documentos sugerirían que se abrió un depósito regular o cuenta de almacén en la Unión Soviética, por el que el depositario cobraba un interés (según una nota del Ministerio de Hacienda de la URSS, 14 500 dólares al mes —al parecer, entre noviembre de 1936 y enero de 1938, se abonaron por este concepto 203 000 dólares).[37] El depósito y los recibos confirman este detalle, que se ajusta además al decreto reservado de Hacienda de 13 de septiembre de 1936. Sin embargo, según parece y como es regular en una cuenta de almacén, el depositante podía dar órdenes al depositario o almacenista para que remitiese la mercadería a quien designare. En este caso, tras una orden del Gobierno republicano español, el *Gokhran* hacía refinar el oro y lo remitía al Banco Central de la URSS, que acreditaba su contravalor en una cuenta corriente abierta a nombre de la República, obedeciendo luego órdenes de ésta para hacer remesas en divisas a los agentes o proveedores oportunamente designados. Al parecer y aunque no hay, por supuesto, confirmación de ello, hubo, entre el 16 de febrero de 1937 y el 27 de

36. Ibídem.
37. Vid. fotocopia de esta nota en Herrero, artículos citados, II, 31 de enero de 1970.

julio de 1938, veintiuna órdenes de remisión de oro fino, firmadas, las cinco primeras, por Largo Caballero y Negrín, y las dieciséis restantes sólo por Negrín, que era ya a partir de mayo de 1937 primer ministro. No parece haber decreto, orden ministerial, convenio o acuerdo del Consejo de Ministros autorizando la venta del oro.

Las monedas del tesoro español habrían sido fundidas y convertidas en dólares al cambio del día en el mercado de Londres y su importe abonado a la Banque Commerciale pour l'Europe du Nord en París, institución propiedad de la URSS, o al Ministerio del Comercio Exterior soviético, para pagos de compras de armamentos y víveres. Las 510 toneladas de oro de aleación habrían producido unas 424 de oro fino, aunque, según aseguran fuentes soviéticas, la cantidad de oro fino entregado en nombre del Estado español al Banco Central ruso fue de 441 toneladas, lo que arrojaría un saldo a favor de la URSS de 17 toneladas de oro fino, sin contar los intereses devengados por el depósito y los cargos de la refinería. Sin embargo, y en relación con el depósito del oro, se firmó en marzo de 1938 un convenio de crédito por el que el Gobierno soviético concedió una serie de créditos irrevocables a favor de organizaciones comerciales rusas o de Campsa-Gentibus con cargo al depósito, siendo de suponer que, al no ser abonada la garantía por el Gobierno republicano español, el Banco de la URSS vendiera el oro afectado a los créditos, con lo que se debieron compensar los saldos favorables a Moscú. Se desconoce, claro está, la evolución de las cuentas y cuanto antecede tiene forzosamente que ser especulación.

¿Debe darse crédito a la teoría que sugiere que el oro fue gastado íntegramente? Las órdenes firmadas por Largo y Negrín parecen haber sido parte de los documentos legados por el segundo al Estado español, al fallecer el ex primer ministro en París en 1956. La documentación es reservada y transcurrirá mucho tiempo antes de que el Gobierno español permita su examen. Algunos de los protagonistas, como Marcelino Pascua y el propio Largo Caballero, opinan que el oro fue gastado íntegramente. Otros lo ignoran o piensan que el depósito fue solamente constituido como salvaguarda de las reservas amenazadas por los nacionales;

Azaña, Prieto y Zugazagoitia entre ellos.[38] La exclamación del presidente, tal y como aparece reseñada más arriba, parece confirmarlo. Por otro lado, ¿por qué no entregó Negrín los documentos del oro al «Gobierno español en el exilio» una vez que dejó de ser primer ministro? ¿Cuál sería el objeto de la entrega de los documentos al Estado español, si no quedaba oro que reclamar? Naturalmente, es posible que el ex ministro quisiera dejar constancia exacta de lo que sucedió. Por otra parte, si en enero de 1938 el Gobierno republicano había gastado casi todo su depósito, ¿por qué fue presentado a la Junta General extraordinaria de accionistas del Banco de España el 8 de enero de 1939 un informe sobre las principales cuentas del banco hasta abril de 1938, en el que figuraba como «custodiado por el ministerio» el total del depósito por valor de 1 592 millones de pesetas? Además, si la República pagó por el material de guerra que le llegó en parte desde Rusia, ¿adónde fue a parar la ayuda de un fondo de mil millones de francos franceses decidida por el Komintern y cuyas nueve décimas partes, como se analiza en el capítulo V de este libro, iban a ser financiadas por la URSS?

Altos mandos soviéticos en España

Tras la llegada del embajador Rosenberg a Madrid, el 29 de agosto, empezaron a ser enviados a España agentes y dirigentes soviéticos. Estos hombres adquirieron pronto una gran influencia en territorio republicano y es curioso notar cómo aquélla corre pareja con el crecimiento del poderío del partido comunista español. Hasta se dice que Stalin fue capaz de determinar exactamente la caída de Largo Caballero y de Prieto.

38.   Prieto asegura que no estuvo al tanto de la operación del embarque del oro hasta que por pura casualidad comprobó que se estaba llevando a cabo en Cartagena, localidad a la que había acudido por otras razones conectadas con su ministerio (el de Marina, en aquel momento). Zugazagoitia afirma que el Gobierno nunca supo de las operaciones de venta y que Negrín en ningún momento les indicó el modo que utilizaba para financiar la guerra; lo único que les constaba era que había grandes dificultades para obtener dinero con que pagar los pertrechos militares.

Esto fue posible gracias a hombres como Orlov, Ovseenko (nominalmente cónsul general en Barcelona, viejo revolucionario, que adquirió pronto gran influencia en la Generalidad), el general Berzim (uno de los principales asesores militares de la República), Stashevski (llamado por Krivitski «el principal enviado político de Stalin», y que se ocupó de las finanzas de la ayuda soviética, estando probablemente involucrado en la cuestión del oro español). Junto a ellos, otros agentes menores ocuparon cargos claves en la administración y en las comunicaciones; en la policía, en la censura y en la propaganda. Por ejemplo, los servicios radiofónicos de Barcelona fueron dirigidos durante un tiempo por el periodista Koltsov; Wronski fue jefe de los Servicios de Investigación; Birchitzki, del de los armamentos; Tupoliev de los servicios de radio. El propio Rosenberg estuvo presente en varios Consejos de Ministros, sin que los miembros del Gobierno hicieran nada por disimular el hecho: Zugazagoitia, ministro de Gobernación con Largo Caballero, exclamó ante unos parlamentarios laboristas británicos: «¡Qué otra cosa podemos hacer! Hemos recibido ayuda de Rusia y a cambio tenemos que permitir que haga cosas que no nos gustan.»[39]

Una correspondencia interesante

El 21 de diciembre de 1936, Stalin, Molotov y Vorochilov dirigieron a Largo Caballero una carta, respuesta evidente a una solicitud de ayuda que parece bastante anterior en el tiempo. La carta, así como la contestación del jefe del Gobierno republicano aparecen en el libro *Guerra y Revolución en España*, publicado en Moscú en 1966 por un grupo de comunistas españoles bajo la dirección de Dolores Ibárruri.[40] Es sorprendente que no se publique la petición inicial de Largo Caballero. En su carta, Stalin, tras congratularse del espíritu de victoria que anima al Gobierno español y agradecer los sentimientos fraternales de los camaradas españoles, dice:

39. *The International Brigades,* p. 49.
40. *Guerra y revolución en España, 1936-1939,* vol. II.

Hemos juzgado y seguimos juzgando que es nuestro deber, en los límites de nuestras posibilidades, acudir en ayuda del Gobierno español, que encabeza la lucha de todos los trabajadores, de toda la democracia española, contra la camarilla militar-fascista, subsidiaria de las fuerzas fascistas internacionales.

Siguen unas frases enormemente significativas:

La revolución española se abre caminos que, en muchos aspectos, difieren del camino recorrido por Rusia. Lo determinan así la diferencia de premisas de orden social, histórico y geográfico, las exigencias de la situación internacional, distintas de las que tuvo ante sí la revolución rusa. *Es muy posible que la vía parlamentaria resulte un procedimiento de desarrollo revolucionario más eficaz en España de lo que fue en Rusia.*

Con todo, creemos que nuestra experiencia... debidamente aplicada a las condiciones particulares de la lucha revolucionaria española, puede tener determinado valor para España. Partiendo de ello y en vista de sus insistentes ruegos, que a su debido tiempo nos ha transmitido el camarada Rosenberg, accedimos a poner a su disposición una serie de especialistas militares...[41]

Finalmente, Stalin da cuatro «consejos amistosos» a Largo Caballero:

1) Convendría dedicar atención a los campesinos, que tienen gran peso en un país agrario como es España. Sería de desear la promulgación de decretos de carácter agrario y fiscal que satisficieran los intereses de los campesinos. También convendría atraer a éstos al ejército y formar en la retaguardia de los ejércitos fascistas grupos de guerrilleros integrados por campesinos...[42]

2) Convendría atraer al lado del Gobierno a la burguesía

41. Ibídem. El subrayado es mío.
42. Este consejo parecería, en principio, dirigido a atraer una masa de campesinos grandemente politizada y de adhesión fundamentalmente anarquista.

urbana pequeña y media o, en todo caso, darle la posibilidad de que adopte una actitud de neutralidad favorable al Gobierno...

3) No hay que rechazar a los dirigentes de los partidos republicanos, sino, contrariamente, hay que atraerlos, aproximarlos y asociarlos al esfuerzo común del Gobierno... Esto también es necesario para impedir que los enemigos de España vean en ella una República comunista y prevenir así su intervención declarada, que constituye el peligro más grave para la España republicana.

4) Se podría encontrar la ocasión para declarar en la prensa que el Gobierno de Madrid no tolerará que nadie atente contra la propiedad y los legítimos intereses de los extranjeros en España...

La respuesta de Largo Caballero, fechada en Valencia el 12 de enero de 1937, acepta todos los consejos y contesta afirmativamente punto por punto a todas las aseveraciones de Stalin. No existe más que un extremo interesante:

Pero, contestando a su alusión, conviene señalar que, cualquiera que sea la suerte que el porvenir reserva a la institución parlamentaria, ésta no goza entre nosotros, ni aun entre los republicanos, de defensores entusiastas...[43]

II. La intervención alemana

Una total dependencia ideológica y política de los nacionales respecto del nazismo ha sido alegada con frecuencia como causa y efecto de la intervención alemana en España durante la guerra civil. Esto está muy lejos de ser cierto. Si efectivamente se produce un cierto mimetismo ideológico, éste no es más que natural en quienes dependen forzosamente de unos aliados. Y aun así, la simpatía pro alemana es siempre más aparente que real y, desde luego, más característica del pueblo que de los jefes: los combatientes de trinchera, los soldados, los oficiales, los civiles de reta-

43. Ibídem.

guardia se sintieron más ligados por lazos de admiración y amistad (que alentaron por lo menos durante toda la segunda guerra mundial) hacia Alemania, que la jerarquía nacional (lo mismo podría predicarse, claro está, del Gobierno de Madrid respecto de los comunistas); ésta, a lo largo de la guerra comprendió lo incómodo que es tener de parte propia a un aliado demasiado exigente. Alemania no sólo intervino militar y económicamente en la España nacional, sino que también intentó desempeñar un papel importante desde el punto de vista político.[44] Sin embargo, tanto en este aspecto, como en todos los demás de sus relaciones con los aliados extranjeros, Franco dio pruebas de habilidad política y no puede evitarse pensar que, permitiendo intrigas y contraintrigas, dejó que las situaciones jugaran a su favor interna e internacionalmente. Como subraya Harper,

> La responsabilidad del nuevo Caudillo era no sólo dirigir a España en su «lucha por la defensa de la civilización mundial», sino también en librarla de las ávidas manos de su aliado alemán. Al tomar sobre sí esta última tarea, Franco se encontró en una posición delicada, al verse en la obligación de conseguir toda la ayuda posible del Reich al tiempo que conservaba su propia libertad de acción, defendiendo los recursos naturales de España frente a un aliado que había de abandonar muy pronto toda pretensión de intervención desinteresada...[45]

44. Como ya ha sido puesto de relieve, el Gobierno nacional careció de ideología política durante muchos meses. Las imperiosas necesidades de la guerra y la preparación, aunque fuera remota, de la paz, determinaron la urgente necesidad de articular, incluso en la fachada, una estructura política en la forma de un partido único y vigoroso, al estilo fascista. Nada pudieron contra ellas los patéticos esfuerzos de los falangistas por conservar un partido independiente en Salamanca (vid..Payne, op. cit., cap. 13, pp. 123 a 141). Faupel, embajador alemán en la zona nacional, y el cuñado de Franco, Serrano Suñer, hombre grandemente influido por el nazismo, fueron dos instrumentos importantes en un juego que culminó en el Decreto de Unificación en abril de 1937. Pero en realidad no fueron más que instrumentos del Caudillo en la formalización de la estructura política de los nacionales, que coincide de hecho con la muerte de la Falange joseantoniana.

45. Harper, op. cit., pp. 23-24.

El 7 de octubre de 1936, Du Moulin-Eckart, consejero de la embajada alemana en Lisboa, se desplazó a Salamanca para llevar a Franco la felicitación personal de Hitler por la elevación del general español a la Jefatura del Estado. En la comida que se celebró aquella misma noche, Franco agradeció al Führer su «valiosa ayuda material y moral»[46] y parece que sugirió que estaba dispuesto a iniciar «fructíferas relaciones financieras y comerciales con naciones amigas».[47] Uno de los primeros actos de Franco al ser nombrado Jefe del Estado, fue enviar a Hitler un telegrama comunicándole la noticia y deseándole al Führer y a Alemania, «con la que estamos unidos por tantos lazos de sincera amistad y profunda gratitud», toda clase de prosperidades.[48] Du Moulin-Eckart fue enviado a Salamanca con la misión de felicitar «muy sinceramente» a Franco, al mismo tiempo que para explicarle que «el Führer se abstenía de contestar telegráficamente o por escrito a su telegrama porque el mundo podría haber considerado esto como un reconocimiento del Gobierno nacionalista» y el «reconocimiento, en el momento presente, comprometería nuestra labor en España y, en consecuencia, no sería útil a Franco o al interés de Alemania».[49] Las relaciones entre ambos países no podían haberse planteado en mejores términos y, aunque la Legión Cóndor no surgió formalmente hasta principios de noviembre, la asistencia material alemana era ya de un volumen considerable antes de este momento.

El 21 de octubre, se reunieron en Berlín Von Neurath y Ciano. El ministro italiano dijo a su colega alemán que su país pensaba «realizar un esfuerzo militar decisivo para provocar el colapso del Gobierno de Madrid».[50] Ciano quería saber si Alemania se uniría a esta acción. Von Neurath le contestó que Hitler aceptaría seguramente el plan, pero que eso debía decidirlo él; sin embargo, de la entrevista salió un acuerdo diplomático general que preveía la acción militar conjunta de Italia y Alemania en Es-

---

46. *Documents on German Foreign Policy*, serie D, vol. III, p. 104.
47. Ibídem, p. 77.
48. Ibídem, p. 78.
49. Ibídem, p. 78.
50. Ciano, *Diplomatic Papers*, pp. 53-54.

paña, el reconocimiento del Gobierno de Franco una vez que hubiera caído Madrid y una acción, asimismo conjunta, para impedir el surgimiento del Estado catalán.[51]

El 24, Ciano visitó a Hitler en Berchtesgaden y el dictador alemán le confirmó el acuerdo. Ambos negaron tener aspiraciones territoriales algunas en España.

Mussolini estaba impaciente. A finales de octubre propuso a Hitler el envío de delegaciones oficiales a Burgos, pero el día 30 Neurath contestó que el reconocimiento del Gobierno nacional no debía producirse hasta que Madrid hubiera caído.[52] Este hecho parecía inminente y la Wilhelmstrasse ya había preparado un borrador de nota para el encargado de Negocios republicano español en Berlín, haciéndole saber que la conquista de Madrid por las fuerzas nacionales obligaba al Reich a retirar a sus representantes diplomáticos del territorio republicano.[53]

Inesperadamente, sin embargo, la resistencia de la capital española fue mucho más fuerte de lo que los nacionales esperaban y la conquista empezó a retrasarse, sin que se viera claramente el final de la aventura. Hitler cambió de opinión: el 16 de noviembre comunicó al embajador italiano en Berlín que el Reich procedería a reconocer a Franco inmediatamente, enviando un encargado de Negocios a Salamanca y retirando a sus representantes diplomáticos en Madrid y Barcelona. Mussolini aceptó la idea y aseguró que reconocería a los nacionales al mismo tiempo. Esta maniobra diplomática conjunta es de trascendental importancia porque por primera vez en la historia de lo que iban a ser unas relaciones estrechas e íntimas, Hitler y Mussolini presentaban un frente oficial común; menos de una semana más tarde, el Duce hablaba por primera vez del *Eje Berlín-Roma*.

El 18 de noviembre, a las seis de la tarde, Alemania anunció que reconocía oficialmente a la España nacional. Ese mismo día, Hitler había recibido al teniente general Wilhelm Faupel, hasta

51. Ibídem, pp. 42-43.

52. *Documents on German Foreign Policy*, p. 124. Harper describe todo este período en detalle (op. cit., pp. 26 y ss.).

53. Ibídem, pp. 96-97, cit. Harper, p. 26.

entonces director en Berlín del Instituto Ibero-Americano, para decirle que le enviaba a Burgos en calidad de encargado de Negocios. Su tarea: aconsejar a Franco y representar los intereses alemanes en España, «particularmente en lo concerniente a la extensión de las relaciones comerciales entre Alemania y España», evitando que Gran Bretaña «pudiera posteriormente llevarse ese mercado».[54]

Tres hechos enturbiaron la llegada de Faupel a Salamanca el 29 de noviembre, pese a que su conversación con Franco al día siguiente de su llegada fuera «larga y afectuosa»:[55]

1.º La situación militar y económica de la España nacional dejaba mucho que desear: el ejército republicano resultaba ser de repente mucho más poderoso de lo que había parecido a sus contrarios; esto implicaba que la guerra se alargaría y los nacionales no tenían medios de mantener solos el esfuerzo bélico. Alemania e Italia aparecían como únicos proveedores y, mientras HISMA y ROWAK (ayudados por los considerables fondos invertidos por el partido nazi) mantenían un aprovisionamiento regular, nadie sabía a ciencia cierta cómo y cuándo España iba a pagar las cuantiosas deudas en que estaba incurriendo.

2.º Se hablaba insistentemente de que financieros británicos negociaban en San Sebastián acuerdos secretos con Franco para recuperar su influencia económica en España y no perder las importantes inversiones ya existentes.[56] Esto estorbaba los planes de hegemonía alemanes.

3.º Finalmente, el 1 de diciembre se supo en Berlín que Italia había firmado tres días antes un acuerdo exclusivo con Franco. Hitler estaba furioso y Neurath declaró que Alemania consideraba

---

54. Ibídem, p. 109, cit. Harper, p. 27.
55. Harper, p. 29.
56. Gran Bretaña tenía vastos intereses financieros en España, muchos de ellos ya en territorio nacional. En ferrocarriles (por ejemplo, el Ferrocarril de Zafra a Huelva, The Great Southern of Spain Railway, The Alcoy and Gandía Railway and Harbour Co. Ltd.), en minería (por ejemplo, Tharsis Sulphur and Copper Co. Ltd., Río Tinto, Orconera Iron Ore), en banca y seguros y en servicios públicos. (Datos tomados de Virgilio Sevillano Carvajal, *La España... ¿de quién?*, Madrid, 1936, y de Manuel Campillo, *Las inversiones extranjeras en España, 1850-1950*, Madrid, 1963.)

desleal por parte de Italia la firma de tal acuerdo sin haberlo consultado previamente como hubiera requerido el espíritu de las conversaciones de Ciano en Berlín y en Berchtesgaden.[57]

Desde marzo de 1936 existía un Acuerdo comercial entre España y Alemania. El tratado expiraba a finales de diciembre. Faupel necesitaba tiempo para preparar uno nuevo y las discusiones prometían ser arduas. El único camino era la renovación del existente hasta que pudieran iniciarse las conversaciones. El protocolo de renovación por tres meses fue firmado el 31 de diciembre; no había sido difícil conseguirlo. Como dice Harper,

> el régimen nacional se daba perfecta cuenta de que la victoria militar definitiva dependía en gran medida del apoyo alemán, especialmente a la vista de la ayuda creciente que recibía la República. Mussolini había sido generoso con sus *camisas negras*, pero éstos no se habían distinguido ni se habrían de distinguir por sus arrestos y pericia combativa. Sin duda alguna, como escribió el embajador americano ante la República, el material bélico y los expertos alemanes para hacerlo funcionar... le eran mucho más valiosos a Franco.[58]

El nuevo año trajo aires de paz a la alterada Europa. Parecía que la guerra española estaba a punto de terminar con la victoria de los nacionales. En Alemania, cuya finalidad era «fundamentalmente negativa (no queremos una España comunista)»,[59] la Wilhelmstrasse seguía presionando para que los líderes nazis se decidieran a abandonar la aventura española. Weizsacker traducía los sentimientos de temor a las posibles repercusiones de una alianza entre Gran Bretaña, Francia y la Unión Soviética que flotaban en el Ministerio de Asuntos Exteriores berlinés, diciendo que «de lo que se trata es de sacar a Alemania lo más airosamente posible del asunto».[60] Por un momento, pareció que Hitler le iba a hacer caso. Esto sucedió, durante la guerra civil,

---

57. *Documents on German Foreign Policy,* loc. cit., pp. 152-153. Cit. por Harper, p. 29.
58. Harper, p. 31.
59. Thomas, p. 342.
60. *Documents on German Foreign Policy,* loc. cit., p. 225.

siempre que el triunfo nacional estuvo a punto de ocurrir y, cada vez, se producía una nueva escalada rusa, alemana o italiana. El 20 de enero se reunieron en Roma Mussolini, Goering y Ciano para decidir en principio la cesación de la ayuda a Franco si el plan de control londinense se ponía en práctica; pronto se vería que estos planes no eran viables. Los nacionales estaban demasiado ligados a Alemania y a Italia, y como diría Ciano, «Alemania piensa llegar hasta los límites de lo posible y no pasará de ahí, para evitar que las complicaciones españolas se conviertan en una guerra general».[61]

Mussolini hasta llegó a comunicar a Franco que no podría enviarle más ayuda una vez que se hubiera adoptado el plan de control y la prohibición de entrada de voluntarios en España. Franco contestó el 25 de enero solicitando de Italia que torpedeara el plan de Londres, ya que si éste no incluía a naciones de fuera del Acuerdo de No Intervención, México seguiría proveyendo a la República del material y de los voluntarios que ésta necesitaba.[62]

La nueva actitud llevó además al Duce a firmar un *gentlemens' agreement* con Eden el día 2 de enero. En el acuerdo se establecía el mantenimiento del statu quo en el Mediterráneo[63] y se garantizaba la independencia e integridad de España. Casi inmediatamente, sin embargo, Mussolini envió «camisas negras» a España. Un año más tarde, Eden había de lamentarse de este fracaso diciendo que podía sostenerse «que esto no constituyó una violación de la letra de nuestro acuerdo, pero no creo que nadie niegue que fue contrario a su espíritu».[64]

El Protocolo de marzo de 1937

Durante todo el mes de enero, Faupel insistió en que debían iniciarse las conversaciones lo más pronto posible para concluir un

---

61. Ciano, p. 85.
62. Thomas, p. 371.
63. Vid., pp. 150-151, supra.
64. Discurso pronunciado al dimitir el 21 de febrero de 1938.

acuerdo comercial entre España y Alemania. Podía aprovecharse la favorable disposición de Franco a quien acababa de ser ofrecido más material el 6 de enero. La rapidez con que se llegara a la firma permitiría contrabalancear la creciente influencia italiana.[65]

Desde el 22 de enero, las exportaciones de minerales españoles de la zona nacional habían quedado sometidas al control directo del Comité Ejecutivo del Comercio Exterior, dependiente de la Comisión de Industria y de la de Comercio y Abastos. Con esto Franco había reforzado su posición negociadora y en adelante se mostraría «generoso sólo cuando lo impongan las necesidades militares».[66]

El 25 de enero llegó a Salamanca la comisión negociadora alemana. Estaba compuesta por Wucher, del Ministerio de Finanzas, como presidente, por representantes de los varios ministerios interesados y por Von Jagwitz, como delegado de ROWAK. Bernhardt, en su calidad de consejero delegado de HISMA, también asistiría a las reuniones.

Hasta aquel momento, el control de todas las transacciones comerciales y militares hispano-alemanas estaba en manos de HISMA-ROWAK, con la mínima apoyatura legal del tratado comercial de marzo de 1936. Ahora bien, el acuerdo expiraba en marzo de 1937 y ello causaba preocupación en Berlín puesto que, a partir de esa fecha, Franco podía firmar cualquier otro tratado preferencial con otros países (como parecía posible en aquel momento respecto de Gran Bretaña), o podía, terminada la guerra (lo que parecía inmediato), liquidar el comercio con Alemania e interrumpir el flujo de materias primas españolas hacia aquel país. La necesidad de extender las relaciones comerciales indefinidamente resultaba imperiosa para Berlín.

Por otra parte, el monopolio de HISMA-ROWAK estaba siendo severamente criticado en Alemania. Este monopolio se basaba, como es sabido, en el apoyo dado a las dos sociedades por la jerarquía del partido nazi, que había puesto a su disposición dinero, poder y organización. Sin embargo, muchas empresas particulares alemanas solicitaban una parte del voluminoso tráfi-

65. *Documents on German Foreign Policy*, pp. 206-207 y 219.
66. Harper, p. 35.

co comercial hispano-alemán y, al mismo tiempo, acusaban a HISMA-ROWAK no sólo de excesivo paternalismo y favoritismo hacia España (enviando más ayuda militar e importando menos materias primas de las convenientes para los términos de intercambio), sino también de excesivo beneficio en las comisiones (cifradas generalmente en un mínimo del uno por ciento de las transacciones, aunque se sabe de operaciones en que HISMA-ROWAK llegó a cobrar el tres por ciento; se dice que los beneficios de estas compañías ascendían en julio de 1938 a ciento veinte millones de pesetas).

A finales de febrero de 1937, mientras la comisión alemana negociaba en Burgos, se celebró en Berlín una reunión para formular claramente una política económica alemana con respecto a España. En realidad se trataba de decidir, de una vez por todas, si HISMA-ROWAK había de conservar o no el monopolio del comercio con los nacionales y de formular las posiciones negociadoras de acuerdo con esta decisión. Asistieron, en su mayoría, altos jefes del partido nazi. Fue, como dice Harper, «un triunfo total para HISMA-ROWAK»[67] y la posición de monopolio permaneció incambiada. En consonancia con ello, se decidió unánimemente que debía evitarse un acuerdo de pagos en España porque esto habría implicado pérdida de fuerza para HISMA-ROWAK, abriendo el comercio a todas las sociedades privadas alemanas.

El 20 de marzo fue firmado el Protocolo secreto entre España y Alemania. El acuerdo no contenía más que algunas vagas fórmulas que declaraban la voluntad de ambos países de alejar los peligros del comunismo, su identidad de propósitos en política internacional y su compromiso mutuo de no participar en convenciones que fueran perjudiciales para la otra parte. En cuanto a los aspectos económicos, había poco más que la expresión del deseo de intensificar las relaciones comerciales mutuas y de cooperar estrechamente en todos los terrenos.[68]

La posición de HISMA-ROWAK estaba a salvo... para disgusto no sólo de muchos alemanes, sino de más de un español que

---

67. Loc. cit., p. 49.
68. *Documents on German Foreign Policy*, doc. 234.

deseaba ver libre a la economía exportadora nacional de unas actividades que empezaban a no parecer muy desinteresadas.

Esta insatisfacción forzó finalmente a Alemania a pensar en la firma de un acuerdo de pagos, aunque fuera solamente parcial. La habilidad de Goering desvió estos intentos y los protocolos secretos que, tras largas discusiones, se firmaron en Burgos en los días 12, 15 y 16 de julio de 1937 parecieron aumentar y no disminuir, la influencia nazi en España. Para mayor irritación de Gran Bretaña, los envíos de mineral confiscado de Río Tinto parecían asegurados para Alemania. Los acuerdos de julio no contenían cláusulas de pagos o de *clearing* y, especialmente, el protocolo de 16 de julio, firmado para resolver las cuestiones derivadas «de entregas especiales hechas por Alemania» a los nacionales, preveía que todas las obligaciones en que España incurriera serían pagaderas en marcos (lo que sólo podía conseguirse mediante la constante exportación de bienes españoles a Alemania) y que, además, se impondría un interés del cuatro por ciento anual sobre la deuda.[69]

Alemania parecía estar claramente en situación de privilegio respecto de España. Pero, como subraya Harper,

a Hitler y sus lugartenientes les había pasado inadvertido un hecho de extremada importancia. El Caudillo nacional, a quien enviaban importante ayuda y de quien esperaban grandes compensaciones, estaba luchando sus batallas no en beneficio del Reich alemán, sino en pro de su propia visión de una España nueva y más grande. Si los protocolos de julio habían parecido ligarle irremisiblemente al Tercer Reich, ello se debió a que tal política era en aquel momento esencial para el cumplimiento de sus fines; no debe olvidarse que Franco tenía un agudo sentido de la oportunidad. Pronto iban a aprender sus aliados alemanes los inconvenientes de esperar de la España nacional que se convirtiera en un instrumento más en su intento de establecer la hegemonía sobre el continente europeo.[70]

El 12 de octubre de 1937, Franco promulgó un decreto sobre minería (anulando las concesiones mineras hechas a partir de 18

69. Ibídem, docs. 392, 394 y 397.
70. Harper, pp. 67-68.

de julio de 1936 y sometiendo toda nueva concesión a la aprobación de la Junta Técnica Nacional), que, de un solo golpe, invalidaba todos los protocolos de julio. España, que hasta entonces había parecido ser poco más que un satélite alemán, tomaba repentinamente la iniciativa y no volvería a perderla hasta el final de la guerra y, lo que es más, hasta el final de los días de Hitler.

La ayuda alemana

Es muy difícil dar datos exactos del monto total de la ayuda alemana a los nacionales. No existen (como sucede en el caso de Italia) estimaciones de material de guerra enviado a España, lo que fue sin duda la parte más importante del apoyo del Reich, y el número de efectivos humanos es impreciso.

La Legión Cóndor fue la parte más sustancial de la ayuda alemana. Creada oficialmente en Sevilla el 6 de noviembre de 1936, bajo el mando del general Hugo von Speerle, comprendió inicialmente cuatro escuadrones de bombarderos (con doce bombarderos Junker 52 por escuadrón), cuatro escuadrones de aviones de caza (con doce aparatos Heinkel 51 o Messerschmitt 109 cada uno) y un escuadrón de reconocimiento. Como apoyo, contaba con unidades de baterías antiaéreas y antitanque y con dos unidades de cuatro compañías de carros de combate (con cuatro tanques cada una), al mando del que sería célebre general Von Thoma. Más tarde fue añadido a la Legión un grupo marítimo de especialistas de explosivos, señales y artillería, que operaría desde los cruceros *Deutschland* y *Admiral Scheer*. A finales de 1936, la Legión Cóndor contaba con unos seis mil hombres. Los efectivos de esta unidad serían paulatinamente incrementados, hasta que a principios de 1938, contaba con

A) 1. Dos grupos de Messerschmitt 109 de cuatro escuadrones de nueve aparatos cada uno   72 aparatos
   2. Dos grupos de Heinkel 51 de dos escuadrones de nueve aparatos   36 aparatos
   3. Un grupo de reconocimiento de

Heinkel 51 y Dornier 17 de tres escuadrones de nueve aparatos	27 aparatos
4. Cuatro grupos de Heinkel III y Junker 52 de tres escuadrones de doce bombarderos cada uno	144 aparatos
TOTAL	279 aparatos

B) Un cuerpo de carros de combate compuesto por cuatro batallones de tres compañías de quince tanques ligeros cada una	180 tanques
C) Treinta compañías antitanque de seis cañones de 37 mm cada una	180 cañones

El total de alemanes que estuvo en España puede calcularse en unos 16 000, muchos de los cuales fueron civiles e instructores. La Legión Cóndor nunca sobrepasó los 6 000 hombres.[71]

El coste de la ayuda ha sido evaluado en unos 500 millones de marcos (aproximadamente 17 250 millones de pesetas al cambio de 1939). El economista español Ángel Viñas ha compilado recientemente, tras laboriosas investigaciones, el siguiente cuadro de la ayuda alemana a los nacionales:[72]

		Marcos
Suministros anteriores al 7 de noviembre de 1936		41 770 901,37
Suministros especiales vía «Rowak»		109 570 278,01
Suministros vía «Veltjens»		14 168 599,81
Suministros Legión Cóndor	326 104 389,49	
— Material devuelto a Alemania	9 145 703,54	

71. Véase Thomas, pp. 652-653, 793; Galland, op. cit., p. 26; F. O. Miksche, *Blitzkrieg*, Londres, 1941, p. 81; todos ellos citados por Thomas.

72. Ángel Viñas, «Los costos de la guerra civil. Relaciones hispano-alemanas», *Actualidad Económica*, Madrid, 5 de agosto de 1972. Para la estimación inicial de la cantidad, véase *Documents on German Foreign Policy*, p. 892 y serie XI, pp. 329-330, cit. por Thomas, p. 793.

	Marcos
+Material de Legión Cóndor entregado al Ejército nacional	12 301 842,55
	329 260 528,50 329 260 528,50
	TOTAL 494 770 307,69

Es decir, exactamente 1 666 957 561,53 pesetas al cambio de 1939. De esta suma, 229 millones de marcos correspondieron a material militar y los 265 millones restantes a salarios y otros gastos de personal.

En febrero de 1941, España aceptó como deuda final la suma de 371 819 548,46 marcos (unos 1 280 millones de pesetas), de los que había satisfecho 65 101 426,87 en 31 de marzo de 1939.[73] Esta cantidad fue reembolsada parcialmente con suministros de alimentos durante la segunda guerra mundial.[74]

Los reembolsos hechos a través de HISMA-ROWAK en materias primas fueron, desde luego, muy cuantiosos. Sólo en 1937 se enviaron a Alemania 1 620 000 toneladas de mineral de hierro, 956 000 toneladas de piritas y 7 000 toneladas de tungsteno, cobre y bronce.[75] Esto representa una cifra aproximada de 100 millones de marcos, es decir, unos 345 millones de pesetas.

Viñas ofrece el siguiente cuadro de la balanza comercial entre los dos países para 1937, 1938 y los meses de enero a junio de 1939:

	Millones de marcos		
	1937	1938	1939
EXPORTACIÓN A ALEMANIA			
De la Península	101,1	92,4	73,6
De Canarias	12,5	18,5	14,6
De posesiones españolas en África	22,3	17,7	10,5

73. Viñas, ibídem.

74. Vid. Ramón Tamames, *Estructura Económica de España* (Sociedad de Estudios y Publicaciones, Madrid, 2.ª ed., 1964), p. 636.

75. Harper, p. 88.

	Millones de marcos		
	1937	1938	1939
IMPORTACIÓN DE ALEMANIA			
A la Península	54,6	78,3	40,6
A Canarias	7,5	11,3	2,5
A posesiones españolas en África	4,1	6,8	2,4

Balanza, por tanto, favorable a España en 155,1 millones de marcos.[76]

Los nacionales e Italia

Conjuntamente con Alemania, Italia reconoció a los nacionales el 18 de noviembre de 1936, sin esperar a la caída de Madrid, que hasta entonces había parecido inminente. El día 24 llegaba a Burgos el nuevo encargado de Negocios italiano, Ciutti di Santa Patricia. Dos días más tarde, Albania también reconocía al Gobierno del general Franco.

El mismo 26 de noviembre llegó a Salamanca el diplomático italiano Filippo Anfuso con la misión de negociar un acuerdo con las autoridades nacionales. Este acuerdo, firmado el 28 de noviembre, recibió el nombre de Protocolo Secreto hispano-italiano. Sus negociadores habían sido el general Franco, asistido de su secretario diplomático, J. A. Sangróniz, y Anfuso. El Protocolo se componía de un preámbulo y seis secciones. En el preámbulo, tras asegurar que ambos Gobiernos eran solidarios «en la lucha contra el comunismo, que en este momento amenaza con más intensidad que nunca la paz y la seguridad de Europa», los firmantes indicaban haber llegado al acuerdo de «desarrollar y reforzar sus relaciones», basándose en los siguientes puntos:

1.º El Gobierno italiano aseguraba al Gobierno nacional «su apoyo y su ayuda para conservar la independencia y la integridad de España, metrópoli y colonias, y para el restablecimiento del orden social y político en el interior del país».

76. Viñas, ibídem.

2.º Ambos Gobiernos se mantendrían en contacto, asegurando la cooperación mutua en todas aquellas áreas de interés común, especialmente en el Mediterráneo occidental.

3.º Ambos Gobiernos se comprometían a no participar en alianzas que pudieran ser perjudiciales a la otra parte; «particularmente se comprometen a no admitir utilización de sus territorios, puertos y aguas jurisdiccionales para ningún género de operaciones, ni para el tránsito de los materiales o de fuerzas armadas de cualquier potencia».

4.º Ambos Gobiernos se mostraban de acuerdo en que el artículo XVI del Pacto de la Sociedad de Naciones (imposición de sanciones a los agresores) debía ser modificado: «Si uno de los dos Estados contratantes entrase en conflicto con una o varias otras potencias, o si contra uno de ellos se tomaran medidas colectivas de carácter militar, económico o financiero, el otro Estado se compromete a asumir hacia el primero una posición de neutralidad benévola, a asegurarle el suministro de los materiales indispensables, a concederle toda clase de facilidades...» (Ésta es casi la cláusula más importante del Protocolo y es reflejo del deseo de Mussolini de asegurarse de que no pudieran ocurrir en el futuro situaciones como las que, con gran sacrificio de la economía fascista, tuvieron lugar en el momento de la imposición de sanciones a Italia en la crisis de Abisinia.)

5.º «A tal fin, los Gobiernos consideran que sería útil precisar en el momento del establecimiento de la paz, el modo de utilizar sus recursos económicos, especialmente las materias primas y las vías de comunicación.»

6.º Ambos Gobiernos «consideran como posible y necesario desarrollar hasta el máximo sus relaciones económicas y aéreas».[77]

Los frutos del acuerdo fueron inmediatos: a finales de noviembre se preparaba en Italia una fuerza expedicionaria de 10 000 camisas negras. Siete submarinos italianos operaban ya en aguas españolas. A finales de diciembre fueron despachados otros 3 000 voluntarios italianos junto con 3 000 especialistas de

---

77. *Documents on German Foreign Policy*, docs. 133 y 137.

diferente naturaleza. El 29 de diciembre llegó a Sevilla un equipo sanitario italiano. A principios de enero de 1937 se estima que había en España unos 14 000 italianos.[78]

Como se ha visto, el Protocolo irritó extraordinariamente a Hitler, que lo consideró juego desleal por parte de Mussolini. El Duce tuvo que garantizar a Gran Bretaña, como también ha sido examinado, que el statu quo en el Mediterráneo no sería alterado. Pero hasta muchos meses después, hasta que los nacionales hubieron ganado la guerra, quedó, en palabras del embajador norteamericano en Berlín, la sospecha de que Franco

> concedía para el futuro al Gobierno italiano amplios privilegios. Si Franco triunfase y este acuerdo entrara en vigor para toda España, habría desaparecido la soberanía de España; España tendría un poco la posición de Albania, y se encontraría situada de algún modo bajo la soberanía de Italia.[79]

Como en el caso de Alemania, esta duda sería pronto aclarada en sentido contrario, probablemente no más tarde que con ocasión del desastre italiano en Guadalajara en el mes de marzo de 1937.[80]

Volumen de la ayuda italiana a los nacionales

Al contrario de lo que sucede con Alemania, existen estimaciones bastante precisas del volumen de la ayuda italiana a los nacionales. Se calcula que el número de soldados italianos en España en su punto culminante, en julio de 1937, oscilaba alrededor de los 50 000 hombres. En lo que se refiere a material, la agencia de noticias Stefani publicó en 1941 las siguientes cifras como monto to-

---

78. Puzzo, loc. cit., p. 128, citando documentos americanos y alemanes.
79. *Documents on German Foreign Policy*, p. 154, cit. García Arias, op. cit., p. 446.
80. Cantalupo, que fue el primer embajador italiano en zona nacional, sugiere en su obra *Fu la Spagna* (Milán, 1948) que Franco, para acallar las exigencias de Mussolini de que las tropas italianas estuvieran sometidas exclusivamente a mando italiano, forzó el desastre de Guadalajara, poniendo de relieve los inconvenientes de la no dependencia de un Estado Mayor único. «Nosotros lo dábamos todo y España no nos daba nada» (p. 73).

tal de asistencia durante los tres años de la guerra: 763 aviones, 1 414 motores de avión, 1 672 toneladas de bombas, 950 tanques, 9 250 000 balas, 1 930 cañones, 10 135 ametralladoras, 240 747 armas de pequeño calibre, 7 514 537 balas de cañón y 7 663 camiones.[81]

En 1941, las autoridades italianas aseguraron que España les debía por estos conceptos 7 500 millones de liras (aproximadamente 2 969 millones de pesetas oro). España aceptó como total de la deuda una cifra de 5 000 millones de liras (unos 1 968 millones de pesetas oro).

Parte de esta deuda fue pagada a lo largo de la guerra en minerales, a través de la Sociedad Anónima Financiera Nacional Italiana (SAFNI) (especialmente en mineral de hierro, piritas, manganeso y, también, en aceite de oliva), pero los italianos aseguraron que las cantidades exportadas fueron «insignificantes».[82]

III. Un Protocolo con Gran Bretaña

El 17 de diciembre de 1936, en la Cámara de los Comunes, el presidente del Board of Trade británico denunciaba el Acuerdo de Pagos existente entre España y Gran Bretaña, basándose en que las circunstancias españolas impedían el normal desarrollo de las operaciones comerciales de *clearing* (se pagaban al Gobierno de Madrid operaciones llevadas a cabo en territorio dominado por los nacionales y viceversa). Desde el 19 de diciembre quedaban suspendidas las operaciones y la deuda a favor de Gran Bretaña se cifraba en cuatro millones y medio de libras esterlinas (unos 170 millones de pesetas oro), quedándole a la Oficina de Clearing una suma de un millón cien mil libras para finiquitar operaciones en curso. El presidente del Board of Trade aseguraba que se había llegado a un acuerdo con las autoridades de Madrid y se refería vagamente a «ciertos entendimientos» con otras autoridades españolas. Esta imprecisa referencia a los rebeldes era todo lo que permitía el estado de opinión: a principios de 1937, el Instituto de la Opinión Pública Británica publi-

81. Thomas, pp. 793-794.
82. Harper, p. 80.

có los resultados de una encuesta en la que el ochenta y seis por ciento de los ingleses creía que el Gobierno legítimo de España era el de Madrid.[83] Sin embargo, el acuerdo era cierto: el 4 de diciembre de 1936, el Gobierno británico había firmado en Burgos con el Gobierno nacional un Protocolo de reanudación privada del *clearing*. Como había temido Hitler,[84] desde el 14 de noviembre hasta el mismo día 4 de diciembre, se habían celebrado en Burgos y San Sebastián unas «conversaciones oficiosas entre don Joaquín Bau, presidente de la Comisión de Industria y Comercio de la Junta Técnica» y los señores «A. J. Pack, secretario comercial de la Embajada de Su Majestad Británica en España y A. R. Fraser del Board of Trade», habiéndose llegado al siguiente acuerdo:[85]

En el caso de que el Gobierno de S. M. del Reino Unido decidiera suspender la *Treasury Order* por la que se establece que el pago de los productos españoles importados en el Reino Unido se haga en el Anglo-Spanish Clearing Office en Londres, el citado Gobierno de Burgos dispondrá que todas sus exportaciones al Reino Unido sean pagadas en libras esterlinas, y que tales sumas deberán ser destinadas al pago de las importaciones de mercancías procedentes del Reino Unido, al de los fletes pagaderos en el Reino Unido por mercancías transportadas en barcos ingleses entre la zona del Gobierno de Burgos y el Reino Unido, o a otros países, y al de las primeras materias y otros productos adquiridos en el Reino Unido. La mayor

83. Thomas, p. 720. Siguiendo una tesis de H. J. Parry, sobre la guerra civil. En marzo de 1938, el 57 por ciento de los ingleses consultados se manifestó en favor de la República, el 7 por ciento en favor de los nacionales y el 36 por ciento permaneció neutral.

84. Vid. p. 281.

85. *Documents of the Foreign Office*, FO 371/20519, doc. W 17747/46/41. Según comunicó a Eden el embajador Chilton, había habido ciertas dificultades para llegar a un acuerdo sobre cómo debía denominarse al Gobierno nacional. Bau quería que se le llamara «Estado Español gobernado por el general Franco», mientras que los británicos insistían en que la terminología debía ser «Administración Española situada en Burgos». Se llegó a la fórmula de compromiso de *Spanish Administration in Burgos*, que fue libremente traducida como «Gobierno Español de Burgos».

parte de las libras esterlinas antes mencionadas se invertirán en adquisición de productos originarios o manufacturados en el Reino Unido...[86]

Chilton, embajador británico en Madrid, con residencia en Hendaya, había ordenado, «para evitar cualquier malentendido», que los negociadores ingleses hicieran una declaración formal en el sentido de que

> nada en las conversaciones o en las versiones rubricadas que de ellas hubiera, pudiera ser interpretado como un indicio de que existía un reconocimiento de la administración del general Franco. Los delegados españoles aceptaron esto inmediatamente.[87]

No existía reconocimiento ni compromiso formal de que éste llegara en el futuro, pero los lazos comerciales estaban sólidamente anudados. Las exportaciones de mineral de hierro a Gran Bretaña no disminuyeron apreciablemente con la iniciación del comercio HISMA-ROWAK entre los nacionales y el Reich. Por ejemplo, durante los seis últimos meses de 1937 se exportaron desde zona nacional a Gran Bretaña 428 091 toneladas de mineral de hierro, cantidad aproximadamente igual a la exportada durante 1935, último año de normalidad en el comercio.

86. Ibídem.
87. Ibídem.

XIII. El plan de control

Madrid acude de nuevo a la Sociedad de Naciones

En diciembre de 1936, el Gobierno republicano español, en su intento de combatir al Comité de Londres, con cuya actividad, a la que consideraba ilegal, no estaba de acuerdo, quiso forzar una decisión ejecutiva en el Consejo de la Sociedad de Naciones. Toda gestión en este sentido había forzosamente de molestar a Rusia y a Francia, porque al fin parecía que el comité empezaba a moverse con la reticente colaboración de Alemania e Italia. Delbos y Litvinov hicieron presión sobre Álvarez del Vayo, al parecer, para que se abstuviera de plantear la cuestión en Ginebra. Bullit, embajador norteamericano en París, comunicó al Departamento de Estado el 8 de diciembre que en opinión del Ministerio de Asuntos Exteriores francés,

> Litvinov está furioso ante la decisión del Gobierno español de convocar esta reunión en contra de su opinión y... no asistirá.[1]

Sin embargo, días antes Delbos dijo a Bullit que, por más que el ministro soviético no estuviera de acuerdo con la decisión del Gobierno republicano, Litvinov la apoyaría, aunque no creía que pudiera conseguirse nada positivo.[2] «Hubiera sido mejor consultar el caso con Francia, ya que Inglaterra e incluso Rusia se han mostrado contrarias a él.»[3]

1. Cit. Cattell, p. 56.
2. Ibídem, *Foreign Relations of the United States*, 1936, II, p. 578.
3. Ibídem.

El 11 de diciembre, Álvarez del Vayo pronunció su discurso.

... La guerra está allí: una guerra internacional está desarro-
llándose en suelo español. Hemos visto, en los últimos días,
cómo los rebeldes, luego del fracaso de las tropas marroquíes,
están ahora preparándose para recibir la asistencia de fuerzas
de refresco que ellos mismos llaman «moros rubios»... La peor
cosa que pudiera ocurrirle a la Liga de las Naciones sería contribuir, con su propio silencio e inacción, a la propagación de
esta guerra.

Es, desde luego, posible concebir una paz europea que
fuera resultado de una política de sucesivos sometimientos a
la agresión de las fuerzas de destrucción y de guerra. Después
que Alemania e Italia hayan tenido éxito en tomar las riendas
en España... el mismo juego podría iniciarse otra vez en algún
otro lugar. Otros países democráticos, a los que también se
mira como peligrosos centros de dificultades y discordias internacionales, podrían ser reducidos a la impotencia. Como
resultado final de este proceso, es posible concebir una Europa totalmente pacificada porque todos los problemas y todas
las dificultades se habrían solucionado, gracias a la decisiva acción del fascismo internacional...[4]

Después de protestar por el reconocimiento de los nacionales por Alemania e Italia (razón por la cual el Gobierno español
había solicitado la reunión del Consejo) y de manifestar que esto
«podía resultar particularmente amenazador» para la paz de
Europa, Álvarez del Vayo prosiguió:

Si el Gobierno español ha pedido ahora una reunión del
Consejo, lo ha hecho solamente por la razón de que una guerra internacional existe de hecho y que esta guerra, si aún es ignorada, pudiera, cuando menos se espere, producir una situación incapaz de controlarse por más tiempo. Este punto de
vista de la situación no es nuestro solamente... Por el contrario,

4. *Diario Oficial de la Sociedad de Naciones*, 95 Sesión del Consejo. Estas palabras del ministro español son un brillante análisis de la política británica de
apaciguamiento.

estos puntos de vista se confirman en la *démarche* anglofrancesa de 4 de diciembre... que dice así:

«Los Gobiernos británico y francés procedieron la pasada semana a cambiar impresiones sobre la situación creada por la prolongación de la guerra civil en España y *los consiguientes peligros para la paz de Europa.*»[5]

Tras este vigoroso comienzo, Álvarez del Vayo se perdió en largas disquisiciones, sin llegar a manifestar por qué el Gobierno español había solicitado la reunión del Consejo y qué era exactamente lo que pedía a la Sociedad de Naciones. De las algo confusas aseveraciones del ministro español, se deduce que no quería más que llamar la atención del mundo sobre lo que estaba sucediendo en España y de que al amparo del artículo XI del Convenio, «estamos convencidos de que el Consejo puede encontrar medios de paliar... los peligros de la presente situación». Muy claramente indicó que «eso no significa que el Gobierno español pida a la Liga su intervención, ni que esté dispuesto, sin previa solicitud, a aceptar la intervención de la Liga». De la lectura del discurso se deduce más bien que su intención era:

1.º Indicar que la República siempre había acatado el espíritu de la Sociedad de Naciones, de cuyo Pacto era una de las naciones más respetuosas.

2.º Subrayar que había aceptado la No Intervención para evitar males mayores.

3.º Finalmente, solicitar de la manera más enérgica un absoluto respeto por la cuestión española y su aislamiento.

A la irritación de Francia y Rusia, Álvarez del Vayo contestó brevemente diciendo que encontraba «imposible aceptar el punto de vista de que una reunión del Consejo de la Liga pueda, en ciertos casos, contribuir a aumentar el peligro de una situación internacional».[6]

Por su parte, los representantes de Gran Bretaña y Francia, lord Cranborne y Viennot, declararon que, en su opinión, el Acuerdo de No Intervención no había sido un fracaso y que el

5. Ibídem.
6. Ibídem.

comité, en tanto que organismo especializado para la cuestión española, cumplía una misión eficaz. Lord Cranborne, como era de esperar, dijo:

> Espero que al Consejo, en cualquier decisión que adopte en relación con la cuestión planteada, le sea posible colocarse en una posición que favorezca el estricto cumplimiento del Pacto de No Intervención...[7]

El Consejo, siguiendo su costumbre, evitó tomar una decisión ejecutiva y la resolución final apoyaba al Comité de Londres, recomendando a los miembros del Consejo que a la vez fueran partes del Acuerdo de No Intervención hicieran lo posible por evitar la injerencia extranjera en los asuntos de España y por encontrar una fórmula de mediación en el conflicto.

Un nuevo proyecto británico

Al comenzar el nuevo año de 1937, Gran Bretaña decidió seguir un nuevo método de acción para conseguir la prohibición de voluntarios. En una nueva nota dirigida el 11 de enero a los ministros de Asuntos Exteriores de los países interesados, haciendo caso omiso de las objeciones de Alemania e Italia, Eden decía:

> 4. Mientras tanto, el Gobierno de Su Majestad es de la opinión de que el deseo general expresado en las contestaciones recibidas de los otros Gobiernos respecto de la exclusión de los voluntarios extranjeros y del personal militar en España, permite la inmedita adopción por cada Gobierno dentro de su territorio de las medidas prohibitorias requeridas para tal objeto, incluso antes del establecimiento de un completo sistema de control para España.
> 5. Como prueba de su sincero deseo de que se alcance un acuerdo internacional respecto de la intervención indirecta en España, el Gobierno de Su Majestad publicará, espontá-

---

7. Ibídem.

neamente y sin retraso, una nota en la que se especificará que
constituye un delito punible según la Ley de Alistamiento Extranjero para Súbditos Británicos

enrolarse en cualquiera de las dos partes en lucha en España o
ejercer actividades de alistamiento en su favor. También indicaba que el Gobierno inglés se proponía comunicar al Comité de
Londres sus gestiones y las contestaciones que se recibieran,
de tal modo que quedara claro que no era su deseo «interferir
en las actividades del Comité de No Intervención establecido en
Londres... sino facilitar y acelerar sus tareas».[8]

La nueva iniciativa inglesa fue una vez más acogida con escepticismo. Salvo Francia, que dio su inmediata aquiescencia el
día 13, prometiendo promulgar la legislación pertinente, las
demás potencias interesadas no mostraron gran entusiasmo. Es
cierto que la Unión Soviética abandonó su exigencia de control
efectivo y completo y que Alemania e Italia olvidaron la condición sine qua non que antes habían puesto en el sentido de que
el Acuerdo debía cubrir toda la intervención indirecta (voluntarios y colectas de fondos) y de que los voluntarios que ya estaban en España tenían que ser retirados. Pero no es menos
cierto que nadie quería dar el primer paso. Alemania e Italia to-
marían las medidas solicitadas «tan pronto como los demás Gobiernos se muestren dispuestos a hacer lo mismo». Pero como
dijo Litvinov,

> es de temer que tales medidas individuales dificulten la co-
> laboración internacional en el futuro y hagan aún más difí-
> cil la realización del esquema de control proyectado por el
> comité.[9]

Ante este nuevo fracaso, Gran Bretaña decidió concentrar
sus esfuerzos en las tareas del comité y acelerar en lo posible la
aprobación del plan de control.

---

8. *Dez Anos de Política Externa*, vol. III, pp. 660 y ss., NIS (36), doc. 261.
9. NIS (36), docs. 267, 276 y 283.

El plan de control

En la reunión del subcomité del 5 de enero, se discutieron los aspectos finales del plan de control a la vista de las conclusiones de las dos comisiones técnicas establecidas para el estudio de los problemas planteados por la intervención indirecta.[10]

No faltaba más que la aceptación definitiva del plan por las autoridades de las dos partes contendientes en España. El primero de enero Eden envió a los Gobiernos republicano y nacional el plan completo del control y les rogó que contestaran en un plazo de diez días.[11] El día 17 llegaba a Londres la respuesta afirmativa de Madrid. Pero dos días más tarde, Franco contestaba que el plan era inaceptable.[12]

Esto echaba por tierra meses de trabajo y el subcomité se vio en la necesidad de replantear la cuestión desde el principio. La nueva idea, tal y como fue estudiada por la Comisión Técnica 3, consistió en colocar observadores en el lado no español de las fronteras y a bordo de todo buque que, enarbolando pabellón de los países firmantes del Acuerdo de No Intervención, navegara en dirección a España; el nuevo proyecto también pensaba en el establecimiento de un control naval por patrullas de unidades navales de diferentes países.

El comité y su comisión técnica trabajaron de prisa y el subcomité, en su reunión del 28 de enero, ya pudo formular un cuestionario dirigido a todos los Gobiernos participantes solicitando su opinión sobre el nuevo plan, que habría de incluir también, desde el 20 de febrero, la prohibición de salidas de voluntarios con destino a España, y que, según se proponía, había de entrar en vigor el 6 de marzo.[13]

10. NIS (C), 1936, 18th Meeting.
11. NIS (36), doc. 226.
12. NIS (36), docs. 280 y 284.
13. NIS (C) (36), 22nd Meeting. NIS (36), docs. 285 (informe del Comité Técnico 3) y 290 (recomendaciones del subcomité para la adopción de un sistema de supervisión desde fuera de España, aplicado a armas y material de guerra y voluntarios extranjeros).

Tan rápida marcha fue posible gracias a las nuevas posturas tomadas por Alemania e Italia. Como dijo Neurath, su país deseaba «un control tan eficaz como fuera posible, para cortar todos los envíos a España desde el momento en que aquél sea establecido».[14] Ésta no era una postura nueva para el Ministerio de Asuntos Exteriores alemán, sino que había sido mantenida desde el principio de la guerra civil española; Hitler debió de decidir adoptar una faz más diplomática, creyendo probablemente que la victoria de los nacionales estaba cerca.

Por su parte, Mussolini, que había terminado de momento el grueso de sus envíos a Franco, había decidido colaborar con el Comité. Ciano instruyó a Grandi en este sentido: «sea usted positivo».[15]

Las contestaciones afirmativas en principio de todos los miembros del comité habían llegado a Londres no más tarde del 15 de febrero.

Algunas dificultades

Las dificultades reales empezaron cuando se trató de configurar definitivamente el esquema.

Hubo al principio una serie de complicaciones técnicas, pronto resueltas, que hacían referencia a la contratación de observadores y de un jefe que los dirigiera, o a la repartición de los gastos, evaluados en 898 000 libras esterlinas. Pero los problemas más importantes fueron de índole política.

En primer lugar, Alemania, que para que no fracasara el plan había dejado de exigir como condición el control aéreo, se empeñó en pagar su parte de los gastos en marcos alemanes, lo que creaba problemas monetarios difíciles de solventar de forma inmediata. La resistencia alemana no fue vencida hasta el 8 de marzo.

En segundo lugar, Portugal, por razones de soberanía, no quería aceptar en su territorio a observadores extranjeros en misión de control internacional. Después de muchas discusiones y

---

14. *Documents on German Foreign Policy*, series D, vol. II, p. 237.
15. Ibídem.

gracias a las presiones británicas, se adoptó al final de febrero una fórmula de compromiso según la cual los observadores serían ingleses y enviados a Portugal en calidad de agregados a la embajada británica en Lisboa.

Por fin, la Unión Soviética exigió para sí una zona de control marítimo, cuando su proyecto de que dicho control fuera ejercido por una flota conjunta fracasó. Atendiendo a sus ruegos, le fue ofrecida la vigilancia de una zona de la costa norte de España. A Maiski no le gustó demasiado la idea, porque deseaba para su país la zona mediterránea. A ello se opusieron inmediatamente los dos beneficiarios de este sector, Alemania e Italia, que temían que con la flota rusa en el Mediterráneo las violaciones a favor de la República se hicieran más frecuentes, al tiempo que se les escapaba de las manos una vía de apoyo a los nacionales. A finales de febrero, viendo que no podía vencer la resistencia italo-alemana, Maiski comunicó a lord Plymouth que no haría uso de su derecho de control marítimo porque ello implicaba un excesivo alejamiento de la flota soviética de sus bases en el mar Negro. De todos modos, en ese momento Rusia disminuyó su ayuda a la República, quien, al mismo tiempo, veía con irritación y desconsuelo cómo Alemania e Italia, no sólo seguían apoyando militarmente a los nacionales, sino que además recibían el encargo de vigilar la zona por donde llegaban sus mayores envíos de material.

El esquema definitivo

La configuración definitiva del esquema y las medidas legislativas que requería cada país firmante, aunque fueron aprobados en la reunión del comité del 8 de marzo,[16] retrasaron la aplicación efectiva del plan hasta el mes de abril.

Las ideas fundamentales del plan de control eran las siguientes:[17]

16. NIS (36) 16th Meeting, 17th Meeting, NIS (C) (36) 40th Meeting; annex to 17th Meeting, *Scheme of Observation* [luego publicado como documento en NIS (36) doc. 388].

17. Ibídem.

1. El plan se sometía a la administración de un consejo internacional cuyos miembros fueron Alemania, Francia, Gran Bretaña, Italia y la Unión Soviética; a ellos se añadieron más adelante Grecia, Noruega y Polonia. Al frente del consejo figuraba un presidente, para cuyo cargo se nombró al vicealmirante holandés Van Dulm. El consejo recibía el nombre de International Board for Non Intervention in Spain, y se reunió por vez primera el 17 de marzo.[18]

2. El coste del plan, cuya duración se calculaba podía extenderse a un año, era, como ya se ha indicado, de 898 000 libras esterlinas. Los Gobiernos de Alemania, Francia, Gran Bretaña, Italia y la Unión Soviética correrían cada uno con el 16 por ciento del coste total; de los restantes veintidós firmantes del acuerdo, Portugal no participaba en el control, y los otros veintiuno se repartían el 20 por ciento restante de los gastos. Las cuatro potencias que habían aceptado organizar el servicio de patrullas navales (Gran Bretaña, Francia, Alemania e Italia) se encargaban de financiar esta operación. Por su parte, los gastos de la vigilancia de la frontera hispano-portuguesa (unas 64 000 libras) corrían a cargo de Gran Bretaña, que reduciría en la misma proporción su cuota respectiva del gasto total.

3. Los observadores, en número de 815, se distribuirían de la siguiente manera:

a) 130 observadores británicos para el control de la frontera hispano-portuguesa;

b) 130 observadores para la frontera franco-española;

c) 5 observadores para la frontera anglo-española en Gibraltar;

d) 550 observadores para el control de la costa española.[19]

4. La vigilancia en los barcos mercantes sería realizada por oficiales observadores, autorizados a examinar los pasaportes de los viajeros y los documentos de identidad de los miembros de la

---

18. NIS (36) SINB 1st Meeting. El consejo se reunió otras tres veces inmediatamente (31 de marzo, 2 y 6 de abril) para decidir de las instrucciones a dar a los diferentes jefes regionales del plan.

19. Para poner en práctica esta parte del plan, era necesario votar legislación especial en muchos de los países interesados.

tripulación; cuando se procediera a la descarga de las mercaderías, los observadores estarían facultados para inspeccionar cualquier paquete, envoltorio o caja que suscitara una razonable sospecha de contener material de guerra expedido en contravención del acuerdo.

5. En lo referente a las patrullas navales, se anunciaba que los barcos de guerra de patrulla tendrían el derecho a solicitar de los barcos que llegaran del puerto de cualquiera de las naciones participantes, que se detuvieran en las cercanías de un puerto español y que recibieran a un inspector; éste examinaría los documentos de a bordo. Los observadores no tenían derecho al registro de la nave.

El comandante del buque de guerra, después de haber hecho notar al capitán del buque hallado culpable las infracciones que cometía y las penas a que se exponía según su propia legislación, había de comunicar el hecho a su propio Gobierno y al Consejo Internacional para que éste solicitara del Gobierno del capitán interesado la iniciación del proceso correspondiente, si ello se dedujera de las leyes votadas en cada país con ocasión de la firma del plan de control.

6. Los buques mercantes que hicieran escala en Downs, Cherburgo, Brest, el Vedon, Palermo, Orán, Marsella, Sète, Madeira, Gibraltar y Lisboa quedaban obligados a embarcar a oficiales de control, cuando su destino final fuera España.

7. En cuanto a las zonas de control naval, se repartían como sigue:

a) Gran Bretaña: costa norte de España, desde la frontera francesa al cabo Busto en Galicia; costa sur de España, desde el cabo de Gata en Almería hasta la frontera sur de Portugal; islas Canarias.

b) Francia: costa noroeste de España, desde el cabo Busto a la frontera portuguesa; costa del Marruecos español; islas de Ibiza y Mallorca.

c) Alemania: costa sureste de España, desde el cabo de Gata al cabo Oropesa, en Castellón de la Plana.

d) Italia: costa este de España, desde el cabo Oropesa a la frontera francesa; isla de Menorca.

8. De un modo relativo se incluía un cierto control aéreo, colocando a algún oficial observador en determinados aero-

puertos cercanos a la frontera española. Por su parte, los oficiales fronterizos tenían autoridad para detener a los contingentes de voluntarios que llegasen en dirección a España.

El plan de control así concebido tenía evidentes lagunas que lo condenaban al fracaso desde el principio.

Por una parte, la inexistencia práctica de un control eficaz de los aeropuertos españoles colocaba en situación ventajosa a Italia, que podía enviar sin escalas (y mucho más contando con Mallorca) aviones propios a la zona nacional, mientras que la Unión Soviética no podía hacerlo. Lo mismo sucedía con Francia.

Por otro lado, el plan de las sanciones era sin duda insuficiente. El castigo de los infractores por sus propios tribunales resultaba altamente problemático, sobre todo si no se consideraba la culpabilidad (ciertamente probable en muchos casos) de los mismos Gobiernos. Además, la imposibilidad de extender el control naval a naciones no participantes en el Acuerdo de No Intervención dejaba impunes las ayudas de países como México, que venía apoyando con constancia la causa republicana. Los buques españoles no quedaban incluidos en el control naval; esto facilitaba la matriculación de barcos extranjeros en España y así, cualquier navío, enarbolando pabellón español, escapaba a buena parte de las previsiones del plan. Esto dio, como es natural, lugar a bloqueos ilegales e incidentes peligrosos.

Con el plan de control, todo el esquema de la No Intervención estaba completo. Como indica Padelford,[20] ésta puede resumirse en los siguientes puntos:

1. Colectiva admisión de insurgencia y reconocimiento de un estado de hostilidades.

2. Determinación colectiva sobre la concesión de derechos de beligerancia.

3. Embargo colectivo sobre exportación de material bélico y prohibición colectiva de salida de voluntarios y tropas con destino a los dos bandos en España.

4. Una organización internacional para la coordinación y supervisión de la No Intervención, el Comité de Londres, con sus oficinas especiales (el subcomité, las cuatro comisiones asesoras

20. Op. cit., pp. 118-119.

técnicas, el consejo del plan de control, el comité de juristas).

5. Un proyecto de control y observación para reunir información que alcanzase hasta donde se mantenían los embargos y prohibiciones. Estos medios eran:

a) supervisión de fronteras terrestres de España;

b) supervisión de barcos mercantes que navegasen rumbo a España;

c) patrulla naval para reforzar la supervisión marítima;

d) una oficina internacional de coordinación;

e) un acuerdo entre los Estados para procesar en sus países a cualquier compatriota que violara el embargo.

6. Llamamientos colectivos a los dos bandos españoles para proteger vidas y propiedades extranjeras.

7. Protestas colectivas contra métodos inhumanos en el curso de la guerra.

8. Estacionamiento de un cuerpo de funcionarios internacionales en España para proyectar la forma y los medios de evacuar a los voluntarios extranjeros y a las tropas de diferente nacionaliad que la española (esto, en conexión con la Sociedad de Naciones).

9. Propuestas colectivas de mediación y fin de las hostilidades.

Un fracaso definitivo

Poco más cabe añadir sino que, como era de esperar, el plan de control fue un absoluto fracaso. Entre abril y julio de 1937, cuarenta y dos barcos eludieron el bloqueo y éste no se aplicó en los casos de ayudas por aire; por otro lado, nada podía hacerse contra los buques españoles o contra los que enarbolaban pabellón extraeuropeo. Tanto los nacionales como los republicanos habían seguido recibiendo material militar de sus aliados.

Salvo por los cada vez más ácidos enfrentamientos verbales de los representantes italiano y soviético, el Comité de Londres se desintegró rápidamente a partir de aquel momento.

Tres hechos más son dignos de mención:

1.º En el avance de los nacionales hacia Bilbao en abril de

1937, resultaron destruidas las ciudades de Durango y Guernica, los dos ejes del sentimentalismo vasco. El escándalo internacional fue inmediato, pero la República, ante la amenaza del ejército nacional en el norte, abandonó sus reservas a la posibilidad de una mediación en la guerra: en efecto, Besteiro, que había ido a Londres a representar a su Gobierno en la coronación de Jorge VI, visitó a Eden para proponerle que Gran Bretaña, en unión de otros Gobiernos, mediara en el conflicto español, una vez que se hubiera llevado a cabo la retirada de los voluntarios extranjeros.

La propuesta británica fue acogida con la frialdad de costumbre y se perdió en la nada. Bastiani dijo a Hassel que el plan de Eden era característico del «deseo británico de impedir a toda costa una victoria fascista»,[21] y Franco expresó a Faupel su opinión de que un armisticio y un plebiscito en España acabarían trayendo un nuevo «Gobierno de izquierdas» y determinando «la vuelta al estado de cosas que había hecho inevitable la guerra».[22]

2.º A finales de mayo, dos cruceros, el italiano *Barletta* y el alemán *Deutschland* (ambos pertenecientes a las patrullas navales de control de sus respectivos países) fueron bombardeados por aviones republicanos en las Baleares; hubo veintiocho muertos y más de ochenta heridos. La reacción alemana no se hizo esperar: en la madrugada del 31 de mayo, el propio *Deutschland* y cuatro destructores alemanes se presentaron frente a Almería y desde una distancia de doce mil metros hicieron fuego sobre la ciudad durante cincuenta minutos. Las consecuencias de estos incidentes fueron dos: en primer lugar, Italia y Alemania se retiraron del control naval previsto en el plan de Londres hasta tanto no recibieran garantías de no repetición de estas provocaciones «y se hayan adoptado las medidas necesarias para evitar nuevos y criminales ataques».[23] En segundo lugar, el Gobierno de la República (en sesión celebrada en Valencia el 31 de mayo) pensó por un momento en atacar a la flota alemana del Mediterráneo; esto,

21. *Documents on German Foreign Policy*, serie D, vol. III, p. 292.
22. Thomas, op. cit., p. 438.
23. NIS (C) 53rd Meeting.

con toda seguridad, hubiera implicado el estallido de la guerra mundial. El proyecto fue finalmente abandonado.

3.º La ausencia de Alemania e Italia hizo que, durante un tiempo, se pensara en abandonar definitivamente el control marítimo a las dos partes contendientes. El bloqueo que llevaba a cabo la Armada nacional en el Mediterráneo era bastante eficaz y, aunque no lo había sido durante la campaña de Bilbao,[24] pareció que ni unos ni otros necesitaban de vigilancia internacional, hasta entonces poco útil y además costosa. Para ello resultaba indispensable, como había dicho Duncan Sandys en la Cámara de los Comunes, que se reconociera a los nacionales como beligerantes, único modo de someter a las dos partes a las disposiciones del Derecho de guerra. Éste pareció ser el sino, triste destino, de cuanta idea sensata maduró en Europa en torno a la guerra civil de España.

24. Durante los primeros meses de 1937, Dinamarca, Noruega, Suecia y la Unión Soviética comunicaron al comité que las dos partes en lucha hostigaban constantemente a sus barcos, dándose casos de presas ilegales. La cuestión fue discutida en el subcomité el 30 de abril y no se llegó a ningún acuerdo en cuanto a los métodos idóneos para evitar las presas ilegales. Concretamente, Gran Bretaña no se mostró dispuesta a encargarse de la misión porque ya tenía suficiente trabajo con el control naval y la protección de sus propios barcos. Esta actitud «equívoca, incluso hacia sus propios mercantes, se puso de manifiesto en el intento de Franco de bloquear Bilbao... Puesto que no había habido reconocimiento de beligerancia por otros Estados o por el Estado español, un bloqueo constituía una violación del derecho internacional. Sin embargo, el Gabinete británico, temiendo la crisis que los mercantes ingleses pudieran provocar si entraban en el puerto de Bilbao, aconsejó a sus barcos que no lo intentaran y les negó el servicio de convoy...» (Cattell, op. cit., p. 77). Luego no pasó nada y los mercantes ingleses entraron libremente en Bilbao. Como dice humorísticamente Thomas, «sería erróneo sacar la conclusión de que la Marina británica estaba de parte de Franco... El almirante Burrough (encargado de evacuar a prisioneros y refugiados de Bilbao) fue un buen amigo del Gobierno vasco. Lo cierto parece ser que la *Navy* era amiga de todos aquellos con quienes entraba en contacto» (op. cit., p. 411).

Conclusión

Entre el 17 de julio de 1936 y el 1 de abril de 1939 dos fuerzas casi iguales lucharon entre sí en España, una para «derrotar a la revolución marxista» y otra para «vencer al fascismo». Las páginas que anteceden son la historia de cómo este conflicto rebasó sus proporciones nacionales para transformarse en un grave problema internacional.

El 8 de marzo de 1937, el mando nacional lanzó una fuerte ofensiva contra Madrid desde el nordeste y sus tropas avanzaron sobre Guadalajara en donde en los días siguientes había de librarse una sangrienta batalla. Hasta entonces, el Gobierno republicano había intentado reprimir, con mayor o menor éxito, una rebelión. En Guadalajara la situación española cambió de signo; dejó de ser un alzamiento para convertirse en una guerra civil. Este libro, centrado en esos primeros meses de guerra, también relata la cadena de acontecimientos que hizo que la ayuda exterior que los dos bandos recibieron les permitiera convertirse en beligerantes partiendo de sendas situaciones de debilidad, al tiempo que las varias potencias involucradas intentaban neutralizar con una mano lo que ellas mismas alimentaban con la otra.

La situación española, como acontecimiento peculiar de los años treinta, pudo evolucionar como lo hizo merced a unas intervenciones insospechadamente importantes de la Unión Soviética, de Alemania y de Italia. Y todo ello, en el marco de una coyuntura internacional pre-bélica en la que Gran Bretaña intentaba minimizar cualquier problema en aras de la paz, retrocediendo constantemente ante la audaz actuación de Alemania.

El 17 de julio de 1936, una parte del ejército español dio un golpe de Estado. Este alzamiento tuvo éxito sólo en una minoría de las ciudades españolas. Los nacionales no fueron aplastados en cuarenta y ocho horas por una combinación de suerte y valor. El ejército de África, el cuerpo armado más fuerte de los que intervenían en la rebelión, quedó aislado fuera de la Península y a los demás amotinados se les acabaron pronto las municiones. Sólo algunos actos de arrojo individual —como el del general Queipo de Llano en Sevilla— y la adhesión de mozos y familias tradicionales en el norte, mantenían un estado de cosas que ya era impensable y extraordinario el 20 de julio. Ante la falta de éxito del golpe de Estado, los nacionales tuvieron que buscar urgentemente el apoyo que necesitaban en el exterior para armar así a su ejército (profesional o voluntario) e iniciar la larga lucha en defensa de sus ideales.

Por el lado de la República se aprecia desconcierto e imprevisión. El Gobierno de Madrid se encontró con la enorme suerte del fracaso del alzamiento (los rumores de cuyos preparativos había despreciado como infundados) en muchas provincias y no supo aprovecharla. El Gobierno armó al pueblo con demasiado retraso (en la tarde del 19 de julio) y cuando ya no podía controlar las ciudades en que habían triunfado los nacionales. Dos factores complicaron su situación: por una parte, inmediatamente estalló en las filas republicanas una revolución que nada tenía que ver con la guerra; por otra, la llamada de auxilio a Francia que el Gobierno de Madrid lanzó con el mismo propósito que las de sus adversarios, no prosperó, por lo menos con el volumen necesario.

Los dos contendientes eran muy débiles el primero de agosto de 1936.

La ayuda extranjera que recibieron subsiguientemente permitió a los nacionales convertirse en beligerantes tras el fracaso del *putsch* y a los republicanos hacer lo mismo tras quedarse sin la mitad de su ejército, sin organización y sin pertrechos militares. Importa destacar que, como los nacionales recibieron ayuda inmediata, pudieron lanzar un ataque global que por unos meses dio la sensación de que iba a acabar con Madrid, el objetivo mítico del primer año de la guerra; hasta que la masiva ayuda soviética, a partir de finales de octubre de 1936, salvó a la capital y permitió, después, a la República montar sus ofensivas más importantes. En la batalla de Guadalajara, las fuerzas finalmente estaban equilibradas y, a partir de entonces, el resultado de la contienda dependió de la habilidad militar, del empuje moral y de la capacidad de organización de cada contendiente. Los nacionales ganaron la guerra por sí mismos, es cierto, pero su capacidad de hacerlo fue esencialmente apuntalada por las ayudas de Alemania, Italia y Portugal. Y, lo que es importantísimo, por la política de apaciguamiento y de subsiguiente no intervención. Por su parte, los republicanos perdieron la guerra, pero tardaron casi tres años en hacerlo gracias al apoyo soviético.

En estas condiciones, las ayudas en armamento y hombres prestadas a unos y otros españoles por la Unión Soviética, por Alemania, por Italia, tuvieron en su tiempo más importancia de lo que se podría pensar hoy. Antes de la segunda guerra mundial no eran habituales las intervenciones de poder a poder, como la de los Estados Unidos en el Vietnam, en tiempos recientes, y la más resonante, la de Italia en Abisinia, provocó como es sabido un verdadero escándalo.

Para entender cumplidamente cuanto sucedió desde el punto de vista internacional en torno al problema español, importa destacar que los contendientes españoles fueron considerados en el mundo como entidades objetivas, casi neutras, y que se computó más su valor aparente que la suma real de sus problemas intestinos. En otras palabras, los Gobiernos que intervinieron en España lo hicieron no para ayudar a un aliado en dificultades sino para utilizar un peón en beneficio de su propia política interior y exterior. Por su parte, los individuos que, sentimental o físicamente, estuvieron inmiscuidos en la guerra lo hicieron respondiendo no a lo que de verdad sucedía en España, sino a lo que ellos pensaban que estaba sucediendo en función de sus propios dilemas personales o políticos. A partir de primeros de agosto de 1936 las potencias y los hombres europeos y americanos habían decidido ya cuál era el carácter, composición y significado de ambos bandos en conflicto; estas apreciaciones fueron, claro está, un estereotipo de las posturas españolas que ya no se alteró a lo largo de la contienda.[1] En general se encuentran dos tipos de opiniones absolutamente rígidas: para unos, el nacional era el grupo apolítico que iba a regenerar a España, librándola de las garras del marxismo; para otros, los republicanos constituían un Gobierno liberal y burgués empeñado en una lucha a muerte con el fascismo internacional.[2]

Fuera como fuese, Hitler y Mussolini acudieron en apoyo de los nacionales inmediatamente y les suministraron la fuerza suficiente para cruzar el Estrecho, consolidar su dominio en Andalucía, iniciar la marcha de la «Columna de Madrid» y finalmente atacar a la capital. Y éste fue sólo el principio.

La reacción internacional de ayuda a la República fue mucho más lenta. Francia, cuyo apoyo decidido a finales de julio de 1936 hubiera tenido trascendental importancia, se inhibió todo lo que pudo y prestó una asistencia netamente insuficiente si se la compara con las de Alemania e Italia. El peso del apoyo provino del partido comunista (Komintern) y de la Rusia soviética, pero fue mucho más tardío: no llegó hasta mediados de octubre. Mientras tanto, la República pudo mantenerse con compras parciales de armamento gracias a sus reservas de oro. El resto lo hicieron el pueblo en armas, algunas milicias voluntarias, algunos miles de voluntarios extranjeros, y un factor decisivo, la posesión de la mayoría de la Armada y la Aviación.

1. A pesar de la enorme complejidad política del Frente Popular, es típica, por ejemplo, la visión que lo presenta como un Gobierno con claros ribetes revolucionarios, un bloque monolítico, sin fisuras apreciables y comprometido en una lucha de objetivos bastante simples.

2. Esto es lo que convierte en patéticos los esfuerzos de los gobernantes republicanos españoles por presentar una faz europea y relativamente conservadora frente a los países que no simpatizaban con ellos. La importancia que los comunistas y Azaña y Prieto y Negrín atribuyeron a lo que ahora se ha dado en llamar relaciones públicas, cobra irónico relieve cuando se considera que en el resto del mundo el juicio, en general, estaba hecho de antemano, sin que fueran capaces de alterarlo cualesquiera medidas cara a la galería adoptadas por el Gobierno español.

En este particular, la propaganda nacional fue, aunque inconscientemente, mucho más hábil, porque hizo más hincapié en el motivo de la lucha (salvar a España de la revolución, volver a los valores cristianos e hispánicos tradicionales) que en el carácter del bando en sí.

La ayuda internacional a nacionales y republicanos tuvo en algunas ocasiones incluso mayor trascendencia que la del alimento constante a dos ejércitos escasamente pertrechados. Como dice Hugh Thomas, hubo cinco momentos a lo largo de la guerra en los que el apoyo foráneo fue verdadero pilar de uno u otro bando:[3] primero, en julio de 1936, cuando Hitler y Mussolini suministraron a Franco aviones para el transporte del ejército de África a la Península; segundo, cuando en noviembre del mismo año, las Brigadas Internacionales salvaron con toda probabilidad a Madrid de caer en manos nacionales; tercero, cuando, en la primavera de 1937, Alemania e Italia enviaron abundante ayuda de material y hombres, lo que ciertamente pareció contribuir a elevar la moral de los nacionales, maltrecha tras los infructuosos esfuerzos por conquistar la capital; cuarto, cuando, tras la campaña de Aragón, en la primavera de 1938, parecía inevitable el triunfo de los nacionales y Francia abrió sus fronteras al paso de la ayuda soviética; y finalmente, quinto, en otoño de 1938, cuando la llegada de más material alemán permitió a Franco montar la definitiva campaña de Cataluña.

El escenario político mundial de la entreguerra estuvo dominado por Gran Bretaña. Lo que Londres decidía fue ley durante dos décadas. El ministro británico de Relaciones Exteriores (el secretario del Foreign Office) fue, durante veinte años, el ministro de Relaciones Exteriores del mundo entero. Es preciso subrayar que esta influencia fue funesta para Europa y que contribuyó a llevarla a la hecatombe de la segunda guerra mundial.

El Gobierno conservador de Baldwin y, más aún, el de Chamberlain fueron la sublimación de la política de apaciguamiento, que puede ser definida con justicia y con no excesivo rigor, como la política constante de ceder a todas las imposiciones de las dictaduras fascistas. Gran Bretaña, y con ella toda Europa, asistieron impávidas a la destrucción del continente, que caía víctima de la ambición desmedida podría decirse que de un solo hombre. La movilización del ejército alemán, la remilitarización de la Renania, el *Anschluss*, el sacrificio de Checoslovaquia en Munich, el Estado alemán de Bohemia-Moravia, el Estado de Eslovaquia y, fi-

3. Thomas, pp. 765-766.

nalmente, la invasión y destrucción de Polonia y Lituania, son otros tantos sangrientos y escandalosos ejemplos de lo que consiguió en Europa la política apaciguadora de Gran Bretaña. A esta lista debe añadirse la invasión de Abisinia por Italia.

Anthony Eden, ministro de Estado británico durante casi toda esta etapa de máxima gravedad, es acreedor a parte importante de responsabilidad.[4] Sobre sus hombros ha descansado el destino de Gran Bretaña en dos ocasiones cruciales: en los años inmediatamente anteriores a la crisis de Munich y durante el problema del canal de Suez en 1956. En ninguna de las dos estuvo a la altura que requerían de él las circunstancias. Su falta de firmeza, su carencia de sensibilidad política fueron graves, especialmente en un momento en que (con dos primeros ministros, Baldwin y Chamberlain, poco versados en política internacional) el mundo entero volvía sus ojos hacia Gran Bretaña en busca de orientación. Eden no tuvo más que una aspiración: evitar una guerra mundial. Éste es un propósito laudable, claro, pero para ponerlo en práctica nunca acudió a los medios que le ofrecían los tratados, los organismos internacionales y la fuerza de gran potencia que tenía su país. Y como nunca los usó, nunca pudo comprobar si funcionaban o no. Durante la conquista de Abisinia por Italia, se negó a que la Sociedad de Naciones reaccionara plena e inmediatamente como preveía el Pacto; en esta ocasión no se pudo comprobar si Mussolini habría tenido que detener su máquina bélica. Tras el restablecimiento del servicio militar obligatorio en Alemania, fue Eden quien acudió a Berlín a ofrecer colaboración en un pacto colectivo. Después de la re-

---

4.   Edward Nalefakis, en carta fechada desde Nueva York el 13 de enero de 1999, muestra algún desacuerdo con mis opiniones sobre Anthony Eden. Es probable que las achaque al entusiasmo juvenil del momento en que escribí el libro hace treinta años, una época en la que era yo menos sutil y matizado.

«Me parece que es usted un poco demasiado duro con Eden en el capítulo final. Por supuesto, políticamente se equivocó de forma terrible. Y pese a que en 1938 vio la luz y recuperó el sentido, desde luego no debe ser absuelto de la acusación de que fue un apaciguador antes y después de ser nombrado ministro de Exteriores. Pero me ha parecido que casi lo demoniza usted y que al hacerlo aminora las culpas de los muchos otros que fueron peores que él, desde Hoare hasta Chamberlain.»

militarización de la Renania, fue Eden quien se negó a que se aplicaran las disposiciones de seguridad previstas en el Pacto de Locarno contra Alemania; poco tiempo después, Hitler confesó que si los ejércitos franceses hubieran marchado contra el Rin, Alemania se habría tenido que replegar «con el rabo entre las piernas». Pero Gran Bretaña abandonó a Francia a su suerte.

Con haber sido favorable a los nacionales, la actuación de Eden —respaldado, claro está, sucesivamente por Baldwin y Chamberlain— en la guerra civil española, es típica de su actitud global frente a los problemas europeos. Una posición más drástica y firme hubiera naturalmente perjudicado a los nacionales; pero no es ésa la cuestión que ahora estamos discutiendo, sino lo que convenía a Europa cara a una posible guerra mundial. Sacrificando conscientemente a la República española, Eden aseguró la paz por tres años más. En este sentido, la política de no intervención fue un éxito completo: no impidió más que la ayuda de Francia, pero aisló el conflicto, alejó al espectro de la guerra y, lo que es de mayor consecuencia para España, consolidó la victoria de los nacionales. Eden sabía perfectamente lo que hacía y, para vencer la reticencia de sus compatriotas, les puso ante la siguiente falaz disyuntiva: o la convivencia con Alemania y la paz mundial o la enemistad con la dictadura nazi y la guerra. Como era de suponer tras la *encuesta de la paz* de 1935, los ingleses prefirieron lo primero. Y en esta decisión colaboró activamente el declarado, confuso y utópico pacifismo de los laboristas. Eden, como siempre, prefirió evitar la intervención de la Sociedad de Naciones. Los nacionales no parecen haber calibrado plenamente el valor de la ayuda que recibieron del Gobierno conservador británico.

Para Francia, el problema estuvo planteado en términos radicalmente distintos porque su coyuntura política del momento era distinta y mucho más inmersa en la situación continental. Desde justo antes del alzamiento español, gobernaba al país un Frente Popular. El jefe de esa alianza, Léon Blum, era un ideólogo socialista de gran prestigio, pero resultó ser un gobernante indeciso, confuso y débil.

La situación interna del país era difícil en junio de 1936. Había huelgas, agitación fascista y comunista, miseria y dificultades; Francia parecía estar tan al borde de una guerra civil como España.

En política internacional, el Frente Popular francés (un Gobierno de izquierdas) se puso desde el principio en manos del Gobierno conservador británico. Debe recordarse, sin embargo, que, en este aspecto, tenía una herencia que lo condicionaba, aunque a ella se añadía el hecho de que Blum se sentía incómodo frente a los problemas exteriores. Cuando en marzo de 1936, Hitler había decidido remilitarizar la Renania, invocando una violación del Tratado de Locarno por Francia (al firmar ésta un Pacto de no agresión con la Unión Soviética), el Gobierno de París se había vuelto en busca de ayuda hacia el de Londres. El apoyo le fue negado y, desde entonces, Francia había quedado al descubierto. Ésta había sido la herencia recibida por el Frente Popular.

El primer problema internacional con el que se enfrentó Blum fue la guerra civil española. Su actuación fue temerosa, indecisa y, desde luego, contraproducente para la República española. Una intervención inmediata en contestación al telegrama del primer ministro español hubiera impedido la consolidación del grupo nacional, haciendo imposible el paso del Estrecho desde África y cortando toda posibilidad de supervivencia a los rebeldes que ya estaban en la Península. Si apenas cuatro meses antes Hitler habría tenido que retirarse del Rin ante una sola amenaza francesa, cabe pensar que, con mucha más razón (puesto que el español era un problema que le atañía de más lejos) hubiera dejado de intervenir en favor de los nacionales al ver una posición firme en el Frente Popular francés y una asistencia militar inmediata. En estas condiciones, la mínima ayuda inicial de Mussolini ni siquiera se habría planteado como posibilidad.

Durante tres días (del 19 al 22 de julio de 1936), Blum estuvo decidido a intervenir en España y no lo hizo inmediatamente por la confusión que reinaba en la Embajada de España en París. Luego, el 22, mientras estaba en Londres hablando con sus colegas británicos y belgas sobre los problemas planteados por la remilitarización del Rin, en Francia estalló una campaña de prensa contraria a sus simpatías españolas. A Blum le pareció que se tambaleaba su Gobierno. Pensó que ayudar a la República podía agravar la situación interna de Francia de tal suerte que los acontecimientos provocaran la caída del Frente Popular, con grave riesgo de que estallara una guerra civil. Muchos de sus propios ministros estaban en contra de la intervención en España. Gran Bretaña, a juzgar por sus anteriores actuaciones, no le apoyaría en caso de una guerra con Alemania por la cuestión española. Una velada insinuación en este sentido, hecha a título particular por el embajador británico en París, pareció confirmarlo. Éste fue el fin de la República española. La abstención de Francia se debió más a razones de política interna que a presiones de los conservadores de Londres, aunque Blum dijera lo contrario para evitarse complicaciones con su propio partido. El hecho es que el Gobierno francés como tal se abstuvo de intervenir y las naturalmente mínimas ayudas tuvieron que ser cuidadosamente camufladas. Las iniciativas particulares eran difícilmente controlables, claro está, y siguieron adelante con el natural entusiasmo no exento de interés crematístico.

Cuando Blum comprendió que no podía organizarse seriamente una ayuda a la República española y comprobó que los nacionales empezaban a recibir asistencia italiana y alemana, pensó en la posibilidad de establecer un cerco de neutralidad en torno a la península Ibérica para impedir que llegaran a España armas con destino a cualquiera de los contendientes. A eso respondió la propuesta de un acuerdo de no intervención formulada el 2 de agosto. Lo que no esperaba Blum era que, una vez más, sus intenciones fueran sutilmente burladas por Gran Bretaña.

Eden, en efecto, acogió la idea con interés pero no para neutralizar la guerra y hacer que la lucharan antagonistas exclusivamente españoles con armamento exclusivamente español —que eso le tenía sin cuidado—, sino para que, interviniera quien interviniese, los aliados europeos de los contendientes españoles nunca se enfrentaran en la escena continental y nunca se produjera una posibilidad de conflagración mundial en torno a la guerra civil española. El propósito francés no fue conseguido; el británico, por el contrario, tuvo un éxito rotundo.

Hitler se hallaba en un momento absolutamente triunfante, reconstruyendo su ejército con rapidez y empezando a poner en práctica su ambición de extensión territorial. Los motivos que tuvo para ayudar a los nacionales son claros y sencillos de comprender. Su máquina militar estaba necesitada de experiencia y de materias primas. Mandando un cuerpo de ejército escogido y perfectamente equipado a España podía llevar a la práctica ambas finalidades; la una, combatiendo al lado de los nacionales, para así comprobar el funcionamiento del material de guerra alemán; la otra, consiguiendo a cambio de esta asistencia parte de la riqueza mineral del subsuelo español. Había también un efecto secundario que debió de atraer a Hitler: la probabilidad de que una victoria nacional derivara en la constitución en España de un Estado nazi o fascista que habría de serle utilísimo en el caso de una guerra mundial.

Parece igualmente claro el porqué de su adhesión a la No Intervención. No debe olvidarse que Alemania seguía estando en posición nacional de inferioridad y que cualquier amenaza era capaz de hacer retroceder a Hitler. Su adhesión parece revelar un deseo de no irritar excesivamente a Gran Bretaña. Pronto descubriría, además, que no importaba que siguiera interviniendo en España con tal de que no se produjeran enfrentamientos en Europa.

El caso de Italia es distinto porque (con el país recuperándose lentamente de la costosa aventura imperial en que se había metido menos de un año antes) para Mussolini no podía existir más que un interés remoto en intervenir en España. Probablemente, sin embargo, cuando se convenció de que el alzamiento español era serio, el Duce comprendió que podía aprovechar la situación a su favor en el Mediterráneo. Pensó que una victoria nacional en España pondría en sus manos la totalidad del Mediterráneo en detrimento de Gran Bretaña; y es conocida la importancia que, en sus planes imperiales, tenía para Mussolini el *mare nostrum.* La posibilidad de obtener materias primas para su economía de guerra también debió de pesar en la decisión de Italia. Además, no debe olvidarse que es probable que Mussolini creyera que la primera y mínima ayuda de doce bombarderos solicitada por Franco bastaría a éste para ganar la guerra. Pero la resistencia republicana fue mucho más sólida de lo que se esperaba. A partir de septiembre de 1936, el Duce se encontró interviniendo más y más en España probablemente porque ya no podía detener una bola de nieve creciente y sobre todo por una razón de prestigio militar. No se comprende en caso contrario el porqué de la presencia en España de más de 60 000 italianos (el doble de los efectivos de las Brigadas Internacionales) a principios de 1937.

Los motivos que empujaron a Mussolini a adherirse a la No Intervención parecen claros. El Duce creyó en la no intervención como sistema eficaz para neutralizar la contienda española y se sumó a aquélla pensando que probablemente ya no sería necesaria su ayuda militar a los nacionales. Sus violaciones iniciales del Acuerdo son menos fruto de una duplicidad política que del hecho de pensar, en cada ocasión en que ayudaba a los nacionales, que era la última vez que lo hacía para equilibrar las fuerzas y contrarrestar los ilegales apoyos de Francia y la Unión Soviética. Sólo más adelante, a partir de la conquista de Málaga en febrero de 1937, Mussolini entró de lleno en el doble juego de hipocresía y cinismo de la No Intervención.

De todos los aliados de los nacionales, el que tuvo una posición más clara fue Portugal. El régimen de Oliveira Salazar, una dictadura de derechas de corte corporativista, contrastaba con el de la República española tan evidentemente que su postura tenía que estar decidida de antemano. Desde el principio, los nacionales dispusieron en Portugal de cuanta facilidad les fue necesaria para preparar la rebelión, para encontrar refugio y para trasladar tropas y material. Oliveira Salazar se dio cuenta de que la misma existencia de su régimen político en Portugal dependía de la victoria de Franco y sin reservas apoyó a los nacionales, no sólo para librar a España «de la revolución marxista», sino para evitar «la implantación de un régimen subversivo en Portugal», consecuencia inevitable, pensaba él, de una victoria republicana en la guerra.

De este modo Portugal se adhirió a la No Intervención aparentando sumarse a la neutralidad colectiva, pero sin la más mínima intención de respetarla. Esto no hace al Gobierno de Lisboa más responsable que otros, sino, más bien, contribuye a poner de relieve lo inviable de la no intervención en sí.

Por fin, para la Unión Soviética, la cuestión también era peculiar. En las páginas que anteceden, se ha pretendido demostrar que Stalin nunca estuvo interesado en el establecimiento de un satélite comunista en España, como no lo estaría en la Italia de Togliatti o en la Francia de Thorez. Stalin fue siempre muy nacionalista y sólo se decidió a bajar el telón de acero sobre otros países después de 1945 para defender a Rusia de lo que él pensaba era el cerco capitalista. En España, la política del partido comunista durante la guerra fue siempre conservadora, de colaboración con los partidos burgueses del Frente Popular y, de hecho, los comunistas intentaron concentrarse en ganar la contienda más que en hacer la revolución.

En Europa, Stalin llevaba años llamando la atención sobre el peligro nazi. La guerra civil española le suministró un motivo más de alarma que poner ante los ojos indiferentes de Gran Bretaña y Francia. La asistencia soviética a la República española se produjo sólo a regañadientes, primero, para no dar la sensación de que la «patria del socialismo» abandonaba a los hermanos proletarios, y segundo, sólo cuando hubo evidencia de ayuda alemana e italiana. Tampoco debe olvidarse que la República pagó por la ayuda soviética que, es conveniente recordarlo, nunca fue suficiente para provocar la derrota de los nacionales. Como ha puesto brillantemente de relieve el profesor Cattell en su libro *Soviet Diplomacy and the Spanish Civil War*, la intervención de Stalin en España obedeció a tres motivos: demostrar a Francia y a Gran Bretaña que la alteración de la paz en un territorio constituía una amenaza global, inmiscuir a Hitler y a Mussolini en una guerra de desgaste y, finalmente, mantener, de ser ello posible sin demasiado esfuerzo, a una República de izquierdas en España como permanente amenaza a la retaguardia alemana o como posición negociadora deseable.

Todo parece indicar que Stalin creyó en la eficacia de la No Intervención, porque pensó que sin ayuda los nacionales estaban perdidos. Luego, como todos, se sumó tranquilamente al cinismo colectivo cuando comprobó que ése era el juego en uso en torno a la guerra civil española.

La No Intervención, en consecuencia, fue un absoluto triunfo de la política apaciguadora de Gran Bretaña. Eden consiguió que la guerra civil no fuera causa del estallido de la segunda guerra mundial, sino más bien un problema aislado, apasionante, pero sin peligro general. La No Intervención fue una válvula de escape de las tensiones internacionales. Se comprende muy bien el porqué de su creación.

¿Por qué no utilizar a la Sociedad de Naciones con el mismo objeto? A primera vista, con el control que Gran Bretaña ejercía sobre ella, parecía un organismo eficaz para los planes de Eden. Pero había tres motivos que desaconsejaban su utilización: primero, dos de los países más involucrados en la situación española, Alemania e Italia, ya no eran miembros de la Liga; segundo, la Sociedad de Naciones era una tribuna pública resonante, mientras que el Comité de Londres, más permanente y más secreto, permitía ventilar los algo vergonzantes asuntos de la No Intervención más discretamente (seguramente Gran Bretaña quería evitar sonrojantes intervenciones del Gobierno republicano español al estilo de las de Haile Selassie durante la guerra etiópica, lo que se conseguía si no se hacía a aquél miembro de un organismo específicamente creado para ocuparse de la cuestión española); y tercero, la Sociedad de Naciones estaba herida de muerte desde la crisis de Abisinia, lo que no parecía hacerla asamblea idónea para ocuparse de un problema de la gravedad del español. Una y otra vez, el Gobierno de Madrid acudió a la Liga en demanda de auxilio y de castigo de quienes intervenían en favor de los nacionales, arguyendo que mientras no se concedieran derechos de beligerancia a ambos contendientes, solamente el Gobierno legítimo de España tenía derecho a solicitar asistencia de países amigos. En ningún momento, sin embargo, pidieron los delegados republicanos españoles la intervención de la Sociedad de Naciones como tal. En todo caso, sus llamamientos no sirvieron de nada.

Si la internacionalización de la guerra civil de España, con su triste historia de hipocresía y de fracasos, es uno de los acontecimientos más reveladores de los años treinta, si los Gobiernos quisieron desentenderse de la crisis, no puede por menos de subrayarse que fue la contienda española el hecho histórico de más trascendencia personal y moral de la entreguerra y que levantó entre los hombres una oleada de sentimientos y discusiones cuyos ecos aún perduran. Para muchos fue la última gran causa, el último conflicto romántico que fuera capaz de dividir a la humanidad no afectada directamente por la tragedia entre el rojo y el blanco, casi sin matices intermedios.

Más que en ninguna otra época, los intelectuales de entreguerras estaban orientados hacia la izquierda. Más que nunca, la actividad política era un fenómeno influido por la intelectualidad. Hombres de letras y filósofos figuraban a la vanguardia de gobiernos, movimientos y partidos políticos del mundo occidental: eran los «intelectuales en política». El alzamiento militar de 17 de julio estalló intolerablemente en sus almas, provocando, como dice Koestler, «el último respingo en la agonizante conciencia de Europa». El levantamiento español era la primera insurrección militar que ocurría en Europa desde el final de la gran guerra. Los hombres que veían en él la ominosa presencia del nazifascismo no dudaron en lanzarse a la aventura de combatirlo. Estimulados por los intelectuales, miles de extranjeros acudieron a España a «defender la libertad». No debe olvidarse, sin embargo, que era la defensa de su libertad, no de la de los españoles, era su lucha política, no la de los españoles que, si bien se mira, apenas si suministraron un telón de fondo.

Los partidos de oposición en toda Europa (y en el poder en Francia) eran el socialista y el comunista. Nada había de más natural que fuera este último —mejor organizado para la lucha y la revolución— el que tomara las riendas de la batalla contra los nacionales. Así ocurrió y por eso se desvirtuó *a posteriori* y en gran medida el significado del *engagement* de los intelectuales y el de la presencia de las Brigadas Internacionales, que tanta trascendencia tuvieron en la historia militar de la guerra civil. El comunismo explotó y desvalorizó el movimiento de solidaridad con la República española.

Por el lado nacional, por el contrario, no puede hablarse con seriedad de la presencia de un voluntariado extranjero en sus filas. Naturalmente, una fuerte proporción de la opinión conservadora de los países europeos y americanos se puso de parte de los rebeldes, pero no siendo la nacional una causa atractiva para la mentalidad extranjera, no hubo compromiso individual masivo como en el caso del bando republicano.

Lo que queda históricamente en las mentes y en la propaganda es la presencia de los no españoles en el bando republicano. Y queda con amargura, porque salieron derrotados de una guerra a la que habían acudido en el convencimiento de tener la razón.

Sea como fuere, no se ha vuelto a registrar en la historia un cataclismo emocional como el que provocó la guerra civil española. En este sentido, tal vez aún sean válidas las frases del protagonista de la obra *Mirando hacia atrás con Ira,* cuando exclama:

> Supongo que la gente de nuestra generación es ya incapaz de morir por causas que valgan la pena. Eso lo hicieron nuestros padres por nosotros, en los años treinta y cuarenta, cuando aún éramos unos chiquillos. Ya no quedan causas buenas por las que luchar.

Epílogo

La intervención extranjera es una particularidad casi inevitable de toda guerra civil. La razón es sencilla. A menos que esté seguro de una victoria rápida, cada bando suele buscar ayuda exterior. Para las potencias extranjeras a las que apelan, la intervención puede ser una manera relativamente fácil de extender su influencia si vence el bando al que apoyan. Desde luego, varía mucho la naturaleza y la escala de la intervención según sean las circunstancias en que se libra la guerra. En la guerra civil norteamericana de los años sesenta del siglo XIX, por ejemplo, la intervención extranjera fue mínima y sólo indirecta, sobre todo en términos de ayuda económica y diplomática británicas a la Confederación. En el conflicto fratricida vietnamita de los años sesenta del siglo XX, la intervención norteamericana de todas clases —militar, económica, diplomática, política— fue tan considerable que Estados Unidos acabó sustituyendo al Vietnam del Sur como principal antagonista de Vietnam del Norte y de los numerosos partidarios de éste en el Sur.

¿Cuáles son las características principales de la intervención extranjera en la guerra civil española? Una es, evidentemente, su volumen. En contra de la opinión generalizada, el conflicto español no batió plusmarcas en términos de tamaño. Las intervenciones extranjeras en otras guerras civiles han sido mucho mayores. El conflicto vietnamita que acaba de citarse es un ejemplo de ello. Otro es la intrusión de la URSS, en 1979, en la guerra civil de Afganistán, que extendió enormemente el alcance de la guerra y determinó que continuara hasta el presente, mucho después de que la URSS misma abandonara la empresa y hasta dejara de existir. Un tercer ejemplo es la entrada de Siria e Israel en la guerra civil libanesa de los años setenta y ochenta. En momentos históricos más remotos han ocurrido intervenciones extranjeras igualmente decisivas, como el abrumador apoyo militar que el ejército ruso prestó al Imperio austríaco en 1849 contra los húngaros, que intentaban separarse de él.

De todos modos, la escala y la constancia de la intervención extranjera en la guerra civil española fue considerablemente mayor de lo que ha sido la norma histórica. Como Fernando Schwartz muestra en el presente libro, la ayuda extranjera fue decisiva para ambos lados en momentos clave de la guerra, especialmente durante las fases iniciales, y fue también lo que hizo posible que el conflicto durara tanto tiempo y que el bando de Franco venciera de modo tan absoluto. No se dio un tamaño similar de intervención, por ejemplo, en la guerra civil rusa de 1918-1921, pues si bien varias potencias emprendieron acciones militares contra los bolcheviques, lo hicieron de modo limitado, en parte por su agotamiento físico y moral a consecuencia de la primera guerra mundial, y en parte porque las fuerzas antibolcheviques nunca llegaron a formar un frente lo bastante unido como para justificar esa ayuda. La intervención extranjera fue asimismo menos decisiva en la guerra civil china de 1946-1949 que en la española, dada la curiosa reticencia tanto de Estados Unidos como de la URSS a apoyar a fondo al bando con el que cada potencia simpatizaba. Algo semejante puede decirse de la guerra civil griega, contemporánea de la china, en la que la URSS sólo ayudó esporádicamente a los rebeldes de la EAM-ELAS, mientras Estados Unidos se contentó con proporcionar armamento y asesores militares a los monárquicos, pero sin enviar tropas.

Más singular que el volumen de la intervención extranjera, sin embargo, fue el contexto de profunda división ideológica en que tuvo lugar la guerra civil española. La ideología no suele ser un elemento determinante en las relaciones internacionales, e incluso cuando está presente se abandona a menudo por razones de *realpolitik*. En toda la historia moderna de Europa sólo ha habido cuatro ocasiones en las cuales la ideología ejerciera tanta (o, para ser más exactos, casi tanta) influencia como el interés político y económico inmediato de cada país. Las guerras religiosas de los siglos XVI y XVII fueron la primera y más larga de estas ocasiones, pero incluso entonces Francia constituyó una excepción, pues se alió a menudo con los protestantes contra los Habsburgo, prefiriéndolos a sus hermanos católicos. Una segunda época altamente ideologizada fue la de 1810 a 1840, cuando las fuerzas del absolutismo lucharon contra las del constitucionalismo, no sólo dentro de cada Estado europeo, sino también en el plano internacional. España fue un importante campo de batalla en esta lucha: el trienio constitucional de 1820-1823 fue destruido por un ejército francés respaldado por la alianza de Estados absolutistas encabezada por Metternich y una década más tarde, aunque en mucho menor grado, la ayuda británica facilitó la victoria liberal en las guerras carlistas de 1833-1840. Un tercer momento fue el de la Europa de entreguerras, como veremos en seguida con mayor detalle. Por fin está la guerra fría, desde 1946 hasta 1989, en la que la lucha ideológica entre comunismo y anticomunismo afectó a todo cuanto sucedía en el mundo.

El período entre las dos guerras mundiales es lo que nos interesa aquí. Fue excepcional porque, a diferencia de los otros momentos mencionados, Europa estaba dividida no entre dos, sino entre tres ideologías. El principal enfrentamiento ocurría, casi siempre, entre comunismo y capitalismo democrático. Surgió en 1917-1918 y siguió, en una forma u otra, casi hasta el final del siglo, con una breve aunque importantísima interrupción durante la segunda guerra mundial. Esta división fue mucho menos intensa y menos institucionalizada en los años veinte y treinta que más adelante. La URSS era la única potencia comunista y se la consideraba como un Estado débil, en las primeras etapas de su industrialización, sin capacidad para imponer su voluntad a otras naciones a no ser por la subversión interna de las mismas. Por lo tanto, podía tratársela aislándola política y económicamente. Sin embargo, los temores suscitados por la Revolución bolchevique en las élites y las clases medias europeas seguían vivos y se reactivaron mucho en los años treinta, cuando la crisis económica mundial sacudió las economías capitalistas y reavivó las profundas tensiones sociales que subsistían en ellas.

Fue entonces, a mediados de los años treinta, cuando el fascismo se convirtió en una fuerza ideológica importante. El fascismo existía en Italia desde 1922, pero durante su primer decenio fue un factor secundario en los asuntos europeos, pues se contentaba con una preponderancia limitada dentro de Italia y apenas si atraía a grupos marginales en otros países. Sólo después de la llegada al poder de los nazis, en 1933, adquirió el fascismo el extraordinario dinamismo que consideramos su rasgo más típico. En los tres años siguientes la política europea sufrió alteraciones drásticas, primero a causa de los extraordinarios logros económicos y diplomáticos del nazismo, y luego por la influencia que su éxito tuvo en Mussolini, que abandonó su cautela anterior y se convirtió en un jefe agresivo y temerario. Estos cambios polarizaron rápidamente la política interior de otras naciones europeas; los partidos fascistas locales se fortalecieron, lo mismo que sus adversarios principales, los partidos comunistas y socialistas. No es exagerado lo abrupto de la transformación política europea, tanto en el interior de cada país como en las relaciones entre ellos. Si en España hubiese estallado una guerra civil en 1934 o 1935, o hasta en febrero en lugar de en julio de 1936, la reacción internacional habría sido muy diferente. Con la zona de Renania todavía desmilitarizada, Hitler no se hubiese atrevido a desafiar a la opinión internacional con una ayuda descarada a quienes se habían alzado contra la República española. Lo mismo cabe decir de Italia, cuyas fuerzas militares no completaron su conquista de Etiopía hasta mayo de 1936. Y sin la intervención de las potencias fascistas, la URSS, siempre más cauta que ellas en cuestiones de política exterior, no hubiese intervenido en la contienda.

Pero por estallar precisamente cuando las potencias fascistas consolidaban su posición internacional y sólo al cabo de unas semanas de que la victoria del Frente Popular francés introdujera nuevas incertidumbres en la política exterior gala, la guerra civil española se convirtió inmediatamente en el foco de la atención del mundo. Esto fue así lo mismo a nivel de gobiernos que a nivel popular. Los fascistas en todas partes vieron la rebelión de Franco como otro paso adelante en su marcha triunfal contra el marxismo y la democracia decadente. Para socialistas, comunistas, y para muchos demócratas que se sentían horrorizados o indignados por Hitler y Mussolini, la República hacía valerosamente frente a la incesante marea fascista. Había también una tercera posición, que predominaba especialmente entre las clases gobernantes británicas y que, dada la fuerte influencia británica en la política exterior de Francia, acabó determinando la estructura general de la reacción europea a la guerra civil española; esta posición reconocía (aunque no siempre) que el fascismo constituía una amenaza, pero le daba un lugar secundario por razones tanto tácticas como ideológicas. Tácticamente, los británicos creían que la mejor manera de contener el fascismo no era el enfrentamiento abierto, sino haciéndole concesiones, con lo que esperaban apaciguarlo eventualmente. Ideológicamente, aunque lo encontraban desagradable, estimaban al fascismo menos peligroso de lo que desde hacía mucho tiempo consideraban verdadera amenaza para la civilización occidental, es decir, el comunismo y la revolución social. En el doble juego de infravalorar el vasto potencial demoníaco latente en el fascismo y exagerar al mismo tiempo el peligro de revolución social, está el origen de la política de no intervención, con su hipocresía institucionalizada y sus desastrosas consecuencias, no sólo para España sino también para Europa y el mundo en general.

Éstas son unas cuantas observaciones preliminares que se pueden hacer en torno de la compleja historia de la internacionalización de la guerra civil española que Fernando Schwartz explica con tanta eficacia en este libro. Desde luego, en las casi tres décadas transcurridas desde que se publicó la primera edición del presente libro, han aparecido muchos nuevos análisis sobre la intervención extranjera en la guerra española. Sobre la Gran Bretaña, cuya posición fue tan decisiva, me parecen especialmente dignas de mención las monografías de Jill Edwards y Enrique Moradiellos. Sobre Italia, Ismael Saz nos ha proporcionado un valioso estudio sobre los antecedentes con el que analizar la política de Mussolini respecto a España de 1931 a 1936, y John Coverdale ha escrito una excelente monografía sobre la intervención italiana durante la guerra misma. Ángel Viñas ha hecho aportaciones considerables acerca de Alemania. En cuanto a la URSS, es sorprendente que poco de importancia se haya añadido a lo que se conocía cuando Schwartz escribía su libro, y ello pese a la apertura gradual de los archivos soviéticos durante el último decenio. Lo mismo cabe decir de Estados Unidos, salvo por lo que se refiere al innovador estudio de Douglas Little sobre las actitudes gubernamentales americanas (y británicas) hacia la República antes de la insurrección. Respecto a Portugal, que tuvo en la guerra un papel más importante de lo que suele reconocerse (aunque uno de los muchos méritos del libro de Schwartz es, justamente, que en esto constituye una excepción), las obras de César Oliveira han aumentado considerablemente nuestra información. Finalmente, si bien tratan de un tipo diferente de internacionalización, son admirables el estudio de Antonio Marquina sobre la diplomacia vaticana y el de Javier Tusell y Genoveva Queipo de Llano sobre la reacción del catolicismo mundial ante la guerra.

Con todo y estas valiosas adiciones a la literatura sobre el tema, merece mucho la pena leer el libro de Fernando Schwartz. Una razón para ello es la calidad de su estilo, en el cual se combinan la sensibilidad del novelista que luego llegó a ser con la capacidad analítica y la cordura del diplomático que entonces era. Con estos elementos, Schwartz nos proporciona un relato nunca superado en claridad y elegancia de expresión. Presenta un tema muy complicado de tal modo que resulta accesible para cualquier lector interesado. Otra cualidad atractiva es la disciplinada pasión con que fue escrito el libro. Como puede comprobarse en el prefacio que Schwartz ha añadido a esta nueva edición, la investigación y la redacción del libro fueron para él un grito del corazón, una especie de declaración personal de independencia frente a las humillantes restricciones con que el régimen de Franco paralizó la vida intelectual española. Por último, no debe olvidarse que los nuevos estudios antes citados, publicados después de la primera edición del libro de Schwartz, son monografías que tratan de aspectos específicos de la internacionalización de la guerra (a menudo de sus antecedentes), más que de su aspecto general. Dado que el conocimiento histórico avanza lentamente y que muchos de los detalles que se han añadido a nuestra información durante los tres decenios últimos enriquecen lo que ya se conocía sin alterar nuestras conclusiones generales, puede afirmarse que el libro de Schwartz sigue siendo la mejor síntesis disponible del tema al que se refiere.

A Fernando Schwartz corresponde el no pequeño mérito de haber escrito un libro tan detallado, equilibrado y preciso cuando era todavía bastante joven y a pesar del clima intelectual adverso que prevalecía durante los postreros años del régimen franquista. Como indica en su prefacio, no habría podido hacerlo de no haber gozado del privilegio de vivir en el extranjero durante varios años, lo que le permitió eludir las restricciones que la dictadura imponía al pensamiento. Desde otro punto de vista, además, Schwartz es típico de su generación. Para los observadores extranjeros simpatizantes como yo, el fenómeno más maravilloso de la historia reciente de España ha sido la capacidad de sus gentes para superar los enormes daños que les causaron la guerra civil y los primeros decenios de la dictadura de Franco. Este prolongado y hondo trauma no consiguió destruir el espíritu de los españoles, cuyos mejores rasgos se manifestaron de nuevo tan pronto como la dictadura empezó a ablandarse en los años setenta y comienzos de los setenta. Fue esta asombrosa transformación, de la cual la gente de la edad de Schwartz y los que eran algo mayores o algo más jóvenes constituyen el núcleo impulsor, la que puso los cimientos de la transición a la democracia y la plena reintegración de España a la vida europea. Recuerdo bien esos años, pues fue durante ellos cuando entré por primera vez en contacto con España. Mi primer libro, sobre el problema agrario español durante la República, se publicó el mismo año que el de Fernando Schwartz, y algunas de las personas que le ayudaron a superar los problemas de la censura, en especial Alejandro Argullós, pero también Ricardo de la Cierva, me ayudaron a superar los míos. Es natural, pues, que tanto por motivos personales como profesionales, me alegre dar la bienvenida a esta nueva edición del notable libro de Schwartz, que sigue siendo tan útil y tan fresco hoy como cuando se escribió.

EDWARD E. MALEFAKIS

Bibliografía

La bibliografía sobre la guerra civil de España es, como ya indiqué en el prefacio, extensísima. El trabajo más completo que existe sobre el particular es el publicado por la Secretaría Técnica del Ministerio de Información y Turismo, bajo la dirección de Ricardo de la Cierva, con el título de *Bibliografía de la guerra de España, 1936-1939, y sus antecedentes* (Ariel, Barcelona, 1968). Una relación bibliográfica muy interesante, aunque no exhaustiva por supuesto, es la que aparece en el libro de Hugh Thomas, *The Spanish Civil War,* cuya referencia se encuentra más adelante.

Como es natural, en la investigación previa a la redacción del manuscrito hube de leer muchos trabajos sobre la historia de España en el siglo xx. No me propongo citarlos, pues la lista se alargaría innecesariamente, pero no puedo por menos de referirme a tres obras que no sólo me parecieron importantes en sí, sino porque además reflejan la seriedad e interés de la historiografía extranjera en torno a España; son las siguientes: *Spain, 1808-1939*, del profesor Raymond Carr (trad. cast., Ariel, Barcelona, 1969), *El laberinto español*, de Gerald Brenan (Ruedo Ibérico, París, 1962), y *The Spanish Republic and the Civil War, 1931-1939*, de Gabriel Jackson, en lo que se refiere a historia de la Segunda República española (Princeton University Press, 1965). Aunque publicados demasiado tarde para que yo pudiera utilizarlos, es imprescindible citar los libros de Richard A. H. Robinson, *The Origins of Franco's Spain; The Right, the Republic and Revolution, 1931-1936* (David & Charles, Devon, 1970), que resulta importantísimo para comprender la formación de las derechas de España, y de Stanley G. Payne, *The Spanish Revolution* (Weindenfeld & Nicolson, Londres, 1970) en lo que se refiere a las izquierdas.

I. Documentos

Han sido interesantísimos de manejar los *Documentos de la No Intervención en la Guerra de España* (que se guardan sin publicar en el Public Record Office de Londres, bajo el número de archivo FO 849, tomos 1 al 42). En ellos se encuentran las actas y versiones íntegras mecanografiadas de los cientos de reuniones del Comité de Londres y sus comisiones técnicas, así como todas las notas, cartas y estudios referentes a la No Intervención, permanente monumento al patético esfuerzo por evitar la extensión de nuestra contienda fuera de los límites de nuestras fronteras. He donado una colección microfilmada completa de estos documentos al Archivo Histórico Nacional. Igual interés han tenido los *Documentos del Foreign Office* (que asimismo se guardan en el Public Record Office de Londres y que han sido abiertos a la investigación, para documentos con antigüedad mínima de treinta años, con fecha 1 de enero de 1969). Creo que en ellos se ponen de manifiesto no sólo el deseo británico de restringir los efectos de la guerra de España, sino también las simpatías pro nacionales del Gobierno conservador, simpatías que no pudieron manifestarse más claramente a causa del apasionamiento pro republicano de muchos de los intelectuales y políticos de peso en el país y de gran parte de la opinión pública.

Los documentos portugueses, que están siendo publicados lentamente por el Gobierno de Lisboa, con el título de *Dez Anos de Política Externa. A naçao portuguêsa e a segunda guerra mundial* (el volumen más utilizado por mí ha sido el tercero, editado por la Imprenta Nacional en Lisboa en 1964), no hacen sino confirmar las ya conocidas tendencias y simpatías del Gobierno luso. Más interés han tenido los documentos alemanes, que cito profusamente, *Documents on German Foreign Policy*, serie D, volumen III, *Germany and the Spanish Civil War* (que fueron capturados en Berlín por los aliados al término de la segunda guerra mundial y publicados simultáneamente por Gran Bretaña, Francia, Estados Unidos y la Unión Soviética; la edición utilizada por mí es la norteamericana, publicada en 1950 por el Government Printing Office, Washington, D.C.); éstos fueron publicados por los vencedores de la guerra mundial —lo que automáticamente implica remoción del secreto en los documentos oficiales—, mientras que los portugueses están siendo editados voluntariamente por su propio Gobierno. Naturalmente, los documentos de la Wilhelmstrasse alemana han sido objeto de estudio en la mayoría de los libros que versando sobre la guerra civil de España se han publicado desde 1952, mereciendo especial mención los de Hugh Thomas y Glenn T. Harper, que arrojan definitiva luz sobre las intenciones y motivos de la política exterior del Tercer Reich.

También he utilizado, aunque más esporádicamente y confirmando referencias de otros autores, las colecciones *Foreign Relations of the United States*, 1936, volumen II (Government Printing Office, Washington, D.C., 1954-1955) y *The Trial of the Major War Criminals before the International Military Tribunal* (Nuremberg, 1946-1947, 35 volúmenes).

Para las sesiones y papeles de la Sociedad de Naciones he manejado el Diario Oficial (Ginebra, 1936-1937). Algunos documentos de que carecía, bandos, notas de los Gobiernos de Madrid y Burgos, artículos de prensa españoles, sesiones parlamentarias, etc., pueden encontrarse en el libro de Fernando Díaz-Plaja, *La historia de España en sus documentos, el siglo XX, la guerra (1936-1939)* (Ediciones Faro, Madrid, 1963).

II. Libros de historia general no española

Desde un punto de vista global, el tomo XII de *The New Cambridge Modern History* editado bajo el título de *The Shifting Balance of World Forces, 1898-1945* (Cambridge University Press, 1968) es una formidable compilación enciclopédica sobre la historia mundial del siglo xx; tiene, claro está, todas las ventajas e inconvenientes de este tipo de trabajo, pero, bajo la supervisión del profesor Charles L. Mowat, han contribuido algunos de los historiadores más célebres de nuestra época, como son Isaac Deutscher, Rohan Butler, P. A. Reynolds, Elizabeth Wiskemann, Maurice Crouzet, sir Denis Brogan y sir Basil Liddell Hart. Para la historia europea de entreguerras, he manejado sustancialmente el interesante libro del profesor A. J. P. Taylor, *The Origins of the Second World War* (Fawcett World Library, Nueva York, 1966), en el que el autor defiende por primera vez en la historiografía de las democracias posbélicas la política exterior de Hitler (lo que produjo un verdadero escándalo en Estados Unidos) y plantea racionalmente las bases del apaciguamiento como política británica, no desde el advenimiento al poder del dictador alemán, sino desde el fin de la Gran Guerra. También he utilizado una serie de artículos periodísticos del mismo profesor Taylor, recopilados en el libro *Europe: Grandeur and Decline* (Penguin, Londres, 1968), en los que hay numerosas referencias a la política internacional de los diferentes países en torno a la guerra civil. Es interesante por su tratamiento de las relaciones de Hitler con Mussolini, el libro de Elizabeth Wiskemann, *Europe of the Dictators, 1919-1945* (Fontana, Londres, 1967), al igual que la obra de Elizabeth Cameron, *The Diplomats, 1919-1939* (Princeton University Press, 1953), en lo que se refiere a la diplomacia personal heredada de Versalles. Para el surgimiento de las corrientes ideológicas del socialismo, es esencial el casi exhaustivo (falta en él un estudio del socialismo español) libro de Carl A. Landauer, *European Socialism* (University of California Press, 1959, 2 tomos). También es interesante para la historia de la Sociedad de Naciones, *A History of the League of Nations*, por F. P. Walters (Oxford University Press, 1950 y 1969).

Para la historia de la Francia del siglo XX, he consultado los libros siguientes: *Francia, 1870-1939* de sir Denis W. Brogan (Fondo de Cultura Económica, México, 1947), una obra que, como ya dije en una de las citas del texto, es de lectura amena, de óptica generalmente conservadora y que jamás justifica sus fuentes; *Histoire politique de la IIIᵉᵐᵉ République*, de Georges y Édouard Bonnefous (PUF, París, siete tomos; el más utilizado por mí ha sido el VI, *Vers la guerre: du Front Populaire a la Conférence de Múnich (1936-1939)*, de Edouard Bonnefous, publicado en 1965); y *Léon Blum, Chef de Gouvernement, (1936-1939)*, obra que componen las actas de un Coloquio celebrado en la Fundación Nacional de Ciencias Políticas de París, en los días 26 y 27 de marzo de 1965 (Cahiers de la Fondation Nationale de Sciences Politiques, Armand Colin, París, 1967), en el que intervinieron, entre otros, la viuda de Blum, Pierre Renouvin, Paul Bastid, Pierre Cot, Julio Just, Georges Monnet, Pierre Mendès France y Jules Moch.

Para la historia británica del período, he manejado los libros *Britain between the Wars: 1918-1940* del profesor Charles L. Mowat (Methuen & Co., Londres, 1966) e *English History, 1914-1945* del profesor A. J. P. Taylor (Oxford University Press, 1965); dos libros con enfoques diferentes pero igualmente interesantes.

Para la historia de Italia, aparte de las Memorias de los protagonistas que cito en otra parte, he consultado *L'Italie de Mussolini. Vingt Ans d'Ere Fasciste* de Max Gallo (Marabout Université, Bruselas, 1966), quien parece haberse especializado en escribir estudios precursores, aceptablemente bien documentados —aunque sin citar casi referencias— y desde luego muy polémicos, en un estilo periodístico típicamente francés (como su reciente *Histoire de l'Espagne franquiste*, Robert Laffont ed., París, 1969). También *Mussolini, une force de la Nature*, de Cristopher Hibbert (Ed. J'ai lu, París, 1965, publicado inicialmente en inglés bajo el título de *The Rise and Fall of Benito Mussolini*). Es interesante una corta monografía sobre la ideología fascista, *Fascist Italy* de Alan Cassels (Routledge and Keegan Paul, Londres, 1969), que ilustra muchos de los puntos contenidos en el artículo referente al fascismo en el tomo XIV de la Enciclopedia italiana (Roma, 1932). Naturalmente, tres clásicos a consultar son los de Salvemini, Aquarone y Germino (vid. n. 3, p. 73).

Para la historia de Alemania, es inevitable estudiar y citar la obra tremendamente apasionante y apasionada de Willian L. Shirer, *The Rise and Fall of the Third Reich* (Crest Books, Nueva York, 1964; la primera edición, de 1959). Shirer publicó su libro tras cinco años de investigación y con la experiencia de treinta años de periodismo político en Europa, de los cuales pasó quince en Alemania; el resultado es muy interesante. También es importante la biografía de Hitler, publicada por el profesor Allan Bullock con el título *Hitler, a Study in Tyranny* (Pelican, Londres, 1969). Pero los más sustanciales son algunos estudios especializados aparecidos recientemente, porque desmenuzan la ideología nazi, dismitificándola y encuadrándola con precisión en el molde europeo de los años 30. Por ejemplo, *The Foreign Policy of Hitler's Germany* de Gerhardt L. Weinberg (Chicago, 1970) y varios artículos de revistas históricas cuya referencia aparece más adelante.

Sobre la Unión Soviética existen varias obras importantes. La ya citada de Carl A. Landauer, *European Socialism*, y las dos biografías de Stalin que constituyen verdaderas historias del período: *Stalin, a political biography* de Isaac Deutscher (Oxford University Press, 1963) y *The rise and fall of Stalin* de Robert Payne (Pan Books, Londres, 1968; la primera edición americana es de 1965).

Sobre Portugal apenas existe nada escrito: Jesús Pabón ha estudiado la historia inmediatamente presalazarista en su *Revolución portuguesa* (Espasa Calpe, Madrid, 1941 y 1945, en dos tomos). El sistema constitucional portugués es analizado sintéticamente en el libro del profesor Luis Sánchez Agesta, *Curso de Derecho Internacional* (Granada, edición privada, 1955) y hay unos apuntes histórico-sociológicos netamente antisalazaristas publicados por Peter Fryer y Patricia McGowan Pinheiro con el título de *El Portugal de Salazar* (Ruedo Ibérico, París, 1965). Acaba de aparecer *Salazar and Modern Portugal* de Hugh Kay (Eyre & Spottiswoode, Londres, 1970), contribución algo esquemática a la historia lusa pero cuyos análisis, si bien conservadores, son siempre válidos. Véanse también *The New Corporative State of Portugal*, conferencia pronunciada en el King's College de Londres en 1937 por J. G. West y *Salazar, Portugal and her Leader* por António Ferro (Faber & Faber, Londres, 1939).

III. Biografías y memorias

Existe un breve libro de Henri Massis, *Chefs* (Plon, París, 1939) en el que aparecen entrevistas del autor con Hitler, Mussolini, Oliveira Salazar y Franco. Su postura es ciertamente favorable a todos ellos. Massis estuvo en zona nacional durante la guerra civil y fue amigo de muchos de los dirigentes nacionales.

Es naturalmente importante la obra de Adolfo Hitler, *Mein Kampf* (ed. Houghton Mifflin, Boston, 1943) —lo que literalmente traducido significa *Mi lucha*, aunque casi siempre se publica con el título en idioma alemán— cuyo original alemán fue publicado en Munich inicialmente en dos partes: en 1925 apareció la primera, *Eine Abrechnung*, y en 1927 la segunda, *Die National Sozialistische Bewegung*. Contienen detalles interesantes para mi tema las obras de Karl Heinz Abshagen, *Canaris: Patriot und Weltbürger* (Stuttgart, 1950), y de Adolf Galland, *The First and the Last* (Londres, 1957). El diario del conde Ciano, *Ciano's Diary, 1939-1943* (editado por el famoso periodista y ensayista británico Malcolm Muggeridge, en William Heinemann & Co., Londres, 1947) es interesantísimo, aunque muchas de sus afirmaciones deben ser tomadas con cierto escepticismo; Ciano tenía una manifiesta tendencia a desfigurar los acontecimientos en su favor. De Mussolini existe su autobiografía, *My Autobiography* (Scribner, Nueva York, 1936) y una colección de su actuación pública, *Escritos y discursos* (Bosch, Barcelona, 1935, ocho tomos). De Oliveira Salazar existe *El pensamiento de la Revolución na-*

cional (Poblet, Buenos Aires, 1938) y *Doctrine and Action* (Faber & Faber, Londres, 1939), una colección de sus discursos.

Para comprender bien los años treinta y tener plena conciencia de la amenaza que pesaba sobre Europa, debe leerse el primer tomo de la gran obra de sir Winston Churchill *The Second World War* (Cassell, Londres, 1948), *The Gathering Storm*, y parte de las reseñas de las actuaciones públicas de Léon Blum, *L'Œuvre de Léon Blum, 1934-1937* (Albin Michel, París, 1964).

De entre las memorias de los políticos y escritores españoles que más he utilizado destacan *Mis recuerdos: cartas a un amigo* de Francisco Largo Caballero (Era, México, 1954); *No fue posible la paz,* de José María Gil-Robles (Ariel, Barcelona, 1968), que más bien debería llamarse «La paz fue posible, pero no quisimos»; *The Last Optimist* de Julio Álvarez del Vayo (Nueva York, 1950); *Nuestra guerra* de Enrique Líster (Ebro, París, 1966); y las interesantes *Memorias inéditas* de Pablo de Azcárate, que fue secretario general adjunto de la Sociedad de Naciones y, luego, durante la guerra, embajador de la República en Londres.

Otras Memorias son las de Pietro Nenni, *La guerra en España* (Era, México, 1967); de Luigi Longo, *Las Brigadas Internacionales en España* (Era, México, 1966); de Walter Krivitski —uno de los principales espías de Stalin en la Europa occidental—, *In Stalin's Secret Service* (Harper & Bros., Nueva York, 1939). Los *Spanish Notebooks* de Ivan Maiski (Hutchinson & Co., Londres, 1966), que fue embajador soviético en Londres durante la guerra civil española, son las únicas notas publicadas específicamente sobre la No Intervención por uno de sus protagonistas; a esta virtud se sobrepone el defecto de su excesiva parcialidad, no desprovista de interés. Han sido interesantes de manejar las Memorias inéditas de Francis Hemming (que fue secretario del Comité de No Intervención), legadas a su muerte al Corpus Christi College de Oxford; lamentablemente, su Diario o la parte de él legada al Colegio no se inicia hasta el 8 de octubre de 1938, lo que lo coloca fuera de la cronología de mi libro. En cualquier caso, no existen juicios personales sobre los acontecimientos que presencia; solamente unas notas, en su mayoría telegráficas. Hemming, trabajador infatigable y entomólogo ilustre, fue conocido en Inglaterra como «el funcionario más diligente de Gran Bretaña».

IV. Libros relacionados con la historia de España

He consultado y trabajado directamente sobre los siguientes: *Searchlight on Spain*, de la duquesa de Atholl (Penguin, Londres, 1938); *Falange, historia del fascimo español*, de Stanley G. Payne (Ruedo Ibérico, París, 1965), que ha sido criticado por un exceso de esquematismo y por su falta de suficiente manejo de fuentes originales, pero cuya virtud es la de ser el primer estudio global sobre ese aspecto de la vida política española; *Politics and the Military in Modern Spain* también de Stanley G. Payne (Stanford University Press, California, 1967), que debe ser encuadrado dentro de los grandes estudios sobre la España del XIX y del XX; *La España del siglo XX* de Manuel Tuñón de Lara (Librería Española, París, 1966); la monumental, apreciable, conservadora y bastante panfletaria *Historia de la segunda República española* de Joaquín Arrarás (Editora Nacional, Madrid; tendrá cuatro tomos y el último editado, el tercero, apareció en 1968); *Estructura económica de España* de Ramón Tamames (Sociedad de Estudios y Publicaciones, Madrid, 1964, 2.ª edición); *La España... ¿de quién?* de Virgilio Sevillano Carbajal (Madrid, 1936); *Las inversiones extranjeras en España* de Manuel Campillo (Madrid, 1963); *Appeasement's Child, The Franco Regime in Spain* de Thomas J. Hamilton (Knopf, Nueva York, 1943); *Spain in Eclipse* de E. Allison Peers (Methuen & Co., Londres, 1943); *Entre Hendaya y Gibraltar* de Ramón Serrano Suñer (Ediciones y Publicaciones Españolas, S. A., Madrid, 1947); *Venti anni di storia* de Attilio Tamaro (Roma, 1952-1953); *Madrid-Moscovo. Da Ditadura à República e à Guerra Civil de Espanha* de F. Boaventura (Lisboa, 1937); *España y México, Historia Actual*, de José Antonio López Zatón (inédito, Escuela Diplomática, Madrid, 1966); finalmente, de la Colección *Historia de España*, su conservador tomo VI, *Época Contemporánea* del profesor Carlos Seco Serrano (Gallach, Barcelona, 1962).

V. La guerra civil

Naturalmente, el libro que en este aspecto brilla con luz propia es el formidable y omnicomprensivo *The Spanish Civil War* del profesor Hugh Thomas (he utilizado las tres ediciones inglesas: Eyre & Spottiswoode, Londres, 1961, Penguin, Londres, 1965, y Pelican, Londres, 1968). Es una verdadera lástima que el libro del profesor Thomas (que ha sido traducido al español y editado por Ruedo Ibérico de París) no se venda en España; ello daría a los españoles ocasión de conocer su guerra hasta el más mínimo detalle, con una combinación de serenidad de juicio y apasionado interés del que sólo alabanzas pueden seguirse. *The Spanish Civil War* tiene sin duda errores y equivocaciones interpretativas, pero ello no desmerece el hecho de ser el primer tratamiento global y objetivo de la guerra y, hasta ahora, el más digno de respeto. Hugh Thomas nos ha puesto en entredicho a todos los historiadores españoles, adelantándose a publicar una obra que debería haber sido española y que, dicho sea de paso, no hace sino realzar el mérito de tantos escritores extranjeros como los que se han volcado generosamente sobre nuestra historia.

La *segunda República española* de Víctor Alba (Libro Mex, México, 1960) casi no merece ser citado. En cambio, resulta muy interesante, aunque acaso sus conclusiones no sean totalmente correctas, el intento de Pierre Broué y Émile Témime, *La révolution et la guerre d'Espagne* (Les Éditions de Minuit, París, 1961). También es importante *La historia de la Cruzada española* (publicada bajo la dirección de Joaquín Arrarás en Madrid, 1939-1943).

The International Brigades, Foreign Assistants of the Spanish Reds, editado en 1952 por la Oficina de Información Diplomática del Ministerio Español de Asuntos Exteriores, es una buena contribución al estudio de la intervención extranjera en favor de la República y es una lástima que fuera escrito con un cierto tono de defensa panfletaria. Otros libros sobre las Brigadas (aunque también haya referencias interesantes a ellos en los de Thomas y Broué y Témime) son *The Abraham Lincoln Brigade* de A. H. Landis (The Citadel Press, Nueva York, 1967), el bastante confuso trabajo de Vincent Brome, *The International Brigades* (William Heinemann, Londres, 1965), el algo esquemático y siempre polémico *Leyenda y tragedia de las Brigadas Internacionales* del político historiador Ricardo de la Cierva (Madrid, 1971), y finalmente, el sensacional estudio de Verle B. Johnston *The International Brigades in the Spanish Civil War. Legions of Babel* (Pennsylvania, 1967).

Sobre la revolución marxista que estalla abiertamente a partir de julio de 1936, debe leerse el excelente y corto *La guerre en Espagne* de Louis Fischer (ed. Imprimerie Coopérative Étoile, 2.ª edición, probablemente 1939). Son magníficos por el acopio de datos y la seriedad de sus investigaciones, *Communism and the Spanish Civil War* de David T. Cattell (Berkeley, University of California Press, 1955) y *El gran engaño* de Burnett Bolloten (Luis de Caralt, Barcelona, 1961); a mi juicio, mejor el primero que el segundo, por el profundo conocimiento que Cattell tiene de la política soviética. Tienen utilidad *La CNT en la revolución española* de Joaquín Peirats (Toulousse, 1951-1953, dos volúmenes) y la explicación comunista de la guerra, *Guerra y revolución en España, 1936-1939*, por una Comisión presidida por Dolores Ibárruri, la *Pasionaria* (editorial Progreso, Moscú, 1966).

El libro de Luis Bolín, *Los años vitales* (Espasa Calpe, Madrid, 1967) arroja luz sobre lo que hasta entonces era la confusa etapa de la solicitud de ayuda a Italia (no de forma definitiva, puesto que contiene errores que deben subsanarse con el libro del señor Gil-Robles, en relación con la presencia del señor Goicoechea en Roma). Tiene acertadas percepciones a pesar de lo temprano de su publicación (1937) *The Spanish Cockpit. An eye-witness account of the Political and Social Conflicts of the Spanish Civil War* de Franz Borkenau (Faber & Faber, Londres, 1937). Otros trabajos son *La guerra en el aire* de José Gomá (AHR, Barcelona, 1958), *Diario de la guerra de España* de Mijail Koltsov (Ruedo Ibérico, París, 1963), y *Fu la Spagna* de Roberto Cantalupo (Milán, 1948).

VI. Aspectos internacionales de la guerra civil

Sobre este tema se han escrito cinco libros magistrales que también deberían ser traducidos y publicados en España: *Soviet Diplomacy and the Spanish Civil War* de David T. Cattell (University of California Press, 1957 —continuación del citado en el apartado anterior); *The Wound in the Heart: America and the Spanish Civil War* de Allen Guttmann (The Free Press of Glencoe, Nueva York, 1962), sobre las repercusiones intelectuales y sociales de la guerra en los Estados Unidos; *Britain Divided. The effect of the Spanish Civil War on British Political Opinion* de K. W. Watkins (Thomas Nelson & Sons, Londres, 1963), sobre el mismo tema referido a Gran Bretaña; *German Economic Policy in Spain during the Spanish Civil War, 1936-1939* de Glenn T. Harper (Mouton & Co., París-La Haya, 1967); y *American Diplomacy and the Spanish Civil War* de Richard P. Traina (Indiana University Press, 1968).

Desde el punto de vista del derecho internacional deben reseñarse *International Law and Diplomacy in the Spanish Civil Strife* de Norman J. Padelford (Macmillan, Nueva York, 1939), que es el precursor de todos los estudios sobre la internacionalización de la guerra; *Prelude to War: The International Repercussions of the Spanish Civil War, 1936-1939* de P. A. W. Van der Esch (Nijhoff, La Haya, 1951) escrito inicialmente como tesis doctoral en la London School of Economics and Political Science; y *La guerre civile et le droit international* («Recueil des Cours de l'Académie de Droit International», La Haya, 1938).

Otras publicaciones incluyen: *Spain and the Great Powers, 1936-1941* de Dante Puzzo (Columbia University Press, Nueva York, 1962); *The United States and the Spanish Civil War, 1936-1939* de F. Jay Taylor (Macmillan, Nueva York, 1956); *The Last Great Cause. The Intellectuals and the Spanish Civil War* de Stanley Weintraub (W. H. Allen, Londres, 1968); *Tres Cárdenas embajadores de España* de Juan Francisco de Cárdenas (Escuela Diplomática, Madrid, 1950); «Para una historia de la guerra de liberación. Intervención extranjera» de Juan Priego López (revista *Ejército*, Madrid, abril y septiembre de 1956); y finalmente, el muy incompleto fascículo *La política internacional en torno a la guerra de España* de Luis García Arias (Publicaciones de la Cátedra General Palafox, Universidad de Zaragoza, 1961).

VII. Revistas

De entre las revistas especializadas, deben citarse especialmente el *Journal of Contemporary History* (Weindenfeld & Nicholson, Londres), *The Economic History Review* (Londres) y la *Actualidad Económica* (Madrid). Todos sus números recientes, especialmente en el caso de las dos primeras, desde 1969, han venido publicando artículos especializados sobre la guerra civil española. Sus colaboradores incluyen nombres ilustres de la historiografía joven, como Alan Milward, Donald Lammers, Geoffrey Warner y M. D. Gallagher.

Índice onomástico